ÉTUDES ET ESSAIS SUR LA RENAISSANCE

dirigés par Claude Blum

LXX

Série « La Renaissance française »

Éditions et monographies

Collection fondée par C.-A. Mayer, dirigée par Pauline M. Smith

13

MARC-CLAUDE DE BUTTET (1529/31-86)

Dans la même collection

(Suite en fin de volume)

Sarah ALYN STACEY

MARC-CLAUDE DE BUTTET

(1529/31-86)

L'HONNEUR DE LA SAVOIE

PARIS
HONORÉ CHAMPION ÉDITEUR
2006

www.honorechampion.com

Diffusion hors France : Éditions Slatkine, Genève

www.slatkine.com

© 2006. Éditions Champion, Paris.

ISBN 2-7453-1317-7   ISSN 1164-6152

Pour Félix

Je tiens à remercier de leurs conseils précieux Madame Pauline Smith de l'Université de Hull, Monsieur Louis Terreaux, ancien professeur à l'Université de Savoie et président de l'Académie de Savoie, Madame Margaret McGowan de l'Université de Sussex, et Monsieur Gerald Morgan de Trinity College Dublin.

Pour les citations de textes inédits ou imprimés au XVIᵉ siècle, nous avons adopté les règles de transcription normales : nous avons introduit l'apostrophe, le trait d'union et la cédille là où l'usage moderne les exige, nous avons distingué *i* de *j* et *u* de *v* et accentué l'*é* à la finale des mots, de même que les prépositions *à* et *dès*, et les adverbes *où* et *là* ; nous avons transcrit en caractère moderne le *s* long, résolu les abréviations (avec l'exception de & qui ne présente pas de problèmes pour le lecteur moderne) et effectué une désagglutination : *trescruel > tres cruel*. Nous avons respecté les alinéas. Pour les citations prises d'éditions et d'ouvrages des XVIIᵉ-XXᵉ siècles (quand ces règles ne furent pas toujours suivies) nous avons respecté le texte.

TABLE DES ABRÉVIATIONS

ACT	Archivio di città (Turin)
ADHS	Archives départementales de la Haute-Savoie
ADS	Archives départementales de la Savoie
ADST	Accademia delle scienze (Turin)
AEG	Archives d'État (Genève)
AF	Académie florimontane (Annecy)
ANP	Archives nationales (Paris)
AST, Prima Sez.	Archivio di stato : Prima Sezione (Turin)
AST, Sez. Ri.	Archivio di stato : Sezione Riunite (Turin)
BAP	Bibliothèque de l'Arsenal (Paris)
BHR	*Bibliothèque d'Humanisme et Renaissance*
BMA	Bibliothèque municipale (Amiens)
BMB	Bibliothèque municipale (Bordeaux)
BMC	Bibliothèque municipale (Chantilly)
BML	Bibliothèque municipale (Lyon)
BMT	Bibliothèque municipale (Troyes)
BMTo	Bibliothèque municipale (Toulouse)
BMV	Bibliothèque municipale (Versailles)
BNF	Bibliothèque nationale de France
BNT	Bibliothèque municipale (Turin)
BPUG	Bibliothèque publique et universitaire (Genève)
BRT	Biblioteca reale (Turin)
BSM	Bayerische Staatsbibliothek (Munich)
DST	Deputazione Sabaudia (Turin)
KBC	Kongelige Bibliotek (Copenhague)
MASBLAS	*Mémoires de l'Académie des sciences, belles-lettres et arts de Savoie*
MDSS	*Mémoires et documents publiés par la Société savoisienne*
STFM	Société des textes français modernes
THR	Travaux d'Humanisme et Renaissance
UTET	Unione tipografico editrice Torino

AVANT-PROPOS

Mais pour toi ces euvres peu vivent,
Et maugré la mémoire suivent
La longue inconstance du tens.
(Marc-Claude de Buttet, *Le Premier Livre des vers*, I, XXIV,
« A Jaques Rappin », vv. 64-66)

Ce n'est que très récemment que Marc-Claude de Buttet, comme bon nombre de ses contemporains, sort de l'oubli. Et pourtant, sa place dans la littérature française du xvi⁰ siècle, et d'ailleurs dans celle spécifiquement savoyarde, est d'une importance non négligeable. C'est une place reconnue par certains des poètes les plus illustres de son époque : pour Pierre de Ronsard et Jean Daurat, Buttet, le protégé de la fille de François Ier, Marguerite de France, est le premier poète de la Savoie[1], Guillaume Colletet le nomme comme un des « divers et fameux Poëtes » de son époque[2], Estienne Pasquier l'inclut dans « la grande flotte de Poëtes » innovateurs du règne d'Henri II[3], et d'après Maurice de La Porte il est « l'honneur de la Savoye »[4].

Après la remise en vente posthume du *Premier Livre des vers* de 1560[5], ce ne fut qu'au dernier quart du dix-neuvième siècle qu'on s'intéressa de nouveau à Buttet et qu'on vit les premières rééditions de ses œuvres. En 1877, A. Philibert-Soupé publia une édition comprenant les deux livres d'odes du *Premier Livre des vers* de 1560 et *L'Amalthée* de 1575[6]. Ensuite, en 1880, P. L. Jacob publia une édition conforme à celle

---

[1] Voir *infra*, pp. 74-75 et 77-78.

[2] *L'Art poétique. I. Traitté de l'épigramme et traitté du sonnet*, éd. P. A. Jannini (Genève, Droz, 1965), p. 165.

[3] *Les Recherches de la France*, in *Les Œuvres*, 2 vols (Amsterdam, La Compagnie des Libraires Associez, 1723), I, 702, VII, vi.

[4] *Les Épithètes de M. de La Porte Parisien* (Paris, G. Buon, 1571), p. 43 a.

[5] Voir *infra*, Bibliographie des œuvres de Buttet, n° 13. Dans cette étude, nous employons l'abréviation *Le Premier Livre des vers* pour signaler le recueil entier.

[6] *Les Œuvres poétiques de Marc-Claude de Buttet savoisien* (Lyon, N. Scheuring. Voir *infra*, Bibliographie des œuvres de Buttet, n° 13, 18, 31 et 35).

du *Premier Livre des vers* de 1560[1]. À cette époque aussi on se mit à s'intéresser à la biographie de Buttet, celle que Guillaume Colletet aurait rédigée ayant été détruite dans l'incendie de la Bibliothèque du Louvre en 1871[2]. Les éditions de Philibert-Soupé et du Bibliophile Jacob s'accompagnent chacune d'une biographie du poète ; plusieurs documents originaux concernant sa vie sont édités et publiés, par exemple, des passages de son testament et codicille par T. Dufour en 1877[3] ; un poème perdu par l'abbé Morand[4] ; un extrait très important d'un livre de raison appartenant à Jehan de Piochet, le cousin de Buttet, par E. d'Oncieu de la Batie[5] ; des inventaires concernant ses derniers mois à Genève par E. Ritter[6]. En 1896, François Mugnier fit paraître la première monographie sur notre poète, une œuvre érudite qui nous éclaire sur nombreux aspects de sa vie[7]. Et pourtant, malgré ces recherches importantes, Buttet sombra de nouveau dans l'oubli.

Écrivant en 1984, Louis Terreaux affirma que Marc-Claude de Buttet était « peu connu, sinon ignoré »[8]. C'est à la lumière de cette observation que nous avons entrepris nos recherches sur la vie du poète et ses

---

[1] *Œuvres poétiques de Marc-Claude de Buttet*, 2 vols (Paris, Librairie des bibliophiles, 1880). Voir *infra*, Bibliographie des œuvres de Buttet, n° 13 et 31.

[2] Cette biographie est mentionnée par les suivants : BNF, mss. N.A.F. 3073-3074, Histoire générale et particulière des poètes anciens et moderns contenant leur vie selon l'ordre chronologique, 5 vols, 3073, fol. 523 r°, 3074, fol. 252 r°; L. Pannier, « Le Manuscrit des 'Vies des poètes françois' de Guillaume Colletet brûlé dans l'incendie de la Bibliothèque du Louvre : essai de restitution » (Paris, A. Franck, 1872), p. 16 ; Ph. Thamizey de Larroque, « Œuvres poétiques de M. C. de Buttet », *Revue critique d'histoire et de littérature*, 2 (1881), 189-194 (p. 192).

[3] « Notice bibliographique sur le 'Cavalier de Savoie', 'Le Citadin de Genève' et 'Le Fleau de l'Aristocratie Genevoise' », *Mémoires de la société d'histoire et d'archéologie de Genève*, 19 (1877), 3-28 ; Genève, Slatkine Reprints, 1971.

[4] « La Savoie et les Savoyards au XVIe siècle : discours de réception prononcé à l'Académie des sciences, belles-lettres et arts de Savoie », *MASBLAS*, 9, 3e série (1883), 360-368

[5] « Note sur les derniers moments du poète Marc-Claude de Buttet : extrait d'un livre de raison du XVIe siècle », *MASBLAS*, 10 (1884), 347-363.

[6] « Le Poète Claude de Buttet », *Revue savoisienne*, 36 (1895), 190-193.

[7] « Marc-Claude de Buttet, poète savoisien (XVIe siècle) : notice sur sa vie, ses œuvres poétiques et en prose et sur ses amis : l''Apologie' pour la Savoie : le testament de M.-C. de Buttet », *MDSS*, 35 (1896), 5-227.

[8] « Marc-Claude de Buttet et la langue poétique », *in La Littérature de la Renaissance : Mélanges offerts à Henri Weber* (Genève, Slatkine, 1984), pp. 183-196 (p. 183).

œuvres[1]. Au cours de ces recherches, qui nous ont amenée à Paris, Chambéry, Annecy, Turin et Genève, nous avons eu le bonheur de retrouver des documents jusqu'ici ignorés qui nous permettent un aperçu plus détaillé de la vie de Marc-Claude de Buttet et de son contexte culturel. C'est un aperçu qui permet d'affirmer que l'activité littéraire en Savoie au XVIe siècle, longtemps ignorée et toujours négligée, est un domaine de recherches très riche méritant d'être exploité.

Sarah Alyn Stacey
Université de Dublin
Trinity College

---

[1] Voir notre thèse de doctorat, « Marc-Claude de Buttet : a Biography and a Critical Edition of 'L'Amalthée' (1575) » (Université de Hull, 1992). Pour nos publications sur Buttet, notamment notre édition de son *Amalthée* de 1575, voir *infra*, Bibliographie générale. Nous préparons actuellement une édition de ses deux livres d'odes de 1560 et une analyse critique de son œuvre.

Première partie

LA VIE
DE MARC-CLAUDE DE BUTTET

Chapitre I

LES PREMIÈRES ANNÉES 1529/31-1560

1. Naissance et généalogie de Buttet

Jusqu'ici on connaissait très peu sur les origines de Marc-Claude de Buttet. On savait qu'il était savoyard, un détail rappelé à plusieurs reprises par bon nombre de ses contemporains et par la page de titre de plusieurs des œuvres du poète. Quelques articles publiés entre les XVIIe et XIXe siècles prétendent que sa famille est d'origine chambérienne, où elle « paroit avoir vécu avec honneur [...] & s'être distinguée par les armes »[1] et « dans le barreau »[2]. De nouvelles précisions furent ajoutées en 1863, l'année où parut la première généalogie détaillée de la famille Buttet, rédigée par le comte Amédée de Foras[3]. Selon cette généalogie, le père du poète serait un certain noble Claude d'Ugine, bourgeois de Chambéry, et maître de la Chambre des comptes de Genevois en 1495. Pourtant, en 1924, J. Désormaux et C. Faure mirent en question l'identité du père, prétendant que Foras avait sûrement confondu deux familles différentes, toutes les deux portant le nom Buttet, mais l'une étant d'Ugine et l'autre, celle du poète, de Chambéry[4]. Leur thèse était fondée sur le testament d'une certaine Marie de Buttet, identifiée comme « filia et heres universalis quondam spectabilis Claudii Buctet, ex magistris camere computorum comitatus Gebennensis dum viverat »[5]. Rédigé le 25 septembre 1531, le testament

---

[1] C. P. Goujet, *Bibliothèque françoise*, 18 vols (Paris, P.-J. Mariette *et al.*, 1741-1756), XII, 353.

[2] J.-L. Grillet, « De Buttet (Marc-Claude) » *in Dictionnaire historique, littéraire et statistique des départements du Mont Blanc et du Léman*, 3 vols (Chambéry, J. F. Puthod, 1807), II, 287-293 (p. 92).

[3] *Armorial et nobiliaire de l'ancien duché de Savoie*, 5 vols (Grenoble, Allier Frères, 1863-1900), I, 287-294.

[4] J. Désormaux et C. Faure, « Sur la généalogie du poète Marc-Claude de Buttet », *Revue savoisienne*, 65 (1924), 81-92.

[5] ADHS, *Série 2E : Minutes du notaire Mermier : 2E 592*, fols 51 r°-52 r° (fol. 51 r°).

fournit des détails qui ne correspondent pas du tout à ceux figurant dans la généalogie de Foras ; par exemple, les prénoms des sœurs et des frères de cette femme ne correspondent pas à ceux attribués au poète par Foras. D'ailleurs, ce document fait mention d'une belle-mère, Jaquemine Chappuys, deuxième femme de Claude Buttet ; en revanche, Foras ne mentionne qu'une seule femme, Jeanne-Françoise de La Mar, avec qui le père du poète se serait marié en 1499. De plus, le testament précise que Marie voulait se faire enterrer à Annecy où l'avait été son père ; par contre, le poète, dans son testament de 1586, demande qu'on l'enterre à Chambéry au tombeau de ses ancêtres, et où se trouvaient, on a le droit de le présumer, les restes de son père.

Au cours de nos recherches, nous avons trouvé des documents qui nous permettent d'éclaircir les origines de Buttet. Citons d'abord un livre de raison appartenant au cousin du poète, Jehan de Piochet, où paraît l'arbre généalogique suivant[1] dont on n'a jamais jusqu'à présent fait état :

```
                        N. Dieulefit
        ┌───────────────────┴────────────────────┐
Pierre Dieulefit                          Anthoine Dieulefit
        │                                         │
Jeanne Dieulefit                          Gasparde marié [sic] à
marié [sic] à n. Anthoine                 Jean de La Mar
sieur de Sallin
        │                                         │
N. Jehan de Pyochet                       Jehane-Françoyse
sieur de Sallin                           marié [sic] à n.
                                          Claude Butet
                                                  │
                                          Marc Claude de Buttet
                                          dit 'le poete'
```

[1] ADS, *Série J : Piochet : livres de raison : vol. F : 1J279/6*, fol. 125 r°. Il existe dix livres de raison de Piochet et ils sont d'une valeur inestimable pour les recherches sur la Savoie au XVIe siècle. On y trouve de nombreuses références à Marc-Claude qui n'ont jamais été citées auparavant (voir notre thèse de doctorat, « Marc-Claude de Buttet : a Biography and a Critical Edition of 'L'Amalthée' (1575) », Université de Hull, 1992). Jusqu'en 1998, année où ils furent achetés par les Archives départementales de la Savoie, ces livres de raison appartenaient à Monsieur Le Blanc de Cernex, et nous tenons à le remercier de nous avoir permis de les consulter à l'époque où nous préparions notre thèse. Sur Piochet, voir *infra*, pp. 43-48, 116-120 et *passim*.

Ce tableau nous permet donc de confirmer l'identité des parents de Marc-Claude : sa mère, de provenance genevoise, était Jeanne-Françoise, fille de Gasparde Dieulefils-Magnin (d'une famille bourgeoise de Chambéry)[1], et de Jean de La Mar, syndic de Genève en 1513[2]. Son père s'appelait Claude de Buttet.

Citons aussi quelques actes rédigés entre 1587 et 1588 qui qualifient le père du poète de « noble Claude de Buttet en son vivant maitre auditeur en la Chambre des comptes de Genevois »[3]. Il exerçait donc le même métier que le père de Marie… Est-il possible que Marie et Marc-Claude eussent le même père ? Non. Ces actes précisent que les parents du poète, Claude et Jeanne-Françoise, se marièrent non pas en 1499 (comme le soutient Foras), mais en 1512[4]. Nous savons que le père de Marie se remaria avec une certaine Jaquemine Chappuys en 1519[5]. Compte tenu de l'identité de sa mère, si le poète était le frère de Marie, il aurait fallu qu'il soit né avant ce deuxième mariage, c'est-à-dire entre 1512 et 1519. Pourtant, nous savons qu'il ne naquit pas avant 1529… D'ailleurs, un de ces actes indique clairement que le père du poète était toujours vivant en 1534, année où il rédigea son testament[6], tandis que le testament de Marie précise que son père mourut avant 1531[7].

---

[1] Sur la famille Dieulefils-Magnin, voir Foras, *op. cit.*, III, 310-311, qui signale que l'ascendance antérieure à Anthoine (qui figure dans le tableau de Piochet) est difficile à établir. D'après les recherches de Foras, la famille Dieulefils-Magnin aurait exercé le négoce de la draperie à Chambéry, même après son anoblissement au début du XVIᵉ siècle. La famille se serait éteinte dans les mâles vers la fin de l'année 1536, d'où il s'ensuivit que ses biens passèrent en grande partie aux Piochet.

[2] Signalons ici qu'à la différence de Foras, plusieurs généalogies de cette famille attribuent aux grands-parents maternels de Marc-Claude seulement deux enfants, Jean-Antoine et Pierre, et ne font aucune mention de Jeanne-Françoise, Besançon-Gaspard et Philibert.

[3] ADS, *Série E : Minutes du notaire Rochet : E167*, fol. 71 r°.

[4] Voir ADS, *Série E : Minutes du notaire Rochet : E167*, fol. 72 v°, où on fait référence au « contrat dudit mariage de l'an mil cinq centz douzes et du dix-huictiesme de janvier ».

[5] Un acte du 8 novembre 1545 précise que le père de Marie mourut 14 ans avant, c'est-à-dire en 1531, et qu'il s'était marié avec Jaquemine Chappuys 12 ans avant sa mort. Voir ADHS, *Série 2E : Minutes du notaire Deserveta : 2E 432*, fol. 291 r°.

[6] Voir ADS, *Série E : Minutes du notaire Rochet : E167*, fol. 71 v°, qui fait référence au « testament d'icelluy noble Claude de Buttet, pere dudit noble Marc-Claude de Buttet, de l'an mil cinq centz trente-quatre le penultiesme janvier, reçeu et signé par notaire Anthoine Boverat ».

[7] Voir *supra*, n. 5.

Signalons aussi que, contrairement à ce qu'affirme Foras, rien ne permet de croire que le père du poète fut d'Ugine, dans la région de Genève. Si c'était le cas, il aurait sûrement eu des biens dans la région, mais un inventaire de tout ce qu'il légua à ses enfants indique clairement que tous ses biens se trouvaient soit à Chambéry même soit dans les alentours de la ville : « les biens paternelz ne pourront estre sinon […] la grand maison dudit testateur [Marc-Claude] pres et joignant le pont Saint François, la maison, granges et prez, vignes, terres, bois, et aultres situez riere le lieu et village de Tresserve, et la rente situé riere le mandement de Gresy »[1]. En revanche, le testament de Marie précise que son père habitait Ugine[2]. Pour toutes ces raisons aussi il faut remettre en question l'identité des grands-parents paternels que Foras attribue au poète, un certain noble Mermet de Buttet et noble Claude de Buttet, d'origine d'Ugine.

La généalogie de Foras ne tient donc pas compte d'une simple coïncidence : non seulement il existait deux familles portant le nom de Buttet, l'une d'Ugine et l'autre, celle de notre poète, de Chambéry, mais il y avait aussi deux hommes qui s'appelaient Claude Buttet, qui exerçaient la même profession à la Chambre des comptes de Genevois. Quant aux autres détails fournis par Foras, nous pouvons confirmer que le poète avait deux sœurs, Jeanne-Françoise et Jeanne-Antoinette, et un frère, Jean-Louis : ils sont mentionnés dans plusieurs documents légaux. Si on se fie à ce que le poète nous dit lui-même dans un des sonnets de *L'Amalthée*, il était le troisième né, car il précise que « Quand en pleurant au monde je fu né,/Trois fois Junon avait ouï ma mère »[3].

Il est fort probable que le poète naquit à Chambéry (et non pas à Genève, comme l'affirme Foras). C'est ce que nous donne à croire Jacques Peletier du Mans dans son poème *La Savoye* :

> De Chamberi, le chef de la Province,
> Ce ne seroit raison que je previnse
> Le bien disant Butet, qui *en naquit*[4].

[1] ADS, *Série E : Minutes du notaire Rochet : E167,* fol. 72 v°. Par contre, la mère du poète avait des biens dans les alentours de Genève.

[2] ADHS, *Série 2E : Minutes du notaire Deserveta : 2E 432*, fol. 281 r°.

[3] *L'Amalthée* (Lyon, Benoist Rigaud, 1575, p. 50 ; éd. S. Alyn Stacey, Paris, Champion, 2003, p. 140, LXXIX, vv. 1-2. Toute citation de ce texte sera de cette édition).

[4] *La Savoye* (Annecy, J. Bertrand, 1572), II, 44 (c'est nous qui soulignons).

Certes, la famille disposait de beaucoup de biens dans la ville et dans les alentours : du côté du père, une « grand maison [...] pres et joignant le pont St-François »[1] qui était sans doute la maison familiale, car le poète précise dans son testament que son neveu « la doibt garder pour luy et les siens legitimes successeurs, pour le nom et honneur de la maison »[2] ; il possédait aussi une grande maison, un ancien château, dans le village de Tresserve, juste à l'extérieur de Chambéry[3]. Quant à Jeanne-Françoise, sa mère, en 1512 elle avait reçu en dot une maison « pres St-Leger en la rue manant à St-François »[4]. D'ailleurs, la famille possédait des forêts, des prés, des granges et des vignes dans les alentours de la ville, dans le Genevois, le Chablais et les bailliages. Buttet naquit donc dans une famille aisée, qui jouait, paraît-il, un rôle assez important dans la vie de Chambéry, son père étant nommé syndic de la ville pour la période de 1527 à 1528[5].

Quant à la date de naissance du poète, nous savons seulement qu'elle se situe entre 1529 et 1531. Nous fondons notre calcul sur l'épitaphe suivante, composée par son cousin, Piochet, qui nous informe :

> Quem invida bonis omnibus lybitina comuni omnium ac proecipue literatorum moerore annum quinquagesimum sextum agentem Genevae e mcdio substulit. Anno salutiferae per Christum reparationis sexqui milesimo octuagesimo sexto quarto Idus augusti[6].

Buttet mourut donc dans sa cinquante-sixième année au mois d'août 1586, une affirmation ambiguë qui permet deux interprétations différentes. D'abord, Piochet veut-il dire qu'au moment de mourir le poète avait déjà cinquante-six ans et qu'il devait en avoir cinquante-sept plus tard dans l'année, c'est-à-dire après les 4 Ides du mois d'août ? Dans ce cas, il serait né soit pendant les quatre ou cinq derniers mois de 1529, après les 4 Ides du mois d'août, soit pendant les sept ou huit premiers mois de 1530, avant les 4 Ides du mois d'août. Ou Piochet veut-il dire que Buttet mourut après son

---

[1] ADS, *Série E : Minutes du notaire Rochet : E167*, fol. 72 v°. La maison existe toujours, c'est le numéro 4, rue Métropole, Chambéry.

[2] AEG, *Minutes du notaire Jean Jovenon : VI*, fol. 78 r°.

[3] ADS, *Série E : Minutes du notaire Rochet : E167*, fol. 72 v°.

[4] ADS, *Série E : Minutes du notaire Rochet : E167*, fol. 72 r°.

[5] ADS, *Archives communales de Chambéry : sous-série CC : titre III : impôts et comptabilité*, comptes des syndics et des trésoriers de ville, carton 225, compte 8.

[6] ADS, *Série J : Piochet : livres de raison : inventaire de mes titres : 1J279/10*, fol. 14 v°.

anniversaire de cinquante-cinq ans, le jour où il entama sa cinquante-sixième année, mais avant son prochain anniversaire ? Dans ce cas, il serait né pendant les quatre ou cinq derniers mois de 1530, après les 4 Ides du mois d'août, ou pendant les sept ou huit premiers mois de 1531, avant les 4 Ides du mois d'août. Être plus précis ne nous paraît pas possible.

2. L'éducation du poète

Nous avons très peu de renseignements sur l'enfance de Buttet, mais d'après ceux qui sont fournis par ses contemporains, il aurait reçu une bonne éducation car ils sont plusieurs à faire référence à son érudition : il est appelé «docte» par Ronsard[1] et par le Savoyard Amé Du Coudray[2], et «sçavant» par Gabriel Chappuys[3], tandis que pour Maurice de La Porte il est «docte, philosophe, ingenieus, l'honneur de la Savoye»[4]. Grudé de la Croix du Maine loue plus spécifiquement sa maîtrise du domaine des «Mathematiques ou autres disciplines esquelles il est for bien versé»[5], et Rémy Belleau explique que le Savoyard était «merveilleusement bien versé aux sciences de Philosophie & Mathematique, outre la perfecte cognoissance qu'il a de la Poësie (de laquelle il a le premier illustré son pays)»[6]. Son cousin, Piochet, va encore plus loin : «il estoit tres docte de toutte science : ses œuvres en portent tesmoignage [...] Estant en France, il fut cogneu des plus doctes qui lors étaient du regne de Henry second»[7].

---

[1] Ronsard, *Les Œuvres : le second livre des Amours*, in *Œuvres complètes*, éd. P. Laumonier, révisées et complétées par I. Silver et R. Lebègue, STFM, 20 vols (Paris-Champion, 1914-1975), X, 205, II, v. 1.

[2] ADS, *Série J : Piochet : livres de raison : inventaire de mes titres : 1J279/10*, fol. 15 v°, «Au sieur Marc-Claude de Buttet sur son Amalthée», v. 12. Voir *infra*, p. 122.

[3] Gabriel Chappuys, *Harangue de Charles Paschal, sur la mort de tres-vertueuse Princesse Marguerite de Valois* (Paris, J. Poupy, 1574), p. 4, «Sonet dudit G. Chappuys Thourang. A Monsieur Buttet», v. 1. Voir *infra*, p. 86.

[4] *Les Épithètes*, p. 43 a.

[5] *Premier Volume de la bibliothèque* in *Les Bibliothèques françoises de La Croix du Maine et de Du Verdier*, nouvelle édition augmentée par La Monnoye *et al.*, 6 vols (Paris, Saillant & Nyon, 1772-1773), II, 78.

[6] *Les Œuvres de P. de Ronsard*, éd. Laumonier, X, 205-206, II, n. 3.

[7] ADS, *Série J : Piochet : livres de raison : inventaire de mes titres : 1J279/10*, fols 11 v°-12 v°.

Où reçut-il son éducation ? Buttet nous donne lui-même la réponse dans une épître en prose de 1559 : il y révèle qu'il fut « dès mon enfance nourri à Paris à l'estude & cognoissance des lettres »[1]. Cela était courant à l'époque : son ami et compatriote, Emmanuel-Philibert de Pingon, quitta la Savoie pour aller s'instruire à Paris dès l'âge de quatorze ans.[2]

On ne sait pas à quel collège il poursuivit ses études : son nom ne figure pas sur les listes encore existantes des étudiants qui fréquentaient les collèges parisiens[3]. Il est peu probable qu'il ait étudié aux collèges de Sainte-Barbe et de Saint-Michel, deux établissements fréquentés par des Savoyards : Pingon, qui y étudia et qui, dans ses mémoires, n'hésite pas à citer le nom de dix familles savoyardes qui y ont envoyé leurs fils, aurait sûrement mentionné notre poète, d'autant plus qu'il lui fait référence ailleurs. Compte tenu de sa maîtrise des mathématiques, il est tentant de penser que Buttet étudia à un des collèges spécialisés dans ce domaine, par exemple le Collège des Lecteurs Royaux où enseignait Oronce Fine entre 1530 et 1547, ou le Collège de Bayeux où Jacques Peletier du Mans, un ami de Buttet, était principal et professeur de mathématiques entre 1543 et 1547[4]. Ses expériences avec les vers métriques nous invitent à suivre une autre piste : dans un sonnet publié en 1560, Buttet signale que c'est Jean Daurat qui l'a initié aux vers métriques : « Tu me seras tousjours, mon divin d'Aurat, Apollon,/Car tu m'es auteur en ce poeme noveau…»[5].

---

[1] Cette épître accompagne seulement certains exemplaires en vélin de l'*Épithalame* que Buttet composa pour fêter le mariage de Marguerite de France et Emmanuel-Philibert en 1559. Voir *infra*, Bibliographie des œuvres de Buttet, n° 8. Nous la reproduisons dans l'appendice 1. Elle est d'une grande importance pour la biographie de Buttet, mais c'est sans doute sa rareté (nous n'en connaissons que deux exemplaires) qui explique pourquoi elle n'a jamais été exploitée jusqu'ici, même par Goujet, le seul à la signaler comme source biographique (voir sa *Bibliothèque françoise*, XII, 355).

[2] Voir *Emmanuelis Philiberti Pingonii [...] vita* in *Arrêt de la royale Chambre des comptes concernant les armoires de la maison de Pingon originaire de la ville d'Aix en Provence* (Turin, F. A. Mairesse, 1779), p. 27. Sur Pingon et son amitié avec Buttet, voir *infra*, pp. 110-113.

[3] Malgré les ravages du temps, un bon nombre des documents citant les noms des étudiants des divers collèges parisiens existent toujours aux Archives nationales, à la Bibliothèque nationale, et à la Sorbonne (voir *infra*, Archives consultées).

[4] Signalons que le nom du Savoyard n'est pas cité dans les documents très fragmentaires du collège qui existent seulement depuis 1546. Sur l'amitié entre Peletier et Buttet, voir *infra*, pp. 82-83.

[5] *Le Premier Livre des vers*, éd. Fezandat, fol. [75 r°], « A Jean d'Aurat limosin », vv. 1-2. Voir Buttet, *L'Amalthée*, éd. Alyn Stacey, p. 397.

Pourtant, rien ne permet de savoir s'il a suivi les cours de Daurat au Collège de Coqueret ou au Collège des Lecteurs Royaux, et c'est peut-être dans un contexte moins formel que les deux hommes se sont connus avant 1560[1].

3. Les premiers projets littéraires

Si Buttet était à Paris depuis son enfance, son patriotisme pour la Savoie ne diminua pas, comme l'atteste le sujet du premier ouvrage que nous pouvons lui attribuer, son *Apologie [...] pour la Savoie*, qui parut à Lyon en 1554[2]. Une œuvre en prose française de seize feuilles qui termine avec un sonnet, l'*Apologie* est une réponse patriotique à la préface de Barthélemy Aneau au *Stile et reglement sur le faict de la justice* (Lyon, P. de Portonaris, 1553). *Le Stile et reglement* avait été rédigé par le Parlement de Savoie et devait tout simplement clarifier le système légal en Savoie sous l'administration française. Pourtant, la préface d'Aneau articule une certaine supériorité envers la Savoie. Ainsi affirme-t-il qu'avant l'invasion française de 1536, « exces, tort, crime, impuny malefice/Estoient commis (un temps fu) en Savoie »[3]. C'est contre une telle calomnie que Buttet défend son pays dans l'*Apologie*[4]. D'ailleurs, il nous éclaire sur ses projets littéraires : il annonce qu'il va écrire sur l'« antique origine » des Savoyards, un sujet très courant à l'époque. A-t-il mené à bien cette œuvre ? Nous n'en savons rien : nous n'avons trouvé aucune œuvre de Buttet portant un tel titre et traitant d'un tel sujet.

Ce qui est certain, pourtant, c'est qu'entre 1554 et 1560 ses projets littéraires se sont multipliés et plusieurs œuvres virent le jour à Paris. C'est là

---

[1] Nous ne connaissons aucun document concernant ces deux collèges qui cite les noms des étudiants qui les ont fréquentés. Les cours du Collège des Lecteurs Royaux étant ouverts au public, on ne s'étonne pas de l'absence de tels registres. Signalons que dans son « Folatrissime voyage d'Arcueil », composé vers 1549, Ronsard ne cite pas le nom du Savoyard parmi ceux de ses camarades au Collège de Coqueret.

[2] Voir *infra*, Bibliographie des œuvres de Buttet, n° 6 et la figure 1.

[3] *Apologie [...] pour la Savoie* (Lyon, Angelin Benoist, 1554), fol. 16 r °, vv. 1-2.

[4] Sur cette œuvre, voir Mugnier (qui en reproduit le texte), *op. cit.*, pp. 91-132 ; *Barthélemy Aneau : Alector ou le coq : histoire fabuleuse*, éd. M. M. Fontaine (Genève, Droz, 1996), 2 vols, II, 901, 902, 904 et *passim* ; B. Biot, *Barthélemy Aneau, régent de la Renaissance lyonnaise* (Paris, Champion, 1996), pp. 20, 354-355.

qu'en 1559 il fit paraître une *Ode à la paix* fêtant le traité du Cateau-Cambrésis[1], un *Épithalame* célébrant le mariage entre Marguerite de France et le duc Emmanuel-Philibert de Savoie[2], et une *Ode funèbre* regrettant la mort d'Henri II[3].

L'année suivante, en 1560, Michel Fezandat publia à Paris la première grande œuvre de Buttet, *Le Premier Livre des vers [...] Auquel a esté ajouté le second ensemble L'Amalthée*, comprenant deux livres d'odes, et un recueil de 128 sonnets[4]. L'œuvre, dédiée à Marguerite de France, duchesse de Savoie, réapparut l'année suivante en 1561[5].

---

[1] Voir *infra*, Bibliographie des œuvres de Buttet, n° 7 et la figure 2. Sur cette œuvre, qui fut republiée en 1560 dans *Le Premier Livre des vers* sous le titre « Hymne à la Paix » (vol. II, fol. 49 r°), voir J. Hutton, *Themes of Peace in Renaissance Poetry*, éd. R. Guerlac (Ithaca, Londres : Cornell University Press, 1984), pp. 96-97, 98. Sur la poésie fêtant le traité, qui mit fin au conflit entre la France et l'empereur Charles V, voir D. Hartley, « La Célébration poétique du traité du Cateau-Cambrésis (1559) : document bibliographique », *BHR*, 43 (1983), 303-318.

[2] Voir *infra*, Bibliographie des œuvres de Buttet, n° 8 et la figure 3. Cette ode fut republiée en 1560 dans *Le Premier Livre des vers*, fol. 110 r° sous le titre « Épithalame aux nosses de tres magnanime prince Emmanuel Philibert duc de Savoie & de tres vertueuse princesse Marguerite de France, duchesse de Berri, sur les triumphes qui étoient prets à faire, sans la mort du Roi survenue » (sans variantes). Sur l'influence de cet épithalame sur le poète anglais, Edmund Spenser, voir J. McPeek, *Catullus in Strange and Distant Britain*, Harvard Studies in Comparative Literature 15 (Cambridge, Massachussets, Harvard University Press, 1939), pp. 45-46, 154-155, 160-163 ; E. Welsford, *Spenser : Fowre Hymnes : Epithalamion : a Study of Edmund Spenser's Doctrine of Love* (Oxford, Blackwell, 1967), pp. 68-69. Sur la poésie fêtant le mariage, voir Hartley, « La Célébration poétique du traité du Cateau-Cambrésis ». Sur le mariage, voir R. Peyre, *Une princesse de la Renaissance : Marguerite de France, duchesse de Berry, duchesse de Savoie* (Paris, E. Paul, 1902), pp. 26-48 ; W. Stevens, *Margaret of France : Duchess of Savoy 1523-74 : a Biography* (Londres, Bodley Head, 1912), pp. 109-205.

[3] Voir *infra*, Bibliographie des œuvres de Buttet, n° 9 et la figure 5. Sur la poésie commémorant cet évènement, voir D. Hartley, « La Mort du roi Henri II (1559) et sa commémoration poétique : document bibliographique », *BHR*, 47 (1985), 379-388.

[4] Voir *infra*, Bibliographie des œuvres de Buttet, n° 13 et la figure 6. Voir l'édition du bibliophile Jacob, *Œuvres poétiques de Marc-Claude de Buttet*, 2 vols (Paris, Librairie des Bibliophiles, 1880). Sur l'ambiguïté qui jusqu'ici a entouré la date de publication de cette œuvre, voir notre article « 'Quand plein d'ennui estrange/Buttet traçoit cette euvre' : Marc-Claude de Buttet et la publication du 'Premier Livre des vers' », *Nouvelle revue du seizième siècle*, 2002, n° 20 février, 25-35.

[5] Voir la figure 7. C'est l'édition de 1560. Deux hypotheses sont permises : selon la première, en 1561 Fezandat aurait doté les exemplaires qu'il n'avait pas vendus en 1560 d'une nouvelle page de titre portant la date « 1561 », ce qui était une pratique courante surtout pendant la deuxième partie du XVIe siècle. Selon la deuxième hypothèse, Fezandat

Nous savons que le recueil fut lu à la cour en France et même à l'étranger : Marie, reine d'Écosse, en possédait un exemplaire[1]. Mais l'œuvre est surtout importante parce qu'elle permet un aperçu très net de l'influence sur Buttet de certains de ses contemporains les plus illustres, notamment Jean Daurat[2] et Pierre de Ronsard[3]. Ce qui frappe en particulier, c'est la diversité du recueil : Buttet chante tantôt la France ou la Savoie, tantôt des personnages illustres ou des inconnus. Mais comme il nous le rappelle dans la postface, le recueil est surtout pour lui une occasion d'exprimer son originalité poétique : « je recherche une nouvelle poësie bien differente de l'accotumé »[4]. Ainsi trouvons-nous néologismes et vers métriques, dont « le vers Sapphique, par autre avant moi non mis en avant » lui est un des plus chers[5].

4. Les premiers mécènes

Ces premiers projets littéraires étaient encouragés par plusieurs mécènes français et savoyards dont certains figuraient parmi les personnes les plus illustres de la cour française. Buttet les honore dans *Le Premier Livre des vers* de 1560. Par exemple, il chante Jean Truchon, jurisconsulte,

---

n'aurait pas recomposé la page de titre en 1561, mais dès le début il aurait prévu d'imprimer une partie des exemplaires portant la date « 1560 » et le reste avec la date « 1561 », ce qui était également une pratique très courante à Paris pour les livres imprimés pendant le dernier trimestre de l'année. Sur les exemplaires dotés d'une page de titre de 1588, voir *infra*, p. 66.

[1] Dans l'inventaire des livres appartenant à la reine et conservés au palais de Holyrood et au château d'Édimbourg, on relève la mention suivante : « THE FIRST BUKE OF CLAUD BUTAT IN FRENCHE » (Julian Sharman, *The Library of Mary Queen of Scots* (Londres, Elliot Stock, 1889), p. 106). L'inventaire du palais de Holyrood fut rédigé en 1569 et celui du château d'Edimbourg en 1578.

[2] Sur les relations entre Daurat et Buttet, voir *infra*, pp. 75-78.

[3] Sur les relations entre Ronsard et Buttet, voir *infra*, pp. 72-75.

[4] *Le Premier Livre des vers*, éd. Fezandat, fol. [121 v°]. Sur le recueil, voir L. Terreaux, « Marc-Claude de Buttet et la langue poétique » ; *idem*, « Marc-Claude de Buttet : 'L'Amalthée' : du recueil de 1560 à celui de 1575 » in *Mélanges sur la littérature de la Renaissance à la mémoire de V.-L. Saulnier* (Genève, Droz, 1984), pp. 641-649.

[5] *Le Premier Livre des vers*, éd. Fezandat, fol. [122 r°]. Sur les vers métriques de Buttet, voir *L'Amalthée*, éd. Alyn Stacey, p. 393 et les nn. 4-6 à la p. 508. Signalons que d'après Pasquier, Buttet se servit du mètre saphique « avec un assez mal-heureux succès » (*Recherches de la France*, I, 733, VII, xi).

ancien professeur de droit à l'Université d'Orléans, conseiller au Parlement de Chambéry, et premier président du Parlement de Grenoble,

> ... patron de mes carmes,
> Et qui aux Muses sur tous m'accourage
> En ce ieune age »[1].

La Savoyarde, Madeleine de La Gorge, l'a aussi encouragé :

> Me paissant de tes doux termes,
> Deignes mes bien-heureux carmes
> Du vierge creux de ton sein[2].

Et d'ailleurs Béatrix, comtesse d'Entremont et dame d'honneur de la reine Eléonore, femme du roi François Ier : « Mesme ains que me voir eus en grace/Mes vers »[3].

La fille de Béatrix, Jacqueline de Montbel d'Entremont, femme de Claude de Bastarnay et ensuite de Gaspard de Coligny, et la femme que certains ont reconnue comme l'inspiration de *L'Amalthée*, devint aussi un de ses mécènes illustres probablement après 1560 :

> Une beauté qu'Homère eût bien choisie,
> (Et mieux se trompe elle auroit merité),

---

[1] *Le Premier Livre des vers*, II, éd. Fezandat, fol. 62 v°, XVII, « Au seigneur Jean Truchon, premier president de Grenoble », vv. 38-40. Nous ne connaissons pas la date de naissance de Truchon, mais d'après les recherches de Mugnier il naquit à Montfort-l'Amaury en Beauce et mourut peu après 1578. Il aurait habité Chambéry environ cinq années. Voir Mugnier, *op. cit.*, pp. 158-159. Truchon était aussi un intime du poète et professeur toulousain Jean de Boyssonné (voir *infra*, p. 94).

[2] *Ibid.*, I, fol. 24 r°-24 v°, XIII, « A Madeleine La Gorge », vv. 58-60. Nous ne savons rien sur cette femme, mais Buttet fête sa beauté dans une autre ode du même recueil, évoquant « le bel œil noir de La Gorge/Qui lance aux cueurs l'amour ardant » (II, fol. 63 r°, VIII, « Aux damoiselles savoisiennes », vv. 42-43).

[3] *Le Premier Livre des vers*, I, éd. Fezandat, fol. 14 v°, V, « A madame Beatrix de Pacieco, contesse d'Entremons », vv. 88-89. Béatrix, fille du duc d'Ascalona, se maria avec Sébastien de Montbel, comte d'Entremont, le 17 septembre 1539. Elle eut deux enfants, Eléanor, mort au berceau, et Jacqueline. Voir S. Guichenon, *Histoire de Bresse et de Bugey* (Lyon, J. A. Huguetan et M. A. Ravaud, 1650), continuation de la troisième partie, pp. 170-171.

M'aiant souvent au Parnasse invité,
Met en honneurs moi & ma poësie[1].

Ce n'est probablement qu'après 1560 qu'il jouit du mécénat
d'Henriette de Nevers[2], qui apprécia tellement sa poésie qu'elle poussa

---

[1] *Ibid.*, p. 306, CCXLV, vv. 5-8. Le sonnet ne paraît que dans *L'Amalthée* de 1575, d'où
notre datation du mécénat de Jacqueline. Sur la possibilité (douteuse) qu'elle soit Amalthée, voir notre édition du recueil de 1575, pp. 17-18. Jacqueline (1541-1599) était la fille
de Béatrix de Pacheco (ou Pacieco), et de Sébastien de Montbel, comte d'Entremont (voir
supra p. 29). Les relations entre Jacqueline et le duc de Savoie étaient très difficiles : en
raison de toutes les terres en Savoie dont Jacqueline était l'unique héritière présomptive,
le duc Emmanuel-Philibert s'opposa à son mariage avec Claude de Bastarnay, comte de
Bouchage et baron d'Anthon, voulant la marier avec quelqu'un de ses états, mais le roi
Charles IX écrivit en faveur du mariage qui eut lieu le 16 février 1561. Pour les mêmes
raisons, suite à la mort de Bastarnay à la bataille de Saint-Denis, le duc s'opposa à son
deuxième mariage en mars 1571 avec Gaspard de Coligny, un Français et de surcroît un
protestant. Le 24 août 1572, le jour du massacre de la Saint-Barthélemy, Coligny fut assas-
siné par le duc de Guise, ses biens furent confisqués, et ceux de Jacqueline furent séques-
trés par le duc de Savoie, qui, d'ailleurs, l'enferma au château de Nice en mars 1573.
Jusqu'à sa mort, plusieurs personnes illustres, par exemple, l'Électeur Palatin, le Land-
grave de Hesse, François de Montmorency, et Théodore de Bèze, intercédèrent en sa
faveur, mais sans succès : en décembre 1599 elle mourut, toujours prisonnière du duc de
Savoie, dans le château d'Ivrée. Pendant son emprisonnement, pourtant, elle ne fut pas
oubliée par les écrivains protestants : Joseph Du Chesne et Bèze, qui connaissaient aussi
Buttet, lui dédièrent certains de leurs ouvrages (voir *infra*, pp. 90-93). Sur la vie de Jacqueline, voir Guichenon, *Histoire de Bresse et de Bugey*, continuation de la troisième
partie, p. 171 ; A. Pascal, *L'Ammiraglia di Coligny : Giacomina di Montbel contessa d'Entremont (1541-1599)* (Turin, Deputazione subalpina di storia patria, 1962) ; *Correspondance de Théodore de Bèze : XII [1571]*, recueillie par H. Aubert, publiée par F. Aubert *et
al.*, THR 212 (Genève, Droz, 1986), pp. 109, 110, 171, 189, 190 ; *ibid.*, XIII [1572], THR
229 (1988), pp. 10, 19, 20-22, 216 ; *ibid.*, XIV [1573], THR 242 (1990), pp. 13, 15, 17,
126-128, 139, 141-143, 166, 181, 218 ; *ibid.*, XV [1574], THR 254 (1991), pp. 11, 13, 16,
50, 52, 81, 82, 156, 158, 161, 172-174.
[2] Henriette (1542-1601) était la fille aînée de Marguerite de Bourbon et de François de
Clèves, premier duc de Nevers, et la femme de l'illustre soldat Louis de Gonzague.
L'esprit cultivé et la générosité des Nevers étaient, semble-t-il, bien connus à l'époque.
Voir l'éloge que fait Brantôme d'Henriette et de ses deux sœurs, Catherine, femme du duc
de Guise, et Marie, femme du prince de Condé : «trois Princesses aussi accomplies de
toutes les Beautez de Corps à mon Gré, comme d'Esprit qu'on ayt point veu. Si bien que,
quand nous parlions à la Cour de ces trois Princesses, bien souvent nous les disions les
trois Graces de jadis, tant elles en avoient de Ressemblance : &, comme de vray, je les ay
veues très-belles, très-bonnes, & très-aymables» (*Œuvres completes*, 13 vols (La Haye,

son père, François de Clèves, premier duc de Nevers[1], à aider le
Savoyard :

> O de Nevers immortelle Duchesse,
> A qui mes vers un jour furent plaisans,
> Quand fille encor', (la Muse aiant ja chere),
> Ta main ouvrit celle-là de ton père,
> Qui m'honnora de ses riches presens[2].

5. La présentation de Buttet à Marguerite de France

Pourtant, c'est le mécénat d'une personne en particulier qui joua un rôle
capital dans l'évolution de la carrière poétique de Buttet. Piochet nous
révèle que son cousin était « chery de Oddet de Coligny, cardinal de

---

1740), VIII, 287-288). D'ailleurs, il précise qu'Henriette « m'a esté toujours l'une des
meilleures Dames de la Cour, que j'ay tousjours honorée, ainsi que sa Vertu & ses Mérites
me l'ont tousjours commandé » (*op. cit.*, p. 302). Arnaud Sorbin loue sa générosité dans le
sonnet accompagnant son oraison funèbre pour la princesse, évoquant « La pieuse bonté, la
douceur, la vertu/Dont ton cœur genereux fut richement vestu » (*Oraison funèbre de tres-
chrestienne & vertueuse princesse, Henriette de Clèves* (Nevers, Pierre Roussin, 1601),
p. 7). Elle est mentionnée par Agrippa d'Aubigné qui fait croire qu'elle était bossue (*Avantures du baron Fæneste*, livre IV, ch. 13, *in Œuvres complètes*, éd. E. Réaume et F. de Caussade (Paris, A. Lemerre, 1873), 6 vols, II, 617). Rappelons aussi qu'elle était la maîtresse
d'Annibal Coconat, gentilhomme piémontais, qui fut décapité en Grève le 30 avril 1574 en
raison de son rôle dans le fameux complot qui devait permettre à Henri de Navarre et au
frère cadet d'Henri III de s'évader de la cour pour se mettre à la tête des protestants dans le
Midi. Son complice, Joseph de Boniface, seigneur de La Mole, lui-même l'amant de Marguerite de Navarre, « la reine Margot », subit le même sort, et selon un pamphlet anonyme,
Le Divorce satyrique ou les amours de la reyne Marguerite, Henriette et Marguerite prirent
les deux têtes, « les porterent dans leur [*sic*] carosses enterrer de leurs propres mains dans
la Chapelle Sainct Martin qui est soubz Montmartre » (*Agrippa d'Aubigné : Œuvres complètes*, éd. Réaume et Caussade, II, 659).

[1] D'après Brantôme, François de Clèves (1516-1561), qui se distingua notamment à la
bataille de Saint-Quentin et au siège de Metz, fut connu pour la générosité à laquelle Buttet
fait allusion : « il estoit [...] très-riche, & très-opulent, & avec cela très-magnifique, splen-
dide, & très-libéral s'il en fut oncques ; despensant fort, tenant grande Maison tousjours à
la Cour & aux Armées, un très-beau & fort paisible grand Joüer, ne se souciant point de
l'Argent : &, toutesfois, sa Maison tant bien réglée & allant tant bien, que nul n'en partoit
mal-content » (*op. cit.*, VIII, 284).

[2] *L'Amalthée*, éd. Alyn Stacey, p. 132, LXXI, vv. 12-14. Le sonnet ne paraît que dans
L'Amalthée de 1575, d'où notre datation du mécénat d'Henriette et de son père.

Chastillon, frere de l'Amiral de Chastillon, comme son protecteur et Mœcenas »[1]. C'est le cardinal qui le présenta à Marguerite de France, fille de François Ier, et future femme du duc Emmanuel-Philibert de Savoie. Cette rencontre eut peut-être lieu en 1556 quand Buttet avait entre vingt-cinq et vingt-sept ans, car en 1559 il rappelle à la princesse qu'il « vous avoit pleu trois ans y a m'ouïr reciter au Louvre en presence de Monseigneur le reverendissime cardinal de Chastillon »[2]. En fait, une ode au cardinal évoque comment Buttet s'est rapproché de Marguerite :

> Quand devant la seur du Roi,
> La divine MARGUERITE,
> Je montroi aupres de toi
> Quelque traits de son merite,
> Et que mon vers se combloit
> D'une lyrique merveille,
> Qui de douceur lui embloit
> L'esprit ravi par l'oreille,
>
> Le soin qui te tient le plus,
> Et la faveur dont tu uses,
> Aux chers enfans de Phœbus,
> Et aux saints prestres des Muses,
> Te fit d'un si bon aveu
> Louer les tons de ma rime,
> Que ma Princesse ma eu
> Dès ce tens en quelque estime[3].

En 1559, dans l'épître accompagnant l'*Épithalame* qu'il offre à la princesse, Buttet explique que depuis très longtemps il aspire à être un des « élus »jouissant du mécénat de la princesse :

> Madame, ayant esté des mon enfance nourri à Paris à l'estude & cognoissance des lettres, le plus grand desir que j'aye iamais eu c'est de m'y pouvoir si bien employer qu'en fin par là je puisse parvenir au

---

[1] ADS, *Série J : Piochet : livres de raison : inventaire de mes titres : 1J279/10*, fol. 13 r°.

[2] Nous citons de nouveau l'épître qui accompagne certains exemplaires de *l'Épithalame* (voir *infra*, Bibliographie des œuvres de Buttet, no 8), fol. [2 v°] ; *infra*, appendice 1.

[3] *Le Premier Livre des vers*, I, éd. Fezandat, fol. 11 v°-12 r°, IIII, « Au reverendissime cardinal de Chastillon », vv. 1-16.

nombre de ceux qui sont dediés à vous faire tres humble & tres obeissant service[1].

Cet épithalame n'est que la première de toute une série d'œuvres que
Buttet dédia à la princesse de son vivant, et elle serait restée son mécène
principal jusqu'à sa mort en 1574. Piochet n'hésite pas à souligner l'inti-
mité entre le poète et Marguerite, nous informant avec une certaine fierté
que son cousin « eust cest honeur d'estre cogneu et aimé de la perle de
France, Marguerite, sœur du roy Henri second, despuis duchesse de
Savoye »[2]. Des preuves plus scientifiques confirment l'estime dont jouit le
poète auprès de la princesse. Nous savons qu'en 1562 la duchesse intervint
à deux reprises dans un procès qu'un certain Louis de La Ravoire avait
intenté contre les frères Buttet en 1556[3]. Dans les deux lettres qu'elle
adresse au Sénat de Savoie[4], elle loue l'érudition du poète, « nostre feal et
chery », et évoque « la particulière bonne volunté que pour plusieurs considerations » elle a pour lui, et la « singuliere protection » qu'il mérite.
Faisant allusion à ses œuvres poétiques, elle explique qu'il ne doit plus être
perturbé par le procès afin de pouvoir « librement et comme par cy devant
il a fait, continuer le cours de son estude duquel l'on peult esperer à ce que
j'ay desja cogneu, ung tres grand fruit à l'advenir profitable à toute la posterité ».

Mais la duchesse et le duc n'appréciaient pas tout simplement la poésie
de Buttet : La Croix du Maine nous informe qu'il fut le « bien aimé de son
Altesse, soit pour les Mathématiques ou autres disciplines esquelles il est
fort bien versé »[5].

6. Buttet à la cour française

Si, comme il le semble, Buttet fréquentait le Louvre en tant que poète
à partir de 1556, avait-il un poste officiel dans une des maisons royales ?

---

[1] *Épître*, fol. [2 r°] ; voir *infra*, appendice 1.

[2] ADS, *Série J : Piochet : livres de raison : inventaire de mes titres : 1J279/10*,
fol. 12 v°.

[3] Sur ce procès, voir *infra*, pp. 39-41.

[4] Pour le texte de ces deux lettres, voir *infra*, pp. 40-41.

[5] *Premier Volume de la bibliothèque*, éd. La Monnoye *et al.*, II, 78. Signalons l'ambiguïté du terme « altesse », qui pourrait s'appliquer à une femme ou à un homme, et donc à
la duchesse ou au duc.

Nous n'avons pas trouvé son nom cité dans les comptes (souvent fragmentaires, il est vrai) des diverses maisons royales[1]. D'ailleurs, son nom
ne se trouve pas non plus dans les comptes de la maison de Savoie à
partir de 1559[2], donc rien ne permet de savoir s'il avait un poste officiel
dans la maison de Marguerite soit avant soit après le mariage de celle-ci
en 1559.

Quant au titre d'«escuyer» dont il est qualifié dans plusieurs documents légaux rédigés entre 1555 et 1567[3], il est sûrement dépourvu de sa
signification militaire, car rien n'indique que Buttet était soldat. Au
contraire, en 1560, évoquant la difficulté qu'il a eue pour se procurer un
mécène, il dit que

> Les sciences sont si difficiles & obscures (pour estre infinies), qu'elles
> ne viennent jamais à se manifester si elles ne sont premierement appel-
> lées par la faveur des grands, sans l'aide desquels ceux qui s'i amusent
> n'en rapportent pour tout le plus souvent que la repentance. Me mettant
> tout ceci au devant, & voiant le vent mal favorable à mon navire, j'étoi
> tout pret de retourner en arriere, & de prendre les armes pour le livre,
> sacrifiant tous les presents que les Muses m'avoient faits à Vulcan[4].

---

[1] Ces comptes sont conservés actuellement à Paris dans la Salle des manuscrits de la
Bibliothèque nationale et aux Archives nationales (notamment sous les cotes K, KK, PP,
Z1A). Signalons que les documents suivants sont les seuls que nous avons trouvés qui re-
lèvent de la maison de Marguerite au Louvre : BNF, ms. fr. 10394 (compte 1550) ; ms. fr.
7856, *Table des ordonnances et estats des maisons des roys, reynes, dauphins, enfans et
autres princes de France : Louis XII-Louis XIV (1499-1665)* ; cette copie de beaucoup de
comptes qui n'existent plus fut rédigée au XVIIᵉ siècle et cite les noms des «officiers domestiques» de Marguerite pour les années suivantes : 1ᵉʳ octobre 1530-décembre 1533 ;
1ᵉʳ janvier 1533-décembre 1536 ; 1ᵉʳ janvier 1536-31 décembre 1540 ; 1ᵉʳ décembre 1541-
31 décembre 1550 ; ms. fr. 3068 (108), (compte 1533). Nous avons aussi consulté les lettres
qu'elle écrivit avant son mariage, et qui sont conservées dans la Salle des manuscrits de la
Bibliothèque nationale, Paris. Voir *infra*, Archives consultées.

[2] Voir *infra*, Archives consultées. Les sources suivantes sont parmi les plus importantes
pour la maison de Savoie : AST, Sez. Ri., *Camera dei conti di Savoia ; Camera dei conti di
Piemonte*. Voir aussi ADS, *Série SA : Archives camérales*.

[3] ADS, *Série B : Archives du Parlement de Chambéry : arrêts criminels sur pièces
vues : B59*, fols 78 v°, 105 v°-107 r° ; *Série B : Archives propres du Sénat de Savoie : arrêts
civils sur pièces vues : B79*, fols 39 r°-43 r°; *B102*, fols 94 v°-95 r°.

[4] *Le Premier Livre des vers*, éd. Fezandat, fol. [121 r°] ; voir *L'Amalthée*, éd. Alyn
Stacey, p. 391, appendice 1, ll. 44-47.

Il semble donc qu'une carrière militaire ne pourrait être qu'un triste compromis pour le poète. D'ailleurs, dans une ode à Louis de Buttet, il déclare qu'à la différence de son cousin, il n'est pas fait pour être soldat :

> Vraiment tu ensuis notre race
> Prenant le fer pour batailler.
> Les Dieux en differente trace
> Prudentes me voulurent tailler.
>   Le trop dur Mars
> Or'ne me rid, & ne sçait me surprendre :
> J'aime la Muse, aussi el'vient m'apprendre
>   Ses sciences, & arts[1].

Tout porte à croire, donc, que le terme d'écuyer lui est appliqué en son sens plus général pour le désigner comme quelqu'un qui appartient aux rangs inférieurs de la noblesse[2].

Concluons, donc, que Marc-Claude était un gentilhomme qui ne fut attaché qu'officieusement comme panégyriste à la cour française entre 1556 et 1559 et ensuite à la cour savoyarde. Sur le plan financier, il pouvait se permettre ce privilège : Piochet nous informe que son cousin « avoit honnestement de quoi », ce qui est étayé par plusieurs documents. Nous savons qu'il hérita de beaucoup de biens de ses parents et qu'il en profitait déjà en 1564[3]. Nommé héritier unique de sa mère, il reçut non

---

[1] *Le Premier Livre des vers*, I, éd. Fezandat, fol. 28 r°, XVI, « A Louis de Buttet, son cousin », vv. 9-16.

[2] Voir la définition de Nicot : « le plus bas & premier degré de noblesse, & par ce que les Notaires en France donnent ce tiltre d'Escuyer à tout gentil-homme n'ayant tiltre plus signalé que d'vn Seigneur Chastelain, on le rend Scrutiser, comme portant Escu ou Blason à armes, estant Escuyer proprement celuy qui a droit & prerogatiue de porter Blason & Escu armoirié, lequel droit appartient aux seuls gentils-hommes, Et par ce tout Escuyer est gentil-homme [...] & est si bien ce mot Escuyer le premier degré de noblesse, que lesdits Notaires le mettent deuant la Seigneurie du gentil-homme, tenant fief ou arriere-fief, disans tel, & c. Escuyer, Seigneur de tel lieu, s'il n'a plus eminent tiltre, que de Seigneur Chastelain, comme dit est. Aucuns font ledit tiltre d'Escuyer subordinatif à celuy de cheualier sans plus, appelans Escuyer le gentil-homme qui n'a encores receu l'Ordre de cheualier, quelque eminence d'aultre tiltre qu'il ait » ; *Thresor de la langue françoise tant ancienne que moderne* (Paris, A. & J. Picard, 1960), pp. 250-251.

[3] C'est ce que nous révèle un acte de reconnaissance du 14 juin 1564 qui signale que le père du poète est déjà mort. D'ailleurs, cet acte fait référence à la maison « dudit noble de Buctet pres de Sainct-Leger », ce qui doit être une allusion à la maison que sa mère avait reçue en dot ; si elle avait toujours été vivante en 1564, l'acte l'aurait nommée comme

seulement la maison près de Saint-Leger qu'elle avait reçue en dot, mais aussi beaucoup de terres :

> une piece de vigne situé [sic] au lieu dit en Villabod en deux pieces tant dessus que dessoubz la grange, toute tenue contenant environ cinquante-quatre fosserez. *Item*, environ trente fosserez de vigne située [sic] à Barberaz avec lesdites deux granges y estant. *Item* lesdites vignes de La Bastie contenant en tout environ quarente-huict fosserez en trois pieces, avec la maison de tail [?] y estant[1].

Il hérita aussi de la dot de sa mère, une somme de cinq-cents écus[2]. Du côté de son père, il reçut la maison de la rue Saint-François[3], rue très prestigieuse à en juger par les voisins parmi lesquels figuraient Benoît Crassus, conseiller au Sénat de Savoie, et le procureur Bertier de Beze[4]. Il hérita aussi d'un jardin (qu'il vendit à un certain sieur Carra, auditeur en chef à la Chambre des comptes de Savoie[5]), de droits féodaux à Grésy[6], et de biens considérables à Tresserve, à savoir la grande maison « avec des granges, greniers, estables, jardins, vignobles, courts, plaissages ; avec la terre et vigne appellée 'l'Allemande', tous en ung cloz pres le chemin publicque [...] ensemble les aultres vignes, pres, terres, bois, chastaigniers »[7]. Nous savons que le poète avait aussi des terres à Viviers, Marlie, Méry et Drumettaz[8], et trois vignobles à Pont Pierre dans le Genevois[9].

---

propriétaire. Voir ADHS, *Série SA : Archives camérales : ancien inventaire 196 : reg. 105*, fols 27 r°-28 v°. Sur l'héritage que Buttet reçut en 1581 de son oncle, Pierre de La Mar, voir *infra*, p. 55.

  [1] ADS, *Série E : Minutes du notaire Rochet : E167*, fol. 72 r°-72 v°.

  [2] *Ibid*, fol. 72 r°-72 v°.

  [3] *Ibid*, fol. 72 v°.

  [4] *Ibid*, fol. 76 r°-76 v°.

  [5] *Ibid*, fol. 74 r°.

  [6] *Ibid*, fol. 72 v°.

  [7] *Ibid*, fol. 85 r°.

  [8] *Ibid*, fols 76 r° et 85 v°.

  [9] ADHS, *Série SA : Archives camérales : ancien inventaire 196 : reg. 105*, fols 27 r°-28 v°.

7. Entre la France et la Savoie

Si nous pouvons penser que Buttet habitait principalement à Paris jusqu'en 1559[1], nous ne savons pas à quel moment il quitta la France pour rentrer en Savoie où il demeurait généralement à partir de la fin des années 1560 au plus tard. Avant son retour définitif, il est fort possible qu'il rentrât de temps en temps en Savoie. C'est ce que nous porte à croire une série de documents rédigés entre 1551 et 1564, dont plusieurs sont restés jusqu'à présent inédits.

Un recensement, rédigé le 10 juillet 1551, de tous les habitants de Chambéry que l'on estimait avoir les moyens de donner de l'assistance aux pauvres fait mention de « M. Buttet et son frere », qui sont taxés pour un montant de deux écus (fol. 156 r°)[2]. S'agit-il de Marc-Claude et de son frère, Louis ? On ne saurait le dire car l'adresse et les prénoms ne sont pas indiqués. Pourtant, nous ne voyons aucune justification à la thèse de Mugnier selon laquelle il s'agirait d'une référence à un certain Laurent et Amé Buttet dont nous ne savons rien[3]. Le même document précise aussi qu'un certain « M. Buttet pres Saint-François » est taxé pour un écu (fol. 156 r°). L'adresse rappelle celle de la maison familiale du poète. Est-ce une allusion au père Buttet, au poète, ou à son frère ? Rien ne permet de le savoir.

Citons aussi un document que nous avons récemment découvert, un recensement rédigé en 1551 de tous les habitants de Chambéry qui devaient payer une taxe pour entretenir les remparts de la ville[4]. Dans la section qui cite les « noms et surnoms des manans et habitans en la dixaine de la Juerie començant à la porte de Masche jusques au couvent Saint Dominique », nous relevons une référence à « Messieurs les freres Buttet », qui devaient payer vingt-huit florins et quatre-vingt-quinze écus (fol. 18 r°). Encore une fois,

---

[1] Comme nous l'avons déjà signalé, Buttet, dans l'épître accompagnant certains exemplaires de son *Épithalame* (1559), affirme qu'il est à Paris depuis son enfance (voir *supra*, p. 32 ; *infra*, appendice 1).
[2] Le recensement ne porte pas la date du 2 juillet, comme l'affirme Mugnier. Voir ADS, *Série B : Archives du Parlement de Chambéry : arrêts criminels rendus sur pièces vues : B55*, fols 155 v°-158 r°.
[3] Voir Mugnier, *op. cit.*, p. 220. Foras ne cite pas les noms de ces deux hommes dans son *Armorial*, et nous n'en avons trouvé aucune mention ailleurs non plus.
[4] ADS, *Série A : Archives de Cour : SA 17, article 19*. Il s'agit d'une copie faite au XVIIIᵉ siècle d'un document qui n'existe plus. Dans la section « dizaine de la grand rue depuis la maison des boursiers jusques en la maison du sire Heustace Scarron », on trouve référence à une certaine « Madame la maistresse Buttette » qui devait payer dix florins (fol. 10). Elle était peut-être un des parents du poète.

l'omission des prénoms nous empêche de confirmer s'il s'agit ou non du poète.

Dans une lettre du 9 février 1553, Jean de Boyssonné, professeur de droit et conseiller au Parlement de Chambéry, signale qu'Emmanuel-Philibert de Pingon lui a remis l'argent qu'il avait reçu des procureurs d'un certain Buttet («a procuratoribus Butteti»). L'argent est à rendre au jurisconsulte Hector Riquier, le destinataire de la missive[1]. Selon Mugnier, il s'agirait d'une référence à Marc-Claude[2]. Certes, notre poète connaissait l'auteur de la lettre[3] et aussi Pingon[4]. L'absence, pourtant, de tout prénom ne nous permet pas de confirmer que la lettre désigne bien notre poète.

Le 5 novembre 1554, le juge-mage de la Savoie nomma Marc-Claude curateur de la personne et des biens de son frère Jean-Louis[5]. Nous ne savons pas si le poète était présent en personne pour entendre le décret, ou même pourquoi le décret fut fait. Mugnier émet deux hypotheses : soit Jean-Louis se serait fait exiler pour un crime qu'il avait commis, soit il n'aurait plus été mentalement capable de gérer ses propres affaires[6]. Cette première hypothèse est fort probable : les archives du Parlement de Chambéry révèlent qu'un certain Jean-Louis de Buttet était condamné à plusieurs reprises entre 1550 et 1551. Le 12 mars 1550, il dut payer une amende pour «exces [...] et pour blasphemes»[7], et le 19 avril 1551 on le jugea coupable d'avoir organisé des «assemblées clandestines et illicites»[8].

Marc-Claude fut lui-même l'objet d'un certain nombre de procès à partir de 1555 et il fut même emprisonné. Le 11 mai 1555, il présenta une demande d'«eslargissement de sa personne» au procureur du Parlement

---

[1] BMTo, *ms 834 : CCXLIV.*

[2] *Op. cit.*, p. 207, n. 1.

[3] Du moins il lui dédie une ode en 1560. Voir *Le Premier Livre des vers*, I, éd. Fezandat, fol. 27 r°, XV, « Au seigneur Jean Boissoné, Tolosan ». Sur Boyssonné, voir *infra*, pp. 93-96.

[4] Voir *infra*, p. 110-113.

[5] ADS, *Série B : Archives propres du Sénat de Savoie : arrêts civils sur pièces vues : B79*, fol. 42 r°.

[6] *Op. cit.*, p. 28.

[7] ADS, *Série B : Archives du Parlement de Chambéry : arrêts criminels sur pièces vues : B54*, fols 4 r°, 6 v°-7 r°.

[8] ADS, *Série B : Archives du Parlement de Chambéry : arrêts criminels sur pièces vues : B55*, fols 98 r°, 151 r°, 153 v°-154 r°. Nous ne voyons aucune justification à la thèse de Mugnier, *op. cit.*, p. 28, n. 3, selon laquelle le cousin du poète, Jean-Louis, aurait été l'objet de ces deux procès.

de Chambéry[1]. Nous ne savons pas de quoi il avait été accusé, mais nous savons qu'on accéda à cette demande. Malgré son acquittement, Marc-Claude dut rester incarcéré jusqu'au 21 juin, car il était l'objet d'un autre procès intenté contre lui au mois de février[2]. Il avait été accusé, avec plusieurs autres personnes, d'« exces, port d'armes, blasphemes, et contravention du rest » (fol. 105 v°). Plus spécifiquement, il aurait porté des armes le 12 février 1555[3]. Ses réponses furent entendues par le Parlement le 17 février (fol. 106 r°), et nous pouvons présumer que, selon les habitudes de l'époque[4], il fut emprisonné à partir de cette date et jusqu'au jour où on accéda à sa demande d'« eslargissement » le 21 juin.

De même, l'année suivante Marc-Claude fut de nouveau perturbé par des affaires légales. Le 26 août 1556, Louis de La Ravoire, seigneur de Tresserve, intenta contre le poète et son frère un procès qui devait durer six ans et qui provoqua l'intervention de la duchesse de Savoie.[5] La Ravoire voulait faire annuler deux contrats de vente antérieurs à 1530[6]. Il semble

---

[1] ADS, *Série B : Archives du Parlement de Chambéry : arrêts criminels sur pièces vues : B59*, fol. 78 v°.

[2] ADS, *Série B : Archives du Parlement de Chambéry : arrêts criminels sur pièces vues : B59*, fols 105 v°-107 r°.

[3] Rappelons qu'entre 1536 et 1559, la Savoie était soumise à la loi française ; selon un décret de François Ier fait le 31 décembre 1532, on n'avait plus le droit de porter les armes.

[4] Voir J.H. Langbein, *Prosecuting Crime in the Renaissance : England, Germany, France* (Cambridge, Massachusetts, Harvard University Press, 1974), pp. 228-231.

[5] ADS, *Série B : Archives propres du Sénat de Savoie : arrêts civils sur pièces vues : B79*, fols 39 r°-43 r°. Je suis reconnaissante au feu Monsieur Roger Devos des Archives départementales de la Haute-Savoie pour l'aide précieuse qu'il me prêta dans l'analyse de ce document. Il est à regretter que le texte du procès lui-même n'existe plus, car il aurait mis à notre disposition beaucoup plus de détails. Mugnier est le seul à mentionner le procès avant nous, mais nos conclusions diffèrent des siennes ; voir *op. cit.*, pp. 27-28, 224-225. Louis de la Ravoyre ou Ravoire (mort en 1578 ?), seigneur de Tresserve, des Marches et de La Ravoire, est mentionné dans plusieurs procès : ADS, *Série B : Archives du Parlement de Chambéry : arrêts criminels sur pièces vues : B55*, fols 164 r°-165 r°, 176 v°-177 r°, 194 r°, 212 v°-213 r°, 238 r°-239 r°; *B56*, fols 17 r°-20 r°, 38 r° (trouvé coupable de violence contre Pernette Bonnard et Arthaud de La Roze 1551-1552) ; ADS, *Série B : Archives propres du Sénat de Savoie : arrêts civils rendus en audience : B33*, fols 248 r°-250 r° (dispute avec la famille Charrente en 1551) ; *B71*, fol. 24 r° (procès intenté contre La Ravoire par la famille Beuse en 1561). Voir aussi Foras, *op. cit.*, V, 89.

[6] La date précise des contrats de vente n'est pas indiquée dans les documents concernant le procès. Voir pourtant Mugnier qui affirme (à tort, il me semble) que les contrats datent de 1551 et de 1558 (*op. cit.*, p. 28). La référence à un « contrat de laod » du 1er avril 1530 (fol. 42 v°) nous permet de croire que la vente était antérieure à cette date.

que La Ravoire eût vendu des biens – une maison avec des dépendances[1] – aux Buttet, et qu'il estimât ne pas avoir été payé au juste prix, d'où sa décision d'attaquer en rescision. Le 19 mai 1561, le Sénat de Savoie ordonna que « ledit defendeur [Buttet] respondra aux interrogations du demandeur », ce qui porte à croire que le poète était probablement à Chambéry pendant cette période[2]. Pourtant, ce n'est qu'à la fin de l'année suivante que le procès se termina : le 19 décembre 1562[3], le Sénat prit une décision en faveur de Buttet, insistant sur la validité des contrats. Nous pouvons supposer que le Sénat était influencée par l'intervention de la duchesse Marguerite de France qui lui avait adressé deux lettres défendant la cause du poète. La première, que nous connaissons seulement grâce à sa retranscription par Piochet dans son livre de raison, est datée du 12 mars 1562 :

> De part Madame la duchesse de Savoye :
>
> Chers amis et feaux, sachant combien la solicitation des proces et la continuelle poyne qui y est requise est contraire à la poursuite des lettres humaines et de leur estude, et desirant en toutte chose favoriser ceux qui s'y addonnnent pour le profit que l'on peult tirer d'eux et de leur sçavoir, nous vous avons bien voulu faire ces deux motz de lettre en recommandation de l'affaire que le seigneur du Butet, nostre feal et chery, a par devant vous contre le sieur de Troiserve, et vous prier, noz amés et feaux, de luy administrer la meilleure et plus prompte exequution de justice qu'il vous sera possible, avec la conservation de son bon droit affin que, estant hors du continuel travail que telles poursuites ameinent à ceux qui les embrassent, il puisse librement et comme par cy devant il a fait, continuer le cours de son estude duquel l'on peult esperer à ce que j'ay desja cognu, ung tres grand fruit à l'advenir profitable à toutte la posterité. En quoy faire particulierement vous nous ferez service tres agreable, et à tant nous prierons Dieu, noz amis et feaux, vous avoir en sa garde.

---

[1] ADS, *Série B : Archives propres du Sénat de Savoie : arrêts civils en audience : B69*, fols 74 r°-75 r°. Mugnier semble ignorer ce document qui, malheureusement, ne précise pas où ces biens se situaient.

[2] ADS, *Série B : Archives propres du Sénat de Savoie : arrêts civils sur pièces vues : B79*, fol. 41 v°.

[3] Et non pas le 19 février 1562 comme l'affirme Mugnier, *op. cit.*, p. 224.

De Rivoles, le 12 mars 1562
[signée] Marguerite de France

[et au bas d'icelle et au-dessus:] A nos amis et feaux, les presidents et conseillers tenant le Senat pour nostre tres honoré seigneur et mary à Chambéry[1].

Six mois plus tard, le 18 septembre, Marguerite envoya la lettre suivante que nous avons retrouvée aux archives de Savoie:

18 septembre 1562.
De par Madame la duchesse de Savoye et de Berry:

Nos améz et feaulx, oultre la particulière bonne volunté que pour plusieurs considerations nous portons au sieur Butet, et mesmes pour le respect de son erudition et doctrine qui le doibt rendre recommandable à ung chacun, nous desirons encores avoir ses affaires en quelque singuliere protection; et pour ce qu'il en a quelques-unes par devant vous contre le sieur de Tresserve, dont je desire obtenir bonne et briefve justice, nous vous prions, nos améz et feaulx, luy en administrer telle expedition et si prompte qu'il puisse congoistre combien nostre recommandation luy aura servy tant en cest endroict que pour l'entiere conservation de son bon droict lequel, neantmoins, nous sommes asseurée n'a besoing de vous estre ramenteu. Et sur ce point, vous faisant entendre le service tres agreable qu'en cy vous nous ferez, nous prions Dieu, noz améz et feaux, vous avoir en sa saincte et digne garde.

De Fossan, le xviijme septembre 1562.
[signée] Marguerite de France

Dallier[2]

Malheureusement, si Buttet vit la fin de ses ennuis avec La Ravoire en 1562, il devint l'objet d'un nouveau procès qu'un certain François

---

[1] ADS, *Série J: Piochet: livres de raison: inventaire de mes titres: 1J279/10*, fol. 13 r°.

[2] ADS, *Série B: Archives propres du Sénat de Savoie: secrétariat du Sénat et personnel judiciaire: B1789: lettres reçues du duc Emmanuel-Philibert et de Marguerite de France*. Sur ces deux lettres, voir notre article, « Marguerite de Savoie and Marc-Claude de Buttet: an Unpublished Letter », *BHR*, 50 (1988), 367-372.

Scarron, «bourgeois de Chambéry», intenta contre lui probablement au début de la même année[1]. Le 22 janvier 1562, le Sénat de Savoie ordonna à Buttet de payer vingt-cinq écus à Scarron pour une raison qui n'est malheureusement pas stipulée dans les documents qui nous restent[2]. Le poète refusa de payer l'amende, de sorte que le procès dura cinq ans, jusqu'au 22 mars 1567, jour où le Sénat déclara qu'il devait non seulement verser à Scarron les vingt-cinq écus, mais qu'il devait aussi payer tous les frais légaux.

Nous avons retrouvé un document qui confirme la présence du poète à Chambéry en 1564. Il s'agit d'un acte de reconnaissance rédigé le 14 juin 1564, «noble Marc-Claude Buctet, filz à feu noble Claude Buctet de Chambery, present stipulant», et «faict et passé à Chambéry en la maison dudit noble de Buctet pres de Sainct-Leger», ce qui est sûrement la maison qu'il avait hérité de sa mère[3]. L'acte indique que Buttet louait trois vignobles à Pont Pierre dans le Genevois à deux frères, Anthoyne et Humbert Jaquet de Seyssel, ce qui témoigne encore de ses revenus considérables[4].

---

[1] Les documents suivants font mention de Scarron : ADS, *Série B : Archives du Parlement de Chambéry : arrêts criminels en audience : B44*, fols 15 v°-17 v° et *Arrêts criminels rendus sur pièces vues : B56*, fol. 46 r° (deux procès intentés contre Scarron en 1552 pour actes de violence) ; AST, Sez. Ri., *Camera dei conti di Savoia : inventario 6 : reg. 4*, fol. 147 r° et *inventario 16 : reg. 226*, fol. 161 r° (identifié comme gardien de la trésorerie à Chambéry 1563-1564) ; ADS, *Archives communales : Chambéry : série CC : titre III : comptes des syndics et des trésoriers de la ville*, art. 235, *compte 7* (identifié comme maire de Chambéry 1566-1567) ; AST, Sez. Ri., *Camera dei conti di Savoia : inventario 231*, fol. 157 r° (identifié comme «appothicaire» en septembre 1567).

[2] ADS, *Série B : Archives propres du Sénat de Savoie : arrêts civils sur pièces vues : B102*, fols 94 v°-95 r°.

[3] ADHS, *Série SA : Archives camérales : ancien inventaire 196 : reg. 105*, fols 27 r°-28 v°.

[4] Foras fait référence à un acte de vente du 3 décembre 1562 où le nom du poète serait cité, mais nous n'en avons trouvé aucune trace (*op. cit.*, I, 291).

Chapitre II

LE RETOUR EN SAVOIE

1. La vie d'un gentilhomme savoyard

Il est impossible, comme nous l'avons déjà indiqué, de savoir quand exactement Buttet quitta Paris. On a beaucoup spéculé sur la possibilité que ce fût après le mariage en 1559 de son mécène, Marguerite de France, avec le duc de Savoie, mais rien ne permet de le confirmer. Pourtant, grâce aux archives de son cousin, Jehan de Piochet, on peut calculer que le poète demeurait généralement dans le duché à partir de la fin des années 1560 au plus tard.

C'est ce que nous donne à croire, par exemple, la fréquence des petits voyages que les deux cousins effectuaient ensemble dans le duché, et qui sont rapportés dans un livre de comptes de Piochet pour la période 1568-1569, un document jusqu'ici passé sous silence par les biographes de Buttet[1]. Ces références, souvent très sommaires, sont au «cousin de Buttet», et il est plus ou moins certain qu'il s'agit de Marc-Claude et non pas de son frère, Jean-Louis. Il semble, en fait, que ce dernier fût déjà mort ou en tout cas ne résidât plus en Savoie à cette époque : c'est ce que nous fait penser le manque de détails le concernant après 1551, son exclusion du testament de ses parents rédigé avant 1564, et la nomination de Marc-Claude comme son curateur du moins jusqu'en 1562[2]. D'ailleurs, Piochet, qui parfois nomme explicitement Marc-Claude, ne semble pas craindre le risque de confusion, car il ne se soucie pas de préciser auquel des deux cousins il fait référence, ce qui suggère aussi qu'il n'y a qu'un seul d'entre eux qui soit toujours vivant[3].

---

[1] ADS, *Série F : Fonds de mareschal de Luciane : 10F*, art. 157.

[2] Voir *supra*, p. 38.

[3] Signalons aussi que dans ce livre de comptes on relève plusieurs références à Jean-François de Buttet, le cousin de Marc-Claude du côté de son père (voir Foras, *op. cit.*, I, 290) et non pas, donc, un parent de Piochet. Étant donné que Piochet n'hésite pas à utiliser

Ainsi lisons-nous qu'entre le 10 juin et le 13 juin 1568, Piochet nota les frais qu'il anticipait, et dont il allait, en fait, être exonéré : « Pour la despence faite en Flandres tant avec le cousin de Butet que Pierre Jaquier... 2ff » (fol. 78 r°). Précisons qu'il s'agit sans aucun doute de Flandre, un petit hameau au nord du lac du Bourget, et non pas des Flandres[1].

Ensuite on apprend que Piochet paya le dîner de son cousin : « en despence pour le soupper du cousin Butet le 1 juilliet... 5 B » (fol. 79 r°).

Quatre jours plus tard, les deux cousins se revirent, juste avant de rentrer à Salins où habitait Piochet : « jeudy 5 juilliet, pour le soupper du cousin Buttet et le lendemain en despence pour pourter à Sallin... 16 B » (fol. 90 v°).

Ils se revirent deux semaines après à Flandre : « pour diverses 18 de juilliet, pour la despence à Flandres avec le cousin Buttet et Monsieur Pochette... 1 ff 1 B v ecus » (fol. 90 r°).

Pendant le mois d'août, Buttet était à Villeneuve, un hameau dans la commune de Saint-Alban où Piochet avait hérité des biens[2], ce qui avait peut-être occasionné le voyage. On relève l'entrée suivante : « jeudy 12 à Villeneufve avec le cousin Butet... 3 B » (fol. 91 r°). Immédiatement après, on lit : « pour achever l'escot en Flandres avec ledit cousin... 8 B » (fol. 91 r°).

Une entrée faite au mois de septembre indique que Buttet était de nouveau à Villeneuve, et peu après à Flandre : « En ung valre [?] de veau et pour la despence à Villeneufve avec le cousin Buttet... 9 B ; pour despence en Flandres avec ledit Butet... 6 B 6 ecus » (fol. 92 v°).

Une entrée faite entre le 12 et le 16 février 1569 indique encore une visite à Flandre : « pour disner en Flandre avec le cousin Butet... 8 B » (fol. 97 v°).

---

le préfixe « cousin », nous pouvons présumer que toute référence à « Monsieur de Buttet » est une référence à Jean-François. Pour cette raison, il est fort douteux que l'entrée pour le 14 août, « Samedy en despense en Flandres avec les 2 freres Buttet et Pochette... 18 B » (fol. 91 r°), concerne Marc-Claude et son frère. Il est plus probable que c'est un renvoi à Jean-François et son frère, Jean-Louis.

[1] Je remercie Louis Terreaux de ces précisions géographiques.

[2] Voir R. Devos et P. Le Blanc de Cernex, « Un 'humaniste' chambérien au XVIe siècle : Jehan Piochet de Salins d'après ses livres de raison », *Actes du VIIe Congrès des Sociétés savantes de la Savoie* (Conflans, Sociétés savantes de la Savoie, 1976), pp. 209-230 (p. 226).

Pendant cette période Piochet notait aussi qu'il prêtait des livres à Marc-Claude, ce qui nous donne un aperçu des influences littéraires sur le poète. Au mois de mars 1568, il écrivit : « memoyre que j'ay presté à mon cousin de Buttet mon Marsilino Ficino *De triplici vita* et les *Madrigales* de Cassola et Tebaldeo de Ferrara » (fol. 72 v°). Au mois de juin, Piochet lui prêta encore une autre œuvre : « j'ay baillé à mon cousin de Butet le *Recueil de l'abjuration du conte d'Elphistopin*. Jour hon. 07... 1 » (fol. 78 v°).

Dans ses livres de raison Piochet nous fournit aussi des détails très importants qui font penser que pendant les années 1570 au plus tard le poète habitait Tresserve, dans la grande propriété qu'il avait héritée de son père. Piochet nous informe que

> L'ettroitte amitié et honneste conversation qui estoit entre feu Marc-Claude de Buttet et moy dez nostre bas aage (oultre le lien de consanguinité) estoit telle que peu souvent on nous voiait l'ung sans l'aultre quand sa commodité le pourtoit de venir de sa maison de Troiserve en la ville de Chambery, et moy de Sallin en icelle. Tellement que, nous entrevisitant continuellement, advint qu'il me treuva une foyes en ma maison où je travailliois apres la version de la vie de l'Empereur Charles cinquiesme que Alphonse de Ullova avoit composé en espagnol[1]. Quoy voiant, il me loua de poursuivre icelle et le lendemain me donna ung sonet pour mettre en teste dudit livre, tant à la recommandation de la grandeur de ce feu Empereur, que encor en ma faveur, le premier meritoirement, le second d'amitié sans grand merite. Quelques jours apres, le retreuvant, je luy dis que la peine que j'avois tant prise apres la traduction susditte m'avoit bien frustré, d'aultant que ung certain Jehan Le Frere de la Val, qui avoit ramassé de plusieurs et divers autheurs, nommement du docte La Popeliniere, la plus part de ce qui s'estoit passé des guerres civiles de France, en avoit publié ung livre dans lequel il citoit la traduction de la vie dudit Empereur par luy faitte, comme il disoit, bien que jamais je ne l'aie vueu. Dont despité, j'avois rompu mon dessein avec resolution de n'y donner jamais coup de plume, dont il fut tout deplaisant, me exortant de prendre quelque

---

[1] Quelle serait cette œuvre ? Je ne connais aucune biographie de Charles V composée en espagnol par Alonso de Ulloa. Est-il possible que Piochet pense à la biographie que de Ulloa avait composée en italien, *La vita dell'invitissimo imperator Carlo Quinto* (Venise, V. Valgrisi, 1560) ?

aultre subject pour ne laisser l'esprit sans exercice, à quoy acquiessant, et ayant de fortune recouvert les troys volumes de Bandel[1], dont Boiteau et Belleforest[2] avoient tiré leurs histoires tragiques avec grande recommandation, il me print fantaisie d'en choisir troys sur lesdits troys livres, differentes toutteffoys du subject des aultres, car d'aultant que lesdits livres ce n'estoit que choses cruelles et tragiques, et celles que j'avois choisies touttes joviales et plaines de recreation sans melancholie.[3]

Certaines indications dans le texte donnent lieu de croire que les événements ici évoqués eurent lieu entre 1573 et 1575. D'abord, d'entre les œuvres citées par Piochet, la dernière à être publiée fut celle de Jean Le Frère, *La Vraye et Entiere Histoire des troubles et guerres civiles avenuës de nostre temps*, qui parut pour la première fois en 1573. Piochet indique ensuite que « pendant ce temps » (fol. 8 v°), Buttet préparait *L'Amalthée* de 1575[4].

Le passage en dit long non seulement sur l'affection entre les deux cousins, d'où le fait qu'ils étaient « continuellement » ensemble, mais aussi sur les activités littéraires de Marc-Claude et son entourage pendant les années 1570. On a ici la première indication d'une collaboration entre les deux hommes, et il est donc à regretter que Piochet n'ait pas retranscrit le sonnet que Marc-Claude avait composé pour la traduction de la biographie de Charles V d'Ulloa, une œuvre qui aurait disparu sans laisser de traces[5]. Pourtant, il retranscrit un sonnet que Buttet lui avait composé pour la traduction des *novelle* de Bandello, et qui n'existe que sous forme manus-

---

[1] Il s'agit de *La prima (seconda, terza) parte de le novelle del Bandello* (Lucca, Il Busdrago, 1554).

[2] Il s'agit des *Histoires tragiques extraictes des œuvres italiennes de Bandel & mises en nostre langue françoise par Pierre Boaistuau surnommé Launay: continuation des histoires, mises en langue françoise par François de Belleforest* (Paris, V. Sertenas, 1559).

[3] ADS, *Série J: Piochet: livre de raison: inventaire de mes titres: 1J279/10*, fols 7 r°-7 v°. Ce passage fut cité d'abord par d'Oncieu de la Batie, « Note sur les derniers moments », mais n'a jamais été analysé en profondeur.

[4] On ne peut pas être plus précis. Il est vrai que Piochet ne mentionne pas le quatrième tome des *novelle* de Matteo Bandello qui parut en 1573, une omission qui légitime deux hypothèses : soit que le passage fût rédigé en 1573, et plus précisément avant la publication de l'œuvre de Bandello et après celle de l'œuvre de Le Frere qui parut aussi en 1573 ; soit que Piochet ignorât tout simplement l'existence du quatrième tome de Bandello : on sait bien qu'au XVIe siècle la diffusion des livres était souvent un procédé très long.

[5] Sur leur amitié, voir *infra*, pp. 116-120.

crite.[1] Ce sonnet poussa Amé Du Coudray, un intime de Buttet et de Piochet, à en composer un aussi pour cette traduction de Bandello[2], ce qui témoigne de l'activité littéraire de l'entourage de Buttet en Savoie[3].

Citons aussi les diverses anecdotes dont Piochet parsème ses livres de raison, mais qui nous paraissent impossibles à dater.

Il nous raconte comment Buttet

> excelloit en la geomancie, faisant des preuves quasi miraculeuses sans touttesfoys aucune superstition. Il y a des personnes vivantes de sa cognoissance qui pourteront bon tesmoignage d'avoir veu arriver ung courrieur de France au feu seigneur marquis de la Chambre, et luy presentant des lettres et estant enquis si par la geomancie il se pourroit sçavoir que c'est que pourtoient lesdittes lettres, nous estions en la grande rue lors il entra en une boutique de marchand, demanda encre et papier, et aiant jetté la figure, nous dit que les lettres trattoient de faire ung mariage d'ung grand seigneur, mais que encor que par icelle, il y avait grande esperance qu'il se parferoit, ce non obstant il ne succederoit pas bien et le tout se rompit, comme d'effect quelque temps apres nous le sçeumes par la propre bouche dudit seigneur marquis[4].

Le cinq janvier d'une année que nous ignorons, Marc-Claude témoigna de nouveau de son habileté en géomancie :

> estant six ou sept gentilshommes de conversation la veille de la feste des troys roys, nous fusmes chez ung advocat de nostre cognoissance, et mettant en propos de faire ung roy, mandasmes querre la tarte. Pendant quoy, nous luy dismes si par sa science de geomancie il pourroit deviner celluy à qui la febve toucheroit et seroit roy. Lors, aiant pris la plume et jetté la figure, il escrivit en ung pettit billiet le nom de celluy à qui toucheroit d'estre roy et le mit soubs le chandelier. La tarte venue, la mismes en aultant de pieces qui estoit de personnes, et pour tromper sa science, meslames presque ung quart d'heure les pieces d'icelle une

---

[1] Voir *infra*, appendice 5.

[2] Sur Amé Du Coudray, voir *infra*, pp. 120-122.

[3] Sur cet entourage, voir *infra*, pp. 99-124.

[4] ADS *Série J : Piochet : livres de raison : inventaire de mes titres : 1J279/10*, fols 11 v°-12 r°. La « grande rue » où cet episode eut lieu se trouvait sûrement à Chambéry : en 1584, année où il nota l'anecdote, Piochet habitait Salins, qui se situe aux alentours de la ville. Nous pouvons donc présumer qu'il était manifeste pour lui qu'il faisait référence à la ville la plus proche.

avec l'aultre ; puis, aiant tiré le sort, celluy à qui la febve toucha treuva
son nom escrit au billiet qui estoit soubs ledit chandelier et ces mots :
« le plus jeune de la compagnie sera roy », ce qui se treuva veritable[1].

Piochet nous assure que ce ne sont pas des exemples isolés : « mille
aultres preuves a fait en icelle science en presence de plusieurs gens d'honneur »[2].

Il nous informe aussi sur la personnalité de son cousin : « il estoit doux
en conversation, de nature melancholique, mais estant osté d'icelle, lors
qu'il se mettoit à estre jovial, c'estoit la plus belle conversation du monde
que la sienne »[3].

Citons encore deux anecdotes que ces livres de raison nous ont livrées
au cours de nos recherches. Elles traitent de deux visites que Buttet rendit
à Piochet à Salins où ce dernier habitait depuis 1567[4] :

> m'estant un jour trouver le Seigneur Marc-Claude de Buttet, dit le poete,
> mon cher cousin et amy, il vient en ma salle de Sallin, escrit contre une
> muraille blanche ces deux vers de poesie treuvée :

> Vivit impar ne bene qui paternum
> Splendet in mensa tenui Salinum.

> Il y adjouta ce qui faisoit :

> Splendis in domo celebri Salline
> Laudat et qui te spectat et audit
> Buttetus Sallino suo intimo.

> Me venant une aultrefoys treuver ledit seigneur, et prenant de fortune en
> main ung mien livre auquel j'avois mis l'anagrame de mon nom en latin
> qui est « in pace non hostes », il y adjouta : « nec in pace, nec in bello tibi
> hostis est ullus cuius animam omnes desiderant, neque igitur neque potes
> qui tibi nulli sunt hostes. Butetus Sallino suo intimo »[5].

---

[1] *Ibid.*, fol. 12 r°-12 v°.

[2] *Ibid.*, fol. 12 v°.

[3] *Ibid.*, fol. 12 v°.

[4] Piochet hérita de Salins après la mort de son frère, Amé, en 1567 ; voir Devos et Le
Blanc de Cernex, « Un humaniste chambérien au XVIᵉ siècle », p. 226.

[5] ADS, *Série J : Piochet : livres de raison : vol : G : 1J279/7*, fol. 166 r°. Pour épuiser
les livres de raison, signalons que Piochet mentionne aussi son cousin par rapport à un

2. Buttet, poète de la cour savoyarde, 1560-1575

Si Buttet s'éloigna géographiquement de la France, il s'en éloigna aussi comme source d'inspiration après la publication à Paris du *Premier Livre des vers*. À partir de 1560, il se tourna plus ou moins exclusivement vers des sujets concernant la maison de Savoie, celle de son mécène, la duchesse Marguerite. Ainsi est-il qu'en 1561 il publia à Anvers *La Victoire* qui commémore en 380 vers de sept syllabes la victoire du duc Emmanuel-Philibert sur les Français à Saint-Quentin[1]. Pourquoi ce poème fut-il publié à Anvers ? Peut-être parce que Buttet ne voulait pas rappeler trop directement la défaite à la France. Peut-être aussi parce que la publication à Anvers lui permettait de fêter les exploits de son duc dans une région voisine de celle où la bataille avait eu lieu, et d'ailleurs dans une région dont le duc était gouverneur[2].

Plusieurs œuvres furent publiées par les imprimeurs ducaux, ce qui autorise à penser qu'elles avaient été composées sur demande. Par exemple, en août 1563, le duc Emmanuel-Philibert tomba gravement malade à Rivoli. Pour fêter sa guérison, Buttet composa le *Chant de liesse*, un poème de 162 vers, qui fut publié à Chambéry par François Pomar, l'imprimeur ducal[3].

---

certain Jehan Priere Perrolier qui habitait Viviers « pres du pré par luy acquise de Philipe Perrier, vefve de Jehan Perrier [...] joincte [...] le pré de noble M. Claude Buttet du couchant » (*inventaire de mes titres : 1J279/10*, fol. 113 v°).

[1] Voir *infra*, Bibliographie des œuvres de Buttet, n° 14. Les exemplaires de cette œuvre sont très rares. On la connaît seulement grâce à l'édition du chevalier d'Arcollières qui est basée sur un exemplaire qui serait conservé à la Deputazione Sabaudia, Turin. Malheureusement, le personnel de la Deputazione n'a pas pu me confirmer l'existence de cet exemplaire, le seul connu jusqu'à ce jour. Voir *La Victoire de tres-haut et magnanime prince Emanuel Philibert duc de Savoie par Marc-Claude de Buttet*, éd. Arcollières (Turin, Tipografia del collegio degli artigianelli, 1915).

[2] Sur cette question, voir *La Victoire*, éd. Arcollières, p. 4. Voir pourtant son ode « Sur la perte de Sainct Quentin, & les victoires de François de Lorreine, duc de Guise, à Calais, & Thionville » (*Le Premier Livre des vers*, II, éd. Fezandat, fol. 48 r°, IX) ; il évoque comment François « envoie aux plus forts :/Epovenant l'Angleterre, & la Flandre,/De ses heureux efforts » (vv. 54-56). Certes, ces deux poèmes témoignent de la discrétion et de la diplomatie du poète savoyard par rapport aux difficultés politiques qui existaient entre la Savoie et la France avant le traité du Cateau-Cambrésis.

[3] Voir *infra*, Bibliographie des œuvres de Buttet, n° 15. Nous le reproduisons dans l'appendice 2. Les exemplaires de cette œuvre sont très rares, mais lors de nos recherches aux archives de Turin nous avons eu la fortune d'en retrouver un provenant de la bibliothèque d'Emmanuel-Philibert Pingon (AST, Pri. Sez. : Biblioteca antica I. VII. 30 ; voir la figure 9) ; sur cet exemplaire, que Buttet aurait offert à Pingon, voir *infra*, p. 113 ; voir aussi

En 1566, Pomar publia à Chambéry un petit recueil de quatre sonnets que Buttet avait composé pour commémorer l'entrée à Annecy du duc et de la duchesse de Nemours et de Genevois le 17 juillet 1566[1]. Le duché Nemours-Genevois étant un apanage du duché savoyard, il est fort possible que Buttet composât ces sonnets sur demande ducale.

En 1567, il composa un sonnet pour le baptême du prince Charles-Emmanuel, le fils unique de Marguerite et d'Emmanuel-Philibert[2]. Le poème parut dans un recueil édité par un certain Agostino Bucci et publié par l'imprimeur ducal, Torrentini.

Buttet composa des vers de circonstance moins joyeux sur la mort de son cher mécène, Marguerite, qui décéda à Turin le 14 septembre 1574. En 1575, Buttet publia à Annecy deux œuvres, *Le Tombeau*, un recueil de vingt-quatre sonnets regrettant la mort et fêtant les vertus de la duchesse[3], et *In obitum*, une élégie en latin de cinquante-huit vers et un quatrain aussi en latin[4]. Signalons que l'*In obitum* parut aussi dans un recueil manuscrit de poèmes composés par divers poètes français et italiens sur la mort de la duchesse, ce qui porte à croire que le poème faisait partie des commémorations officielles[5].

3. La dernière grande œuvre : *L'Amalthée* (1575)

Ce fut la révision d'une œuvre en particulier qui occupa l'esprit de Buttet. Ce fut *L'Amalthée*, un recueil de 128 sonnets qui avait paru pour la

---

notre article, « Deux œuvres retrouvées de Marc-Claude de Buttet : 'Chant de liesse' et 'Sur la venue [... d'] Anne d'Este' » , *BHR*, 56 (1994), pp. 405-417.

[1] Voir *infra*, Bibliographie des œuvres de Buttet, n° 16. Nous le reproduisons dans l'appendice 3. Il s'agit encore une fois d'une œuvre dont les exemplaires sont très rares. Lors de nos recherches aux archives de Turin, nous en avons trouvé un provenant de la bibliothèque d'Emmanuel-Philibert Pingon (AST, Pri. Sez. : Biblioteca antica I. VII. 5 ; voir la figure 10) ; sur cet exemplaire, que Buttet aurait offert à Pingon, voir *infra*, p. 113. Sur la datation de cette œuvre, voir notre article, « Deux œuvres retrouvées de Marc-Claude de Buttet ». Ces quatre sonnets furent republiés (avec variantes) dans *L'Amalthée* de 1575 (voir notre édition, pp. 248-251, CLXXXVII-CXC).

[2] Voir *infra*, Bibliographie des œuvres de Buttet, n° 17. Le sonnet fut republié (avec variantes) dans *L'Amalthée* de 1575 (voir notre édition, p. 240, CLXXIX).

[3] Voir *infra*, Bibliographie des œuvres de Buttet, n° 19. Voir aussi la figure 12.

[4] Voir *infra*, Bibliographie des œuvres de Buttet, n° 20.

[5] Voir *infra*, Bibliographie des œuvres de Buttet, n° 5. Nous pensons que le recueil ne fut jamais publié.

première fois en 1560 dans *Le Premier Livre des vers*. Une deuxième
édition, dédiée, comme la première, à Marguerite, parut à Lyon en 1575[1],
mais il existe deux versions contradictoires concernant sa composition,
l'une donnée par un certain Louis de Richevaux, et l'autre donnée par
Jehan de Piochet.

Considérons d'abord ce que nous raconte Richevaux. Dans sa préface
de *L'Amalthée* de 1575, Richevaux prétend que c'est lui qui poussa le
poète à remanier le texte de 1560 :

> tu me dois [...] sçavoir bon gré, ami Lecteur, si par mon moien tu as
> jouïssance de cette œuvre mise en meilleure estat qu'au paravant, qui ai
> tant fait envers son autheur, qu'en fin veincu de mes remonstrances, il ne
> l'a seulement reveuë, mais bien augmentée de la meilleure part (*L'Amal-*
> *thée*, éd. Alyn Stacey, p. 58, ll. 43-48).

D'ailleurs, il nous informe qu'il va continuer à travailler avec Marc-
Claude sur le recueil, et fait allusion à une troisième édition : « pour satis-
faire aux curieux esprits de plusieurs non asses entendus aux mysteres de
la poësie, je te promets d'i faire bien tôt un commentaire » (*L'Amalthée*, éd.
Alyn Stacey, p. 59, ll. 77-79).

Si Buttet était déjà conscient de l'obscurité de certains de ses poèmes,
pourquoi n'attendit-il pas le commentaire de Richevaux avant de publier
cette deuxième édition ? Son impatience donne lieu de croire qu'il préférait prendre le risque de paraître obscur plutôt que de tomber dans l'oubli ;
en effet, sa production littéraire n'avait pas été importante depuis 1560,
étant limitée à de petits ouvrages de circonstance. D'ailleurs, sa décision
de publier le recueil à Lyon, un des principaux centres de publication et un
carrefour européen très important, suggère qu'il voulait assurer une grande
diffusion du recueil.

Pour ce qui est de la version de Piochet, on s'étonne de n'y trouver
aucune référence à Richevaux, qui aurait, d'après la préface, joué un rôle
si important dans la publication de *L'Amalthée* de 1575. Procédant chro-
nologiquement à partir du moment où Marc-Claude lui donna un sonnet
pour sa traduction de Bandello, ce qui se passa entre 1573 et 1575[2], Piochet
évoque comment « pendant ce temps, ledit Seigneur de Buttet estoit apres

---

[1] Voir *infra*, Bibliographie des œuvres de Buttet, n° 18. Voir aussi la figure 11.

[2] Voir *supra*, p. 46.

à revoir et augmenter son *Amalthée*, laquelle il vouloit mettre en lumiere»[1]. À contrecœur, Piochet accepta de composer une épigramme pour l'édition « en contrechange d'amitié » :

> je le luy refusay plusieurs foys, m'excusant sur mon insuffisance, joinct que son œuvre se faisoit assez recommander de soy-mesme. Mais en fin, vaincu par importunité, j'aimois mieux y condescendre que de tumber en opinion vers luy de faulte de mon amitié. Je le luy donnay donq à condition que mon nom n'y seroit apossé[2].

Après avoir reçu cette épigramme, Marc-Claude partit pour Lyon « où il fit imprimer son dit livre, lorsque le Roy Henry troisiesme retournoit de Pologne, apres le deces du Roy Charles, son frere, qui fut de l'année 1574 »[3]. Rappelons qu'Henri III quitta la Pologne le 18 juin 1574 et fut de retour en France peu après le 3 septembre et à Paris avant la fin février 1575[4]. Nous pouvons donc présumer que Buttet partit pour Lyon avant la fin février au plus tard pour faire imprimer *L'Amalthée*.

Piochet nous informe que Buttet rentra déçu de Lyon mais avec la ferme intention de réviser le recueil et d'en publier une troisième édition :

> Estant de retour de Lyon, il me dit qu'il se resolvait de faire de rechef imprimer laditte Amalthée, par ce qu'elle ne luy plaisoit pas de cette façon. Me conjurant par l'estroite amitié qui estoit entre nous que je prisse la poine de faire sur chascun de [*sic*] sonetz d'icelle une petite annotation pour declamation d'iceux, d'aultant que quelques-ungs se treuvoient un peu obscurs, et que je montrerois par icelles les lieux des aultheurs anciens qu'il avoit imitez, oultre ce qui estoit de son invention. Je luy refusay tout à plat, disant que celle s'addressoit à ung plus capable que moy, mais il fit tant par reitereez prieres que je luy promis d'y mettre la main, different tant qu'à moy estoit possible de mettre en effect ma ditte promesse. Mais luy, de plus en plus instant, je fus contraint pour le contenter d'y mettre la main assez froidement et, pour m'esloigner de

---

[1] ADS, *Série J : Piochet : livres de raison : inventaire de mes titres : 1J279/10*, fol. 8 v°.

[2] *Ibid.*, fol. 9 r°. Pourtant, l'épigramme fut publiée avec la signature de Piochet en dessous. Voir *L'Amalthée*, éd. Alyn Stacey, p. 390.

[3] ADS, *Série J : Piochet : livres de raison : inventaire de mes titres : 1J279/10*, fol. 9 r°.

[4] Voir P. Champion, *Henri III : roi de Pologne*, 2 vols (Paris, B. Grasset, 1943-1951), I, 148, II, 265.

son importunité et luy monstrer que j'estois apres, je luy fis veoir l'annotation que j'avois dressé [sic] sur le premier sonet de sa ditte *Amalthée*, affin qu'il advisâ [sic] s'il luy seroit agreable ou non.[1]

Nous relevons ici quelques détails qui sont en contradiction avec le récit de Richevaux. D'après Richevaux, Buttet aurait été conscient de l'importance d'un commentaire avant la publication de la deuxième édition de *L'Amalthée* et non pas après avoir confié le manuscrit à l'imprimeur comme nous le donne à croire Piochet. D'ailleurs, pourquoi Buttet demanda-t-il à Piochet de lui préparer un commentaire pour une troisième édition de *L'Amalthée* si Richevaux en préparait un aussi ? Est-ce que Richevaux avait abandonné l'entreprise et Piochet avait-il relevé le défi ? C'est en effet possible, car Richevaux précise que Buttet avait demandé le commentaire avant la publication de *L'Amalthée* de 1575, tandis que Piochet signale que son cousin le lui avait demandé après. Ou bien Richevaux est-il un nom de plume de Piochet ? Cela est possible étant donné la modestie de Piochet, la nature souvent mensongère des préfaces, et l'absence de tout renseignement sur ce Richevaux[2].

Pendant 11 ans, c'est-à-dire jusqu'à la mort du poète en 1586, Piochet continua (à contrecœur !) à collaborer avec son cousin sur une troisième édition annotée de *L'Amalthée* :

je fusse esté forcé par ce mien ami de continuer sur les aultres [annotations] et en avois deja fait quelque dessain, mais les affaires domestiques et quelques proces rompirent ma deliberation, joinct que ce mien cousin, ayant eu l'escheute de certain heritage d'ung sien oncle qui residoit à Genevfe, là où estant allé et sejourné quelques jours, surpris de malladie, deceda[3].

Malheureusement, Piochet ne nous donne pas de détails concernant cette troisième édition qui ne fut jamais publiée et dont le manuscrit a disparu sans laisser de traces. Nous connaissons seulement l'annotation

---

[1] ADS, *Série J : Piochet : livres de raison : inventaire de mes titres : 1J279/10*, fol. 9 v°.

[2] Nous savons seulement qu'il rédigea la préface de *L'Amalthée* de 1575 et qu'il composa un sonnet pour le recueil (voir *L'Amalthée*, éd. Alyn Stacey, pp. 57-59, 388).

[3] ADS, *Série J : Piochet : livres de raison : inventaire de mes titres : 1J279/10*, fol. 11 v°.

qu'il fit pour le premier sonnet[1], et un poème d'Amé Du Coudray qui devait sans doute y figurer[2].

4. *L'Œuvre chrestienne* (1581)

Malgré les doutes de son auteur, *L'Amalthée* de 1575 fit une impression positive en France : en 1581, dix sonnets du recueil parurent à Lyon dans l'*Œuvre chrestienne de tous les poëtes françois*, un « recueil saint » pour « ceux qui ayment la sainteté »[3], comprenant des poèmes religieux écrits par divers poètes distingués de l'époque, tels Marot, Ronsard, Du Bellay, Belleau et Jamyn. Pourtant, Buttet donna-t-il volontiers ses dix sonnets au recueil ? Cela paraît douteux car l'éditeur, qui s'identifie seulement par les initiales I. D, informe les lecteurs qu'il a rédigé le recueil « affin de leur espargner l'achat de toutes les œuures des Poëtes qui y sont comprins »[4] ; il est peu probable que Buttet ait voulu décourager l'achat de son *Amalthée* !

5. Voyages à Genève

En plus des petits voyages que Buttet faisait en Savoie avec son cousin[5], il partait de temps en temps pour Genève.

Un recensement des armes rédigé le 9 mars 1571 pour le dizaine de La Magdelaine mentionne un certain « Claude Buttet harquebouze et hallebarde ». S'agit-il de notre poète ? On ne peut pas exclure cette possibilité car son grand-père, Jean de La Mar, habitait ce même dizaine jusqu'à sa mort qui survint entre 1541 et 1543[6], et il est donc probable que ses enfants

---

[1] *Ibid.*, fols. 10 r°-11 v° ; voir Oncieu de la Batie, « Note sur les derniers moments du poète Marc-Claude de Buttet », pp. 353-355 ; *L'Amalthée*, éd. Alyn Stacey, p. 401.

[2] Voir *infra*, p. 122.

[3] *L'Œuvre chrestienne* (Lyon, Thibaud Ancelin, 1581), pp. 2, 4. Voir *infra*, Bibliographie des œuvres de Buttet, n° 23. Le recueil reproduit (sans variantes) les sonnets CCCXI-CCCXIII, CCCXV-CCCXXI de *L'Amalthée* (voir notre édition, pp. 372-374, 376-382).

[4] *Ibid.*, p. 4.

[5] Voir *supra*, p. 44.

[6] Foras cite un acte de reconnaissance qui qualifie Jean de La Mar d'« honorable citoyen » et « marchand » de La Magdelaine. Voir *op. cit.*, III, 332.

héritèrent de sa maison. Certes, Pierre de La Mar, l'oncle du poète, habitait toujours la ville en 1571, mais nous ne savons pas où exactement[1].

Grâce à cet oncle, les liens entre Genève et le poète furent renforcés au début des années 1580 : le poète et sa sœur, Jeanne-Antoinette, furent nommés ses seuls héritiers quand il mourut le 25 octobre 1581[2]. On sait que le poète reçut des «biens [...] situez riere les bailliages de Chablais, Gex, Ternier et Galliard et environs riere la ville de Geneve»[3], et que cet héritage augmenta de nouveau son revenu : un acte du 12 mars 1582 indique qu'avec sa sœur il louait de «grandes vignes» à Merlingue à un certain Olivet de Meynier[4] ; le 18 février 1583, le poète et les enfants de Jeanne-Antoinette, Pierre, Jeanne et Benoyte, donnèrent en location, pour une période de quatre ans, toutes les terres héritées situées à Merlingue et dans ses alentours[5]. D'ailleurs, le 1er juin 1586, le poète et son neveu, Pierre, étaient à Genève pour vendre deux parcelles de terres provenant de l'héritage[6].

---

[1] Voir Foras, *op. cit.*, III, 332. Malheureusement, le testament de Jean de La Mar et les cadastres pour le dizain n'existent plus, et il est donc impossible de savoir ce que la maison est devenue.

[2] Voir Foras, *op. cit.*, I, 292, n. 1 ; III, 332. Foras fait mention d'un livre de raison appartenant à la deuxième femme de Pierre et contenant «une foule de titres» concernant cet héritage (*op. cit.*, I, 291, n. 1) ; malheureusement, ce livre est aujourd'hui introuvable.

[3] ADS, *Série E : Minutes du notaire Rochet : E167*, fol. 108 r°-108 v°.

[4] AEG, *Archives notariales : Hugues Paquet : VIII*, fols 103 r°-105 v°.

[5] AEG, *Archives notariales : Hugues Paquet : IX*, fols 29 r°-31 v°. La signature de Buttet paraît au fol. 31 r° (voir la figure 15). Le fait que cet acte ne mentionne pas Jeanne-Antoinette autorise à penser qu'elle était morte et que son héritage avait passé à ses enfants. En fait, son testament et son codicille furent rédigés le 16 et le 23 mars 1582 (AEG, *Archives notariales : Hugues Paquet : II*, fols 24 r°-27 v°). Et pourtant, le testament de Buttet, rédigé le 29 juillet 1586, suggère qu'elle était toujours vivante : Pierre de La Mure, son fils, doit «exhiber son testament paternel qui est entre les mains de sa mere» (AEG, *Archives notariales : Jean Jovenon : VI*, fol. 77 r°; voir *infra*, appendice 6).

[6] AEG, *Archives notariales : Hugues Paquet : XII*, fols 71 r°-73 r°. La signature de Buttet paraît au fol. 73 r° (voir la figure 16).

Chapitre III

LA MORT DE BUTTET

1. Les derniers mois de Buttet

C'était sûrement en raison de l'héritage qu'il avait reçu de Pierre que Buttet était à Genève au mois d'août 1586. Piochet nous informe qu'il y était allé « ayant eu l'escheute de certain heritage d'ung sien oncle qui residoit à Genesve »[1], et rien ne donne lieu de croire qu'il était l'héritier d'un autre oncle habitant la ville.

Ces derniers mois sont bien documentés, grâce en partie à des inventaires détaillant les dépenses que fit le poète pendant cette période[2]. Ainsi savons-nous que le 6 mai 1586 le poète loua deux chambres dans la maison d'un certain Claude Bougey (ou Bogey), citoyen de Genève : « premierement pour le louage de deulx chambres commencé le 6e may 1586 d'ung an et demy, monte... fl. 45-0-0 » (fol. 483 r°).

Ces inventaires indiquent la nourriture et le vin consommés par Buttet entre les mois de mai et d'août, certains de ses visiteurs (notamment son neveu, Gaspard Boulhet/Bolliet), ainsi que les meubles et les vêtements qu'il avait dans ses deux chambres[3]. Ces détails, et surtout le fait qu'il ait loué les chambres pour un an et demi, permettent de croire qu'il pensait faire un séjour assez long dans la ville ou y revenir souvent.

---

[1] ADS, *Série J : Piochet : livres de raison : inventaire de mes titres : 1J279/10*, fol. 11 v°.

[2] AEG, *Archives notariales : Jean Jovenon : VI*, fols 481 bis-483 r°. Voir *infra*, appendice 7.

[3] Citons, par exemple, les entrées suivantes (fol. 483 r°) :

Plus, livré audit quand M. Bolliet vint en ceste ville,

4 lb. pain blanc à 3 ss. la livre . . . . .ff 1-0-0

Plus, pour ung quarteron vin claret prins chez Isaye Comparet . . . . .ff 0-9-0

Plus, pour une payre pingeons pour ung souper dudit Sr Bolliet . . . . .ff 0-10-0

Plus, en poyres . . . . .ff 0-2-0

Plus, pour ung quarteron de vin audit soupper . . . . .ff 0-9-0

Signalons un dernier petit détail concernant la vie domestique de Buttet pendant cette période : il avait un serviteur, Claude Couvaz, fils d'un certain Anthoyne Couvaz de Brecoran en Savoie, qui l'accompagnait probablement lors de ces voyages[1].

2. Une visite de Thédore de Bèze : la foi de Buttet en question

C'était pendant un séjour à Genève en 1586 que Buttet tomba gravement malade, et, redoutant une mort imminente, fit rédiger son testament le 29 juillet et son codicille le lendemain par le notaire Jean Jovenon dans la présence de plusieurs bourgeois et habitants de la ville[2]. La rédaction de ces documents eut lieu dans la maison de Claude Bougey, dont la femme, Jaquema, s'occupa de Buttet pendant sa maladie[3]. Il est fort probable que le poète et medecin Joseph Du Chesne le soigna aussi, pourtant sans succès.[4]

Piochet nous apprend que la veille de sa mort, son cousin reçut un visiteur important, une connaissance du passé :

> estant au lict de sa mort, à Geneve, de Beze, le grand ministre dudit lieu, le vint visiter pour la cognoissance qu'il avoit de luy de l'avoir

---

[1] Ce Couvaz est nommé dans le codicille de Buttet, AEG, *Archives notariales : Jean Jovenon : VI*, fol. 80 r° (voir *infra*, appendice 6).

[2] AEG, *Archives notariales : Jean Jovenon : VI*, fols 76 v°-78 v° (testament) ; fols 79 v°-80 v° (codicille). Nous avons trouvé une copie du codicille rédigée en 1595 pour un des légataires, Jaquema Bougey (voir *infra*, p. 65 ; *Archives notariales : Jean Jovenon : VI*, fol. 484 r°-484 bis). Pour une transcription de ces deux documents, voir *infra*, appendice 6. Pour étayer son argument que Buttet était sans doute protestant au moment de sa mort, Mugnier attire notre attention sur le protestantisme de Jovenon et de la plus grande partie de sa clientèle aussi (*op. cit.*, p. 31 et n. 1). Pourtant, rappelons qu'après l'adoption officielle de la Réforme à Genève en 1536, il étaient interdit aux catholiques d'y travailler, inévitablement donc tous les notaires étaient protestants. Étant donné qu'il était tombé gravement malade sans avoir eu le temps de rédiger un testament, Buttet n'avait pas de choix : son notaire devait être de Genève et donc protestant. C'est ce qui pourrait aussi expliquer le ton souvent protestant du testament (voir par exemple au fol. 76 v° où Jésus est qualifié comme « nostre seul sauveur et redempteur »).

[3] Le codicille de Buttet signale que Jaquema « sert ledit codicillant en sa presente malladie » (*ibid.*, fol. 80 r°; voir *infra*, p. 64 et l'appendice 6).

[4] Du Chesne est mentionné comme légataire dans le codicille de Buttet (*ibid.*, fol. 80 r°; voir *infra*, appendice 6). Sur Du Chesne, voir *infra*, pp. 90-91.

cogneu à Paris avant que ledit de Beze se retirât à Geneve, l'exhortant d'avoir bon courage et avoir totale fiance au Dieu et au merite et passion de son fils, Jesus Christ, nostre seul et vray mediateur.

Ledit sieur de Buttet luy fit responce : « Monsieur de Beze, je vous remercie de la poine qu'avez prise de me venir visiter et consoler en ce mien besoing, et suivant ce que m'avez proposé, je vous dit que toutte ma fiance, mon espoir de salut, je l'estime et recognois de la bonté de mon Dieu et createur par ledit merite de son fils, Jesus Christ, nostre mediateur et avec icelluy par l'intercession de la vierge glorieuse, sa mere, saintz et saintes de paradis qui jouissent de la beatitude celeste, lesquelz, ayant avec eux la charité, intercedent continuellement pour nous miserables pecheurs de ce monde ».

Allors de Beze luy respondit : « Ha ! Monsieur de Buttet, je ne vous tiens pour de si peu de jugement que veuillez bailler à Jesus Christ compagnons pour interceder pour vous, veu qu'il est le seul et vray mediateur ».

Allors il luy respondit : « Quant à moy, vous me prenez mal pour penser une chose et en dire une aultre. Je pense sellon ma croyance et ce que ma religion, qui est la catholique toujours, continue dès la mort de nostre Seigneur Jesu Christ, me commande : croyant parfaittement qu'en icelle est nostre salut en laquelle je veux mourir, sans jamais changer d'opinion ainsi que vous avez fait, luy faisant banqueroutte, et adherant aux nouvelles opinions que vous continuez à soutenir ».

Ce dit, se tourna de l'aultre cousté du lict, et ledit de Beze se retira, disant qu'il resvoit et que l'aprehension de la mort le travailloit. Le jour apres il deceda[1].

C'est un récit qui nous invite à spéculer sur la foi de Buttet. La précision du récit (qui est-ce qui était présent pour pouvoir noter si minutieusement la conversation ?), et son ton dramatique le rendent fort possible que Piochet ait déformé la réalité, peut-être pour mettre fin à des doutes concernant la foi de son cousin[2]. Certes, Bèze semble s'étonner que le poète soit toujours catholique, ce qui invite à croire qu'avant sa mort Buttet avait peut-être donné l'impression d'être bien disposé envers la Réforme. Il est vrai que certains passages de ses poèmes rappellent le

---

[1] ADS, *Série J : Piochet : livres de raison : inventaire de mes titres : 1J279/10*, fols 13 r°-14 r°.

[2] C'est un point de vue que nous partageons avec Mugnier, *op. cit.*, p. 33.

Nouveau Testament[1] ; il est vrai aussi qu'il légua une partie de son argent
à plusieurs institutions protestantes à Genève[2]. Pourtant, tout ce que nous
savons c'est qu'au moment de mourir il était officiellement catholique.
Si cela n'avait pas été le cas, il n'aurait pas demandé dans son testament
à être enterré avec ses ancêtres dans une église catholique[3] ; il est
d'ailleurs certain que cette église n'aurait pas accepté d'accueillir le
corps d'un protestant dans son cimetière.

3. La mort de Buttet

Quand Buttet mourut-il ? On pensait que c'était le 10 août, date basée
sur ce que nous apprend Piochet dans le passage de son livre de raison
publié par Oncieu de la Batie : il précise que son cousin mourut « quarto
Idus augusti »[4]. Pourtant, dans un autre passage du même livre, on trouve
l'affirmation suivante, jamais citée jusqu'ici : « L'an 1586 et le 4 d'aoust,
noble Marc-Claude de Buttet, mon cher cousin, deceda à Genesve »[5]. Il est
donc impossible de savoir s'il mourut le 4 ou le 10 août 1586.

Selon ses vœux, son corps fut enterré à Chambéry dans le tombeau
familial à l'église Notre Dame de l'Observance[6].

Piochet n'oublia pas la promesse que les deux cousins s'étaient faite :
« devisant quelques fois ensemble, nous nous entrepromismes que le
premier decedant, l'aultre lui dresseroit ung epitaphe... »[7]. Buttet lui en

---

[1] Voir par exemple *Le Premier Livre des vers*, I, éd. Fezandat, fol. 29 r°, ode XVIII,
« Sur la naissance de nostre sauveur Jesus Christ » ; *L'Amalthée*, éd. Alyn Stacey, p. 377,
CCCXVI.

[2] On résume ici les arguments les plus valables avancés par ceux pour qui Buttet serait
mort un protestant. Voir en particulier T. Dufour, « Notice bibliographique sur le 'Cavalier
de Savoie', 'Le Citadin de Genève' et 'Le Fleau de l'Aristocratie Genevoise' », p. 23 ;
Jacob, *Œuvres poétiques*, I, xvii, xxxv ; Mugnier, *op. cit.*, pp. 30-33 ; H. Ziegler, *La Corne
d'Amalthée* (Lausanne, La Concorde, 1924), p. 11.

[3] Voir *infra*, appendice 6.

[4] ADS, *Série J : Piochet : livres de raison : inventaire de mes titres : 1J279/10*,
fol. 14 v°; voir Oncieu de la Batie, « Note sur les derniers moments du poète Marc-Claude
de Buttet », p. 361.

[5] *Ibid.*, au recto du dernier folio (non chiffré).

[6] *Ibid.*, fol. 14 r°. Voir aussi le testament de Buttet où il charge ses héritiers de cette
tâche : AEG, *Archives notariales : Jean Jovenon : VI*, fol. 77 r°. Le tombeau familial se
trouve maintenant au cimetière Charrière-Neuve, juste en dehors de Chambéry.

[7] ADS, *Série J : Piochet : livres de raison : inventaire de mes titres : 1J279/10*, fol. 14 r°.

avait déjà adressé une en forme de sonnet dans son *Amalthée* de 1575[1], mais Piochet ne voulut pas honorer son cousin de la même manière : il lui composa une épitaphe

non sellon le dessein dudit sonnet, mais sellon la pieté chrestienne et tant qu'à moy fut possible sellon le merite de ses vertus. L'epitaphe est tel :

POSTERIS
Quieti aeterni et in omni oevo duraturae memoriae
MARCI CLAUDII BUTTETI poete insignis patricii

Chamberiani, omnes artes eruditi, qui rythmorum
tepore, sententiarum pondere, mellifica ac vere
poetica dulcedine, tam in lati[n] quam in
Gallicis camoenis, Gallicos pene omnes suae
aetatis poetas adoequavit, conterraneos autem suos
longe justo calculo superavit.
Quem invidia bonis omnibus lybitina communi
omnium ac proecipuè litteratorum moerore, annum
quinquagesimum sextum agentem genevae e medio
sustulit. Anno salutiferae per Christum
reparationis sexqui millesimo octuagesimo sexto
quarto idus augusti.
Dignus certe qui ob tantae ac multiplicis doctrinae
protestantiam, egregiam vitae ac morum
proestantiam, rerumque omnium quae ad bene
beateque vivendum maxime conducunt exactissimam
peritam, alti generis ac familiae nobilitatem,
sincerum atque ingenuum candorem altero veluti
mausoleo decoraretur, si tum apud pios ac vere
christicolas quum piè ac christianè ibidem in
Domino obdormivit.
Huius igitur amici incomparabilis, affinis amatissimi
ac tanti poetae manibus. IO. DE PYOCHET. Sallini
domus, justas has inferias, ossibus hic heredum
pietate translatis, ex debito et promisso solvens,

---

[1] *L'Amalthée*, éd. Alyn Stacey, p. 173, CXII. Piochet ne semble pas offusqué par le fait que Buttet ait tout simplement substitué son nom à celui de Jean-Gaspard de Lambert qui paraît dans la première version publiée du sonnet.

lugubri hoc epicedio se grati ac memoris amici
officio functum, proesentibus posteris que
nepotibus, pientissime, multis cum lachrimis, hic
testatum relinquit.

Aux manes du defunct

Buttet, mon cher cousin et mon aultre moi-mesme,
　　　　La Mort contre ton nom n'a fait aucun effort
Car ta vertu cogneue et la force supresme
De tes tant doctes vers ont surmonté la Mort.

Et bien que l'on t'ait mis dans ce vase de terre,
　　　　Que la Savoye pleurant à ton los a dressé,
　　　　Seul pourtant tu n'y es : car de dueil oppressé
Phœbus et les neuf seurs avec tes os s'enserre.

La mort aiant ravy ce tant docte pöete,
　　　　Soubdain elle empoigna son chapeau de lauriers,
　　　　Puis, en cernant son front, dit : voicy le loyer
D'avoir sur les neuf seurs fait si brave conqueste.

Mais certe, il n'est pas mort, ains a changé de lieu,
　　　　Fait citoyen nouveau avecques le Esprit,
　　　　Bien heureux contemplant la face du grand Dieu
Vivant encore ça-bas par ses doctes escrits.

Au millieu de ces quatre quatrennes est une ovale où sont les armoiries
soubtenues de deux figures de morts, couronnez de lauriers et alentour de
ladite ovale ces mots : « Phoebi sua semper apud te munera sint lauri » et
à pied des quatrennes : « dignum laude virum musa vetat mory » et au
plus bas : « in pace novi hostes », qui est l'anagramme de mon nom en
latin : Ioannes Piochetus. Et au plus bas ces mots : « il est de besoing pour
l'avancement de la vertu de faire honorable mention des vertueux, affin
que nous faisions pour la posterité ce que l'antiquité a fait pour nous ».
M.D.LXXXVI[1].

---

[1] ADS, *Série J : Piochet : livres de raison : inventaire de mes titres : 1J279/10*,
fols 14 v°-15 v°.

4. Le testament de Buttet

Parmi les beneficiaires nommés dans le testament et le codicille de Buttet, on ne relève le nom d'aucune femme. En fait, Piochet nous informe que son cousin « onques ne fut marié »[1]. Aucune mention non plus d'enfants illégitimes[2]. Pourtant, ses bénéficiaires étaient assez nombreux et divers. Il légua de l'argent à trois institutions protestantes situées à Genève : 10 écus à l'hôpital général, 40 écus au collège, et 10 écus à la « Bourse des pauvres estrangers ». Son neveu, Pierre de La Mure, reçut 200 écus *d'or sol* ; son filleul, Marc-Claude Boulhet, devait recevoir 200 écus à l'âge où il pourrait entreprendre des études de droit. A chacun de ses parents et des « autres qui voudroyent demander et prethendre droict sur ses biens et heritages », il légua 5 écus. Mais la plupart de ses biens devaient être partagés entre ses neveux : à Pierre de La Mure[3], Gaspard Boulhet, Jean-François et Balthazar Balein[4], il en légua

---

[1] ADS, *Série J : Piochet : livres de raison : inventaire de mes titres : 1J279/10*, fol. 12 v°.

[2] Rappelons qu'au XVIe siècle la société se montrait souvent libérale envers l'illégitimité. Citons à titre d'exemple le cas du cousin du poète, Laurent de Piochet, qui se montra très généreux envers ses six enfants illégitimes ; voir Devos et Le Blanc de Cernex, « Un « humaniste » chambérien au XVIe siècle », pp. 217-218. Dufour a démontré d'une manière convaincante que l'auteur anonyme du *Cavalier de Savoie* n'était pas le fils de notre poète (comme l'affirme d'abord Jacques-Auguste De Thou dans son *Histoire universelle*, éd. Casambon *et al.*, 43 vols (La Haye, H. Scheurleer, 1740), IX, 403), mais de Claude-Louis de Buttet, fils de son cousin germain, Jean-François. Voir « Notice bibliographique sur le 'Cavalier de Savoie', 'Le Citadin de Genève' et 'Le Fleau de l'Aristocratie Genevoise' », pp. 3-22.

[3] Le fils de Jeanne-Antoinette. Voir Foras, *op. cit.*, III, 333 ; Dufour, « Notice bibliographique sur le 'Cavalier de Savoie', 'Le Citadin de Genève' et 'Le Fleau de l'Aristocratie Genevoise' », pp. 25-26.

[4] Les trois fils de Jeanne-Françoise (elle se maria d'abord avec un certain « noble N.N. Bolliet » ou « Boulhet », ensuite avec « noble N.N.Ballin »). Voir Foras, *op. cit.*, III, 333. Signalons les références suivantes aux frères que nous avons retrouvées dans les livres de raison de Piochet : ADS, *vol. D : 1J279/4*, fol. 72 v° (le 1er juin 1591) : « *nota* que je me suis reservé *in solidu* les services deues par les freres Ballin à Treiserve qui furent de mon cousin de Buttet, le poete ». *Vol. A : 1J279/1*, fol. 58 r° (le 15 juin 1600) : « reprendre le proces contre messieurs lesdits Ballin, occasion des semis de Tresserve, des biens du sieur de Buttet, poete » ; *ibid.*, fol. 103 r° : « memoire que en l'année 1603 que [*sic*] le procureur Raguet, mourant à Chambéry, ses freres et gendres vendirent à Monsieur Jehan Pascal une piece de pré, situé à Viviers, lieu dit en la Coba [?] qui joinxte [...] le pré et terres des nobles freres Ballin, qui furent de noble Marc-Claude de Buttet du levant » ; *ibid.*, fol. 155 r° : « pour la piece de pré [...] que tenoient les freres Ballin qui furent de noble Louys et Claude Buttet ».

la moitié. C'est Jean-François Buttet[1], fils aîné de son cousin germain du même prénom, qui devait recevoir l'autre moitié, à condition de continuer ses études de droit ; s'il ne satisfaisait pas à cette condition, l'héritage devait passer à son frère Amé. Jean-François devait aussi respecter une deuxième condition : il lui était interdit de vendre la maison familiale dans la rue Saint-François à Chambéry que le poète avait héritée de son père. De plus, la rente sur la maison devait être renouvelée le 1er janvier de chaque année.

Le codicille nomme certains légataires qui n'avaient pas de liens de parenté avec le poète, à savoir un certain Jehan-Baptiste Desplans, bourgeois de Genève et témoin de la rédaction du testament, qui devait recevoir 20 écus (fol. 80 r°) ; le domestique du poète, Claude Couvaz « de Brecoran en Savoye », à qui il légua aussi 20 écus (fol. 80 r°) ; Jaquema Bougey ou Bogey, femme de Claude, « laquelle sert ledit codicillant en sa presente malladie », qui devait recevoir 10 écus (fol. 80 r°) ; le poète Joseph Du Chesne, « docteur en medecine, bourgeois de Geneve », et, rappelons-le, poète gascon devenu protestant, à qui il légua un flacon d'eau en argent (fol. 80 r°)[2].

Malheureusement, le testament suscita beaucoup de conflits entre les héritiers. Entre 1587 et 1588, les quatre neveux du poète, Pierre de La Mure, Gaspard Boulhet, Jean-François et Balthazar Balein, remirent en question le droit de Jean-François d'hériter de la moitié des biens de leur oncle[3]. Ils prétendirent que le testament de leur grand-père maternel, Claude de Buttet, contenait un *fidei-commis* selon lequel ils devaient être les seuls héritiers. Tout en reconnaissant la validité du *fidei-commis*, Jean-François soutenait que la plupart des biens qu'il devait hériter de Marc-Claude en étaient exempts, car ils provenaient de la ligne maternelle. Pourtant, par un acte du 15 juin 1587, il fut décidé que Jean-François recevrait seulement la maison dans la rue Saint-François et la rente de Grésy[4]. Les autres biens devaient être partagés entre les quatre neveux du poète.

---

[1] Le testament le qualifie de neveu du poète, c'est-à-dire neveu à la mode de Bretagne. Sur Jean-François et sa famille, voir Foras, *op. cit.*, III, 290 ; Dufour, « Notice bibliographique sur le 'Cavalier de Savoie' 'Le Citadin de Genève'et 'Le Fleau de l'Aristocratie Genevoise' », pp. 3-22.

[2] Sur Joseph Du Chesne, voir *infra*, pp. 90-91.

[3] Le premier à attirer notre attention sur ces tensions est C. Bouvier, « L'Hoirie de Marc-Claude de Buttet», *Notes savoyardes* (Chambéry, Imprimerie Générale Savoisienne, 1918), pp. 2-9.

[4] ADS, *Série E : Minutes du notaire Rochet : E167*, fols 71 r°-79 r°.

C'est ainsi que, par un acte du 19 juin 1587, Gaspard Boulhet reçut la maison Place Saint-Léger que le poète avait héritée de sa mère, et les vignobles de Villabod. Ses demi-frères, Jean-François et Balthazar Balein, reçurent les biens dans les bailliages, c'est-à-dire la maison de Tresserve et les vignobles de Barberaz et de Barby[1]. Quant à Pierre de La Mure, par un acte du 4 février 1588, il reçut tous les biens situés à Genève et dans les alentours de la ville ; il devait aussi payer le legs que son oncle avait voulu donner à l'hôpital de Genève[2].

Le 2 juin 1588, les litiges prirent fin : l'acte du 4 février fut ratifié, et Pierre de La Mure et Jean-François de Buttet firent rédiger un contrat stipulant que ce dernier renonçait à tout droit concernant les biens situés à Merlingue et dans les Baillages[3].

Si ces cinq héritiers se montrèrent soucieux de leurs propres gains, ils tardèrent par contre à honorer leurs obligations aux autres bénéficiaires. Par exemple, le 28 janvier 1595 Claude Bougey ou Bogey n'avait toujours pas reçu de paiement pour la pension que le poète avait prise chez lui presque dix ans auparavant. D'ailleurs sa femme, Jacquema, n'avait toujours pas reçu non plus les 10 écus que le poète avait voulu lui léguer. Ce fut sûrement pour affirmer son droit à l'héritage qu'elle fit rédiger une copie du codicille en 1595[4]. Pierre de La Mure, qui avait été chargé d'honorer cette dette, devait toujours 169 florins aux Bougey lorsqu'il mourut. Ce fut son fils, Gasparde, qui régla la dette le 31 janvier 1595. Un certain marchand de Genève, Jean Sermod, qui représentait Gasparde, rédigea un inventaire de tous les meubles du poète se retrouvant toujours dans les deux chambres louées chez les Bougey. Ils étaient estimés à une valeur de 79 florins 8 sous. Bougey prit possession de tous ces meubles à l'exception de deux chenets en fer qu'il donna à Sermod, et la dette fut annulée[5]. L'hôpital de Genève attendit plus longtemps encore : il reçut ses 10 écus le 15 février 1596 seulement[6].

---

[1] *Ibid.*, fols 85 r°-87 v°.

[2] *Ibid.*, fols 108 r°-113 v°.

[3] Voir Bouvier, « L'Hoirie de Marc-Claude de Buttet », pp. 8-9 ; l'acte du 2 juin 1588 aurait été rédigé par le notaire Girod, dont les minutes n'ont malheureusement pas survécu.

[4] AEG, *Archives notariales : Jean Jovenon : VI*, fol. 484 r°-484 bis.

[5] Sur le règlement de cette dette, voir AEG, *Archives notariales : Jean Jovenon : VI*, fols. 481 bis-483 r°, document reproduit *infra* dans l'appendice 7.

[6] AEG, *Archives hospitalières : DdI : registre des legats faicts tant aux pauvres de l'hospital general de Genève, collège, qu'aux pauvres estrangers dès le premier janvier 1580 jusques en 1637*, fol. 34 r° ; *Registre des receveurs : II*, fol. 26 r°.

5. La remise en vente du *Premier Livre des vers* (1588)

Marc-Claude de Buttet ne sombra pas tout de suite dans l'oubli. Deux ans après sa mort, la veuve d'Hierosme de Marnef et Guillaume Cavellat décidèrent de doter d'une nouvelle page de titre les exemplaires qui leur restaient du *Premier Livre des vers* et de remettre le recueil en vente à Paris. Mais rien ne nous autorise à penser que le recueil eût plus de succès qu'en 1560 et en 1561[1].

---

[1] Voir *supra*, pp. 27-28. Sur ce recueil, voir notre article «'Quand plein d'ennui estrange/Buttet traçoit cette euvre' : Marc-Claude de Buttet et la publication du 'Premier Livre des vers...' ». Voir aussi la figure 8.

Deuxième partie

BUTTET ET SES CONTEMPORAINS

BUTTET ET SES CONTEMPORAINS

Comme nous l'avons constaté dans la première partie de cette étude, Buttet comptait parmi ses connaissances certaines des personnes les plus connues de son époque : la fille de François Ier et la duchesse de Savoie, Marguerite de France ; son mari, le duc Emmanuel-Philibert ; deux des individus les plus importants dans la controverse religieuse, le cardinal de Châtillon et Théodore de Bèze ; Jean Truchon, premier president du Parlement de Grenoble ; Jacqueline d'Entremont ; Henriette de Nevers et François de Clèves, et nous en passons.

Mais que savons-nous sur ses liens avec les autres poètes et écrivains de son époque ? S'il est fort probable que Buttet faisait partie de la fameuse « brigade » de Ronsard et d'au moins deux cénacles littéraires avant 1560, les renseignements restent souvent très fragmentaires, basés le plus souvent sur la présence d'un poème de Buttet ou de son nom dans le recueil d'un autre poète, ou vice versa. Nous pouvons supposer qu'il connaissait bon nombre de poètes français et savoyards jouissant sans doute d'un certain renom à l'époque, mais dont certains commencent seulement aujourd'hui à sortir de l'oubli. Parmi les Français les plus connus, citons par exemple Pierre de Ronsard, Jean Daurat, Guillaume Des Autelz, Jacques Peletier du Mans, Jacques Grévin, Charles d'Espinay, Gabriel Chappuys, Pierre Enoch/La Meschinière, Jean de La Jessée, Joseph Du Chesne et le musicien Antoine de Bertrand ; parmi les Savoyards, qui restent toujours beaucoup plus obscurs, faisons mention de Jean-Gaspard de Lambert, Emmanuel-Philibert de Pingon, Louis Milliet, Jehan de Piochet et Amé Du Coudray.

Chapitre I

BUTTET ET SES AMIS FRANÇAIS

1. Buttet et la Pléiade

Si l'influence de la Pléiade sur la poésie de Buttet est manifeste[1], que pouvons-nous dire sur la nature précise de ses relations avec le groupe ? Citons ce vœu anonyme qui parut en 1560 et qui reconnaît formellement l'association du Savoyard avec la Pléiade :

> RONSARD, BAYF, BELLEAU & BUTET, soubs les treilles
> Offrent, fuyant soucy, d'un doux plaisir veincous,
> A Phoebus, aux neuf Soeurs, à Venus, & Bacchus,
> La lyre, le laurier, L'amour & les bouteilles[2].

En associant Buttet aux fureurs poétiques, orgiaques et bacchiques de la poésie antique qui étaient si fondamentales au programme de la Pléiade pour le renouvellement de la poésie française, l'auteur du vœu – et le grand public ? – semble reconnaître que le Savoyard partageait les mêmes ambitions que le cénacle de Ronsard[3].

Souvent ce n'est que la simple contribution d'un poème liminaire au recueil d'un autre ou la dédicace d'un poème à un poète particulier qui nous permettent d'avoir un aperçu des liens entre les poètes du XVIe siècle.

---

[1] A ce sujet, voir l'introduction à notre édition de *L'Amalthée*, p. 29 ; *eadem.*, « A la recherche d'un style poétique : quelques résonances de Ronsard dans la poésie de Marc-Claude de Buttet », *Mélanges de poétique et d'histoire littéraire au XVIᵉ siècle offerts à Louis Terreaux*, éd. J. Balsamo (Paris, Slatkine-Champion, 1994), pp. 133-150.

[2] BNF, *ms. fr. : 22560 : Recueil de vers sur les Guerres de Religion*, deuxième partie, p. 227.

[3] Rien ne permet de confirmer l'hypothèse de P. Champion selon laquelle ce vœu serait une accusation de paganisme faite par un protestant (*Ronsard et son temps* (Paris, Champion, 1925), p. 179 n. 3). Certes, le vœu paraît dans un recueil de vers dressé par un protestant, le chirurgien royal François Rasse des Noeux, mais rien n'autorise à croire qu'il en était l'auteur.

C'est en nous appuyant sur de tels témoignages que nous pouvons supposer qu'en 1560 Buttet était déjà un intime de la Pléiade et que ses liens avec
Pierre de Ronsard, Jean Daurat et Guillaume Des Autelz étaient particulièrement forts à cette époque-là[1]. Mais il nous semble que peu à peu Buttet
prit ses distances du groupe. C'est ce que nous fait penser, du moins,
L'Amalthée de 1575 dans laquelle ne figurent que quatre nouveaux poèmes
dédiés à la Pléiade, soit : un à Jean-Antoine de Baïf[2], un à Étienne Jodelle[3],
et deux à Ronsard[4]. En revanche, nombreux sont les nouveaux sonnets
dédiés à des personnes (surtout des Savoyards) aujourd'hui beaucoup
moins connues.

i) Pierre de Ronsard (1524-1585)

En 1560, dans son ode à Ronsard, Buttet demande à ce « fils d'Apollon » (v. 1) de lui composer *en tant qu'ami* une élégie pour commémorer sa
mort aux mains de sa bien-aimée, Amalthée :

> Si tu sçeus onq'comme Amour point,
> Par ta Cassandre je te prie
> Que l'obli ne m'emmeine point.
> Donne à ma cendre une élegie,
>   Et prenant pitié de mon sort,
>   Complein de ton ami la mort[5].

Son sonnet de la même année est un simple éloge des talents poétiques
du chef de la Pléiade :

> Lorsque du tens & des siecles veincueur,
>   A ta grand'soif, Ronsard, tu allas boire

---

[1] Pourtant rien ne permet de confirmer l'hypothèse de P. Laumonier selon laquelle
Buttet aurait déjà fait partie de la brigade en 1558 ; voir *Ronsard : poète lyrique : étude historique et littéraire* (Paris, Hachette, 1923), p. 187.

[2] *L'Amalthée*, éd. Alyn Stacey, p. 300, CCXXXIX. Voir *infra*, p. 79-80.

[3] *Ibid.*, p. 189, CXXVIII. Voir *infra*, p. 81-82.

[4] *Ibid.*, p. 262, CCI ; p. 384, « L'hymne de Vénus à Pierre de Ronsard gentilhomme vandomois. Imitation de Marulle ». Voir *infra*, p. 73-74.

[5] *Le Premier Livre des vers*, II, éd. Fezandat, fol. 56 r°, XIII, « A P. de Ronsard vandomois », vv. 19-24.

Au saint crystal des filles de Memoire,
  Qui t'ont sacré un grand chantre en leur chœur,
Le petit Dieu du genre humain moqueur,
    Et qui abbat des celestes la gloire,
    Pour la beauté telle qu'on ne peut croire,
    Heureusement triumpha de ton cueur.
Du mesme coup qui captif te vint prendre
    Chacun fut pris, mais non pas de Cassandre,
    Ains de ta Muse, ô contraires amours !
Car de Cassandre est la beauté mortelle,
    Ta Muse au ciel s'en va tousjours plus belle,
    Cent mille amans tirant après son cours[1].

Dans *L'Amalthée* de 1575, Buttet continue à témoigner de sa grande estime pour Ronsard. Il le nomme dans un sonnet, louant en particulier son exploitation de sources antiques, et peut-être faisant une allusion voilée à la *Franciade* de 1572 :

Ronsard heureux, des Antiques lauriers
    Et des Romains sa grand'couronne ourdisse,
    Et tonnant Mars les François éclercisse,
    Faisant rougir tous les siecles premiers[2].

À la fin du recueil, Buttet lui dédie un poème de 96 vers, « L'Hymne de Vénus à Pierre de Ronsard gentilhomme vandomois. Imitation de Marulle ». Le poème s'achève sur son désir d'être reconnu comme l'égal de Ronsard en ce qui concerne la poésie amoureuse :

ô Roine Venus, en tout dorée race
Du haut pere tonnant, vien-t'en ici de grace,
Et chassant de la nuit le sejour tenebreux,
Fai que j'entre en ton temple, humble rendant mes vœux

Avec ton cher Ronsard ; là ta main nous décueuvre
Du grand monde animé l'admirable chef d'œuvre,

---

[1] *Le Premier Livre des vers*, éd. Fezandat, fol. 88 r° [a] ; voir *L'Amalthée*, éd. Alyn Stacey, p. 108, XLVII et les nn. à la p. 424.

[2] *L'Amalthée*, éd. Alyn Stacey, p. 262, CCI, vv. 5-8 ; sur ce poème, voir *ibid.*, les nn. aux pp. 473-474.

Où tant de corps divers, mere, tu vas creant,
Sur qui ce peuple lourd est vainement béant[1].

Ronsard, à son tour, n'hésita pas à s'associer au Savoyard : dans le premier tome de ses *Œuvres* qui parurent vers la fin de l'année 1560, on trouve parmi les poèmes liminaires d'Adrian Turnèbe, de Joachim Du Bellay, de Daurat et de Robert de La Haye ce quatrain de Buttet :

Quand les neuf doctes seurs l'Aonie laisserent,
Et leur saint mont fourchu, voulant en France vivre,
Venant au Vandomois avec Ronsard logerent,
Puis le remerciant luy donnerent ce livre[2].

Nous ne saurions pas pourquoi ce quatrain ne figure pas dans les éditions ultérieures des *Œuvres*. Ce n'est certainement pas parce que Ronsard voulut se dissocier du Savoyard : dans *toutes* les éditions des *Œuvres* paraissent deux poèmes fêtant les talents de Buttet, ce qui laisse à penser que Ronsard continuait à apprécier le Savoyard[3].

Dans le premier de ces poèmes, un madrigal situé au début du deuxième livre des *Œuvres*, Ronsard loue Buttet comme le premier poète de la Savoie :

Docte Buttet, qui as montré la voye
Aux tiens de suivre Apollon & son Choeur,
Qui le premier t'espoinçonnant le coeur,
Te fist chanter sur les mons de Savoye,
        Puis que l'amour à la mort me convoye,
De sur ma tombe (apres que la douleur
M'aura tué) engrave mon malheur
De ces sept vers qu'adeullez je t'envoye :
        CELUY QUI GIST SOUS CETTE TOMBE ICY
AIMA PREMIERE UNE BELLE CASSANDRE,
AIMA SECONDE UNE MARIE AUSSY,
TANT EN AMOUR IL FUT FACILE A PRENDRE.

---

[1] *L'Amalthée*, éd. Alyn Stacey, p. 387, vv. 89-96 ; sur ce poème, voir *ibid.*, les nn. à la p. 506.
[2] *Les Œuvres de Pierre de Ronsard [...] tome premier* (Paris, Gabriel Buon, 1560), fol. [2 r°]. Voir *infra*, Bibliographie des œuvres de Buttet, n° 12.
[3] Voir les éditions de 1560, 1567, 1571, 1572-1573, 1578, 1584, 1587.

DE LA PREMIERE IL EUT LE COEUR TRANSY
DE LA SECONDE IL EUT LE COEUR EN CENDRE,
ET SI DES DEUX IL N'EUT ONCQUES MERCY[1].

Dans sa note accompagnant ce madrigal, Belleau renforce ce ton élogieux, nous informant que Ronsard apprécie Buttet non seulement pour sa maîtrise des mathématiques et de la philosophie, mais aussi pour « la perfecte cognoissance qu'il a de la Poësie (de laquelle il a le premier illustré son pays) »[2].

Dans le deuxième poème, « Les Isles fortunées », Ronsard évoque l'embarquement de sa « si chere bande » d'amis, considérée traditionnellement comme la brigade, qui l'accompagnera loin de la France menacée par les guerres. Le nom de Buttet figure dans cette bande privilégiée à partir de 1560 :

Je voi Baïf, Denisot & Belleau
Buttet, du Parc, Bellai, Dorat, & celle
Troupe de gens qui court apres Jodelle[3].

ii) Jean Daurat (1508 ?-1588)

Il est fort probable que Buttet étudia sous l'égide de Jean Daurat soit au Collège de Coqueret soit au Collège des Lecteurs Royaux. C'est à l'hélleniste distingué, le maître de la Pléiade, que Buttet doit son initiation à la poésie métrique[4], ce qu'il rappelle d'un ton fier dans un sonnet en vers mesurés tout au début de *L'Amalthée* de 1560 :

A Jean D'Aurat Limosin

Tu me seras tousjours, mon divin d'Aurat, Apollon :
Car tu m'es auteur en ce poeme noveau.
Lors que je vien à soner d'un luth doux chanter ma Sapphon,
Et que je pleure l'amour, ô que ce nombre me plait !

---

[1] *Les Œuvres : Le Second Livre des Amours*, éd. Laumonier, X, 205.

[2] *Ibid.*, éd. Laumonier, X, 206. Sur l'érudition de Buttet, voir *supra*, p. 24.

[3] *Les Œuvres : Poëmes*, éd. Laumonier, V, 179, « Les Isles fortunées. A Marc Antoine de Muret », vv. 68-70.

[4] Sur les vers mesurés de Buttet, voir *supra*, pp. 25 et 28.

Rymes à Dieu : bien tot viendront ces carmes ageancer
    Les Charites, Pallas, Calliopée, l'Amour.
Qui nie avoir les vieux non sans grand'peine recherché
    Ces nombres, ces pieds, cette maniere de vers ?
Enne, le pere Latin, premier des Pegasides seurs
    Obtint du laurier celle coronne de pris.
Puis vers mieux resonans vont feuiller, jaunir, & armer
    Les bois, champs, guerriers, par le poëte Maron.
Rien de sa main sortant jamais Nature n'a parfet
    Sans que le tens i soit, comme le maitre de tout[1].

Daurat lui-même donna trois poèmes au *Premier Livre des vers*, signe de sa confiance en Buttet d'autant plus que c'était un privilège qu'il réservait d'habitude à la Pléiade. Les deux premiers poèmes, un sixain en grec suivi de sa traduction en latin, font une simple allusion au mythe d'Amalthée[2] :

ΕΙΣ ΜΑΡΚΟΥ ΚΛΑΥΔΙΟΥ ΒΟΥΤΤΗΤΟΥ
ΑΜΑΛΘΕΙΑΝ

Τοῦ σε μελίζεσθαι Βουττητ' ἔρον εἰς τόσον ἀγνόν,
    εἰς ὅσον ἦν Ἥρας συγγενέος τε Διός,
εὔθ' ἁπαλὰ φρόνεων ἁπαλόφρονι δαίμονι δαίμων
    Νήιδος ἐν κόλπῳ παῖς συνέπαιζε τροφοῦ,
αἴτιον ἂν φαίη τις, Ἀμαλθείης ὅτι νύμφη
    Πρὶν γάλα δοῦσα Διί, καὶ σε γαλακτοτροφεῖ

---

[1] *Le Premier Livre des vers*, éd. Fezandat, fol. 75 r°. Le poème fut exclu de *L'Amalthée* de 1575. Sur ce poème, voir *L'Amalthée*, éd. Alyn Stacey, appendice 3, et les nn. aux pp. 509-510.

[2] *Le Premier Livre des vers*, éd. Fezandat, fol. 76 v°. Les deux versions furent republiées par Daurat en 1586 dans *l'Epigrammatum lib. III*, p. 68, dans le corpus *Ioannis Aurati Lemovicis poetae et interpretis regii poëmatia* (Paris, G. Linocier).

In Marci Claudii Butteti Amaltheam

Quod tibi tam casti Buttete canuntur amores,
    Quam qui Iunonis, fratris erantque Iovis :
Donec adhunc simplex cum simplice numine numen
    Naïdos altricis luderet in gremio :
Credibile est fieri, quod Amaltheae dedit olim
    Quae lac Nympha Iovi, nunc dat & illa tibi.

Dans le troisième poème, « De illustrissimum Allobrogum ducis d. Margaretae », une ode sur le départ de France de Marguerite de France après son mariage avec le duc Emmanuel-Philibert, on trouve une longue digression sur les talents poétiques de Buttet, surtout dans le domaine de la poésie métrique. Rappelant que Marguerite est le mécène généreux du poète, il déclare :

Tu testis unus, tu satis es meis,
Buttete, dictis & tua carmina,
    Quae Lesbii non Cambriani
    Vatis opus neget esse nemo.

Seu tu recentes ferre per orbitas
Dignare gressum lege carentibus
    Rhytmis : catena sive certi
    Verba pedis libet alligare,

Tu primus ausus Sapphica Gallicae
Aptare linguae plectra...[1]

Il va même plus loin, ne se limitant pas aux vers saphiques de Buttet mais louant aussi tout le recueil du même ton élogieux :

Seu facta regnum, & proelia principum
Ingentia aequas comparibus modis :
    Seu tu pudicos ludis ignes
    Nomine sub mutila capellae,

---

[1] *Le Premier Livre des vers*, I, éd. Fezandat, fol. 38 r°, vv. 73-82.

Dignus tuae qui de domine tibi
Cornu coronam diuite conseras :
    Florum quod uber atque frugum
    Tu canis uberiore versu[1].

En fait pour Daurat, comme pour Ronsard, Buttet est le premier poète de la Savoie :

Per te Sabaudis Gallicus adstupet
Nunc & Camoenis & numeris chorus :
    Et patrios miratur hymnos
    Tam cito transiliisse montes[2].

L'année suivante, en 1561, Daurat témoigna encore une fois de son estime pour le poète. Au verso du titre de la plaquette de *La Victoire* de Buttet se lisent six distiques en latin de Daurat, louant la prouesse militaire du duc Emmanuel-Philibert à Saint-Quentin et les dons poétiques de Buttet nourris par la duchesse Marguerite :

Ad illustrissimum principem Emanuelem Philibertum Sabaudiae ducem
[de Marco Claudio Butteto, Io. Auratus Lemovix]

Aeternus labor, aeternis aeterna poëtis
    Semper erit virtus, dux Philiberte, tua.
Et certamen erunt ingens certamina per te
    Edita praeclaris omnibus ingeniis.
Dum tua concurret cupiens describere facta
    Martia, doctorum flosque decusque virorum.
Nam dedit uxorem musarum quae tibi matrem,
    Dotales vates Gallia mille dedit.
Sed quia nec virtus, nec laus virtutis egere
    Dicitur, externis hospitibusque bonis :
Ut nunc Allobrogum tu patrius alter Achilles,
    Sic tibi Maeonides patrius alter adest[3].

Nous ne savons plus rien sur les relations entre les deux hommes après cette date.

---

[1] *Ibid.*, fol. 38 v°, vv. 85-92.
[2] *Ibid.*, fol. 38 v°, vv. 93-96.
[3] *La Victoire*, éd. Arcollières, p. [6 r°]. Sur cette œuvre, voir *supra*, p. 49.

iii) Guillaume des Autelz (1529-1581 ?)

Tout aussi fragmentaires sont les détails concernant les relations entre Buttet et Guillaume Des Autelz qui avait lui aussi une prédilection pour les vers mesurés[1]. Cependant, il est impossible de nier le ton particulièrement affectueux dont le Savoyard s'adresse à des Autelz en 1560 dans un sonnet de *L'Amalthée* : «Mon Desautels, pour qui doux me seroit l'exil/Aux Scytes, aux Indois, aux sept gorges du Nil»[2]. D'ailleurs, Des Autelz témoigne ouvertement de son admiration pour Buttet dans son ode en latin de 50 vers qui figure dans *Le Premier Livre des vers*. Des Autelz encourage Buttet ainsi :

> Ter quaterque ; beate, Marce Claudi,
> Nam dolentibus, invidentibusque ;
> Et stupentibus omnibus Poëtis,
> Quos nostra, aut prior ulla vidit unquam,
> Quos & posterior videbit aetas,
> Tota huius tibi gloria est coronae.[3]

iv) Jean-Antoine de Baïf (1532-1589)

De par ses expériences avec les vers mesurés, Buttet devait avoir une forte affinité littéraire avec Jean-Antoine de Baïf qui favorisait aussi cette poésie à l'antique[4]. Pourtant, dans le sonnet que Buttet lui adresse en 1575, il fait un triste contraste entre les deux hommes, et peut-être aussi entre le

---

[1] Sur les vers mesurés de des Autelz, voir M.L.M. Young, *Guillaume des Autelz : a Study of his Life and Works* (Genève, Droz, 1961), p. 118 et la n. 26.

[2] *Le Premier Livre des vers*, éd. Fezandat, fol. 98 r° [a] ; voir *L'Amalthée*, éd. Alyn Stacey, p. 236, CLXXV et les nn. à la p. 466.

[3] *Ibid.*, fol. 110 r°, « G. Alterius ad M. C. Buttetum », vv. 45-50.

[4] Rappelons qu'en 1570, le roi Charles IX donna son appui à Baif et à Joachim Thibault de Courville pour l'établissement d'une académie dont l'un des buts principaux était la promotion des vers mesurés mis en musique. Sur les vers mesurés de Baif, voir F. A. Yates, *The French Academies of the Sixteenth Centuries* (Norwich, Empire Press, 1947), pp. 19-76 ; R.J. Sealy, *The Palace Academy of Henry III* (Genève, Droz, 1981), pp. 7, 8, 10 et *passim* ; R. Hyatte, « Meter and rhythm in Jean-Antoine de Baïf's 'Étrénes de poézie fransoeze' and the 'vers mesurés à l'antique' of other poets in the late sixteenth century », *BHR*, 43 (1981), 487-508.

sort de leurs vers mesurés : si la poésie de Baïf connaît un grand succès à
Paris, celle de Buttet, en revanche, ne connaît que l'hostilité en Savoie :

> En ce printens que triste je chemine
>> Au bord plaisant d'un beau lac azure,
>> Gentil Baïf, d'Apollon honnoré
>> De sur le mont de l'onde Pégasine,
> Vivant heureux, sans qu'un soin te chagrine,
>> Peut-estre encor'ton cueur est attiré
>> Sur ton miroir, mais l'œil tant admiré,
>> Au cher giron de ta douce Melline.
> Et je regrette en sa Minerve forte
>> Ce grand Paris, qui vif au cueur je porte,
>> Tant le desir de la France me point,
> Puisque je voi mes Muses, non connues
>> De leurs beaux chants, hurter jusques aux nues
>> Ces durs rochers, qui ne respondent point[1].

v) Joachim Du Bellay (1522-1560)

Quant à ses relations avec Joachim Du Bellay, on sait seulement que
Buttet (comme plusieurs contemporains, tels que Morel, Grévin, Turnèbe,
Belleau et de La Haye) commémora en vers la mort du grand poète :

> Amour, si quelque dueil povoit ton cueur serer,
>> Meintenant tu devrois faire une étrange pleinte :
>> Ton Du Bellai est mort, ta grand'gloire est éteinte,
>> Qui fera plus ton los parmi la France errer ?
> Las, laisse moi, ne vien de rechef enferrer
>> D'un trait mon pauvre cueur. Va voir la troupe sainte
>> Des Graces qui, d'ennui aiant la face teinte,
>> Pleurent dessus son corps que l'on veut enterer.
> Mais n'ois tu pas les cris de ta dolente mere ?
>> Va voir ses grands regrets, & permets moi de faire
>> Deux tristes vers trempés aux ruisseaux de mes yeux,
> Qui soient ainsi gravés dessus sa tombe dure :

---

[1] *L'Amalthée*, éd. Alyn Stacey, p. 300, CCXXXIX ; sur ce poème, voir *ibid.*, les nn. à la
p. 483.

NE CHERCHÉS DU BELLAI EN CETTE SEPULTURE :
LES NEUF MUSES VIVANT L'ONT EMPORTÉ AUX CIEUX[1].

vi) Rémy Belleau (1528-1577)

Que dire des relations entre Belleau et Buttet ? Nous ne pouvons citer que le commentaire de Belleau sur Buttet dans les *Amours* (1560) de Ronsard[2], et l'éloge suivant qui parut d'abord dans *L'Amalthée* de 1560 :

> Soit que d'un vers gaillard fet à la Teïenne
> 　　Ton pouce donne une ame à ta lyre, Belleau,
> 　　Ou que ta joue rende enfle le challemeau,
> 　　Faisant en France ouïr la voix Sicilienne,
> Il n'est rien qui ravi entour de toi ne vienne,
> 　　Tout te preste l'oreille : & mesme le trouppeau
> 　　Des neufs seurs, descendant de leur double couppeau,
> 　　Va quittant ses chansons, pour écouter la tienne.
> Je te pri donq', Belleau, qu'à ce coup on flechisse
> 　　Ma Nymphe, qui me fuit ainsi qu'une genisse
> 　　Son furieux toreau, foulant les prés herbus.
> Tu la pourras mouvoir : la compleinte d'Orphée
> 　　Emeut bien les enfers, & ta lyre dorée
> 　　Rien ne dit qui ne soit bien digne de Phebus[3].

vii) Étienne Jodelle (1532-73)

Pour épuiser ce que nous savons sur les liens entre Buttet et la Pléiade, citons ce sonnet que Buttet adresse au dramaturge et poète, Étienne Jodelle, en 1575, mais qui nous renseigne plus sur les ravages des guerres civiles que sur les relations précises entre les deux hommes :

> Ne cherche point, Sophoclien Jodelle,
> 　　Un haut sujet chez les antiques Grecs,

---

[1] *Le Premier Livre des vers*, éd. Fezandat, fol. 96 v° [a] ; republié (avec variantes) dans *L'Amalthée* de 1575 (voir éd. Alyn Stacey, p. 146, LXXXV, et les nn. aux pp. 436-437).

[2] Voir *supra*, pp. 24 et 75.

[3] *Le Premier Livre des vers*, éd. Fezandat, 90 v° [a] ; republié (avec variantes) dans *L'Amalthée* de 1575 (voir éd. Alyn Stacey, p. 168, CVII et les nn. aux pp. 443-444).

Pour faire entendre à ton Paris apres
Les cris tragics de ta Muse immortelle.
La France (helas, non plus roine si belle !),
Mort son Henri, outré de regrets,
Et par les siens meurtie tout expres,
Soit ton theatre, en veuë universelle.
Fai un Roi jeune, & des partisans Princes,
Loin effroians les Chrestiennes provinces,
Brigant son septre au François échaufaut.
Et le commun qui, mutin à toute heure,
Seduit, demande une regle meilleure,
Et déréglé ne sçait ce qu'il lui faut[1].

2. Jacques Peletier du Mans (1517-1582)

On sait que le grammairien, poète, mathématicien, docteur et intime de la Pléiade, Jacques Peletier du Mans, fit la connaissance de Buttet et de son entourage savoyard probablement pendant son séjour en Savoie (notamment à Annecy et à Saint-Jean-de-Maurienne) entre 1570 et 1572[2]. En 1572, Peletier fit publier à Annecy son poème *La Savoye*, qu'il dédia à Marguerite de France. Ce poème fait mention du « bien disant Butet […]/ A qui en touche & l'honneur & l'aquit »[3], et, d'ailleurs, de plusieurs amis de notre poète, à savoir : les Lambert[4], Antoine Baptendier[5], Amé Du Coudray[6] et Jehan de Piochet[7]. Dans son *Amalthée* de 1575, Buttet répondit d'un ton également admiratif, faisant une allusion à *La Savoye* et comparant Peletier avec Orphée :

---

[1] *L'Amalthée*, éd. Alyn Stacey, p. 189, CXXVIII ; sur ce poème, voir *ibid.*, les nn. aux pp 451-452.

[2] Pour la datation de ce séjour, voir Chamard, *Histoire de la Pléiade*, III, 313 et la n. 3 ; A.-M. Schmidt, *La Poésie scientifique en France au XVIᵉ siècle* (Paris, A. Michel, 1938), p. 63 ; C. Jugé, *Jacques Peletier du Mans (1517-1582) : essai sur sa vie, son œuvre, son influence* (1907 ; Genève, Slatkine, 1970 ; p. 73) (Jugé soutient tout simplement que Peletier était en Savoie entre 1563 et 1579) ; L. Terreaux, « Jacques Peletier et la Savoie », *Revue savoisienne* (1986), 94-125.

[3] *La Savoye* (Annecy, J. Bertrand), p. 44.

[4] Voir *infra*, pp. 107-108.

[5] Voir *infra*, p. 103.

[6] Voir *infra*, p. 121.

[7] Voir *infra*, p. 117.

Dites-moi, je vous pri, Oreades pucelles,
   En quell mont plus pendant ou crevacé rocher,
   En quell antre inconnu vint de vous s'approcher
   Le divin Peletier, chantant voz grottes belles ?
De lauriers verdissans mille forets nouvelles,
   Pour ombrager l'endroit, se puissant embrancher.
   Ce lieu me soit toujours & plus saint & plus cher,
   Et soit l'autre Helicon des Muses immortelles.
Pour mirer les secrets de la sage Nature,
   Noz mons plus obstinés lui firent ouverture,
   Les animaux plus fiers à lui se sont baillés,
Et ainsi que jadis au vieil chantre de Thrace,
   Les fleuves & torrens & pins lui ont fait place,
   Et, pensans voir un Dieu, se sont émerveillés[1].

3. Jacques Grévin (1538-1570)

En 1561, Jacques Grévin fit publier la deuxième partie de sa *Gelodacrye* où on trouve le sonnet suivant dédié à Buttet :

Rien ne meurt sous le Ciel, tout est tousjours en estre
   Ainsi que de tout temps, mesme ce changement
   Qu'on appelle en commun la Mort n'est seulement
   Qu'un moment qui nous fait une autre fois renaistre.
Ce moment que je dy, d'un homme nous fait estre
   (Eschangeant nostre corps) d'un arbre l'aliment.
   Cest arbre porte un fruict, qui sert pareillement
   Pour faire la semence en un autre homme croistre.
Puis de ceste semence un homme en est produit,
   Et ainsi nous voyons comme tout s'entresuit,
   Non autrement, BUTTET, que les temps de l'année.
Ne t'esbahy donc point si entre les François
   Nous avons eu la guerre & la paix autresfois,
   Puis la guerre civile encore retournée[2].

---

[1] *L'Amalthée*, éd. Alyn Stacey, p. 328, CCLXVII ; sur ce poème, voir *ibid.*, les nn. à la p. 493.

[2] *Le Théatre de Jacques Grevin […] Ensemble la seconde partie de l'Olimpe et de la Gelodacrye* (Paris, V. Sertenas & G. Barbé, 1561), p. 300.

84

Les deux hommes se rencontrèrent-ils à Paris où ils étaient tous les deux à partir de leur enfance[1] ? Rien ne permet de le savoir, mais rappelons qu'ils étaient tous les deux des intimes de la Pléiade[2], et, d'ailleurs, qu'ils avaient des liens importants avec la cour savoyarde, Buttet en tant que protégé de Marguerite de France, et Grévin en tant que médecin auprès de la duchesse à partir de la fin de l'année 1568[3]. Nous pouvons donc présumer que les occasions ne leur manquaient pas pour se faire connaissance.

4. Charles d'Espinay (1531 ?-1591)

Tout ce que nous savons sur les relations entre le Breton, Charles d'Espinay, futur évêque de Dol, et notre poète se base sur un sonnet que ce dernier adresse à Espinay. C'est un sonnet qui n'a rien de personnel, étant un simple traitement du stéréotype du poète rendu éloquent par l'amour et la souffrance. Il fut publié d'abord en 1559 en tant que sonnet liminaire dans les *Sonets amoureux* d'Espinay, sous le titre de « Sonet sur sa Couronne » :

> Amour par les regards d'une indontable femme,
>   Rigoreux, envoia tous ces traits dans ton cueur,
>   Et sa mere Cypris avec un bras veinqueur
>   Son brandon brulle-tout te lança dans l'ame.
> Ton cueur en sang, en feu, par les traits, par la flame,
>   Presque à sac s'en alloit, quand voiant ton malheur,
>   Venus en larmoia, son fils en eut douleur,
>   Mais le dernier secours se cachoit en ta Dame.
> Lors Amour de son aile une plume arracha,
>   En la te donnant luy-mesme la trancha :
>   « D'Espinai, tien », dit-il, « ceci soit ta conqueste ».
> Tu la pris, écrivant tes ennuis de tes pleurs,

---

[1] Voir *supra*, p. 25. D'après L. Pinvert, Grévin était à Paris à partir de 1550-1551 (*Jacques Grévin (1538-1570)* (Paris, Thorin & Fils, 1899), p. 23).

[2] Sur les liens entre Grévin et la Pléiade, voir K. Evans, « A Study of the Life and Literary Works of Jacques Grévin with special reference to his relationship with the Pléiade » (thèse de doctorat, Bedford College, Université de Londres, 1983), pp. 158-276 ;

[3] Voir Pinvert, *Jacques Grévin*, p. 69.

Si bien qu'enfin ta Dame œillada tes langueurs,
Et Venus du beau myrte environna ta teste[1].

L'année suivante, en 1560, Espinay fit publier une nouvelle édition du recueil dans lequel le sonnet figure mais légèrement remanié[2]. Buttet lui-même publia cette deuxième version du sonnet, d'abord en 1560 dans *Le Premier Livre des vers* (fol. 105 v°) et ensuite en 1575 dans *L'Amalthée* (éd. Alyn Stacey, p. 204, CXLIII).

Rien ne permet de justifier l'hypothèse de Mugnier selon laquelle Espinay aurait choisi de signaler son identité bien elliptiquement par les initiales C.D.B. sur la page de titre de l'édition de 1559 « voulant peut-être que le gros public les attribuât à Claude de Buttet »[3]. Il est difficile d'imaginer pourquoi Espinay aurait voulu se cacher derrière le Savoyard, et les initiales représentent sans doute « Charles d'Espinay Breton »[4].

5. Gabriel Chappuys (1546 ?-1613 ?)

Très fragmentaires aussi sont les renseignements concernant l'amitié entre Buttet et Gabriel Chappuys, ce traducteur prolifique d'œuvres en latin, italien et espagnol, qui fut aussi successeur de Belleforest au poste d'historiographe de France en 1585 et secrétaire interprète du roi en langue espagnole à partir de 1596[5]. Son contemporain, La Croix du Maine,

---

[1] *Sonets Amoureux* (Paris, Guillaume Barbé, 1559), fol. [4] v°. Voir *infra*, Bibliographie des œuvres de Buttet, n° 10.

[2] *Les Sonets de Charles d'Espinay breton* (Paris, Robert Estienne, 1560), fol. [3] v°. Voir *infra*, Bibliographie des œuvres de Buttet, n° 11.

[3] *Op. cit.*, p. 154. Sur d'Espinay, voir La Croix du Maine, *Premier Volume de la bibliothèque*, éd. La Monnoye *et al.*, I, 105-106 ; Du Verdier, *La Bibliothèque*, éd. La Monnoye *et al.*, III, 296 ; H. Busson, *Charles d'Espinay évêque de Dol et son œuvre poétique (1531 ?-1591)* (Paris, H. Champion, 1923)

[4] Comme le supposent La Croix du Maine, *Premier Volume de la bibliothèque*, éd. La Monnoye *et al.*, p. 105 et Lucien Pinvert, *Jacques Grévin*, p. 342.

[5] Sur Chappuys, voir La Croix du Maine, *Premier Volume de la bibliothèque*, éd. La Monnoye *et al.*, I, 247 ; Du Verdier, *La Bibliothèque*, éd. La Monnoye *et al.*, IV, 3 ; J.-P. Nicéron, *Mémoires pour servir à l'histoire des hommes illustres dans la république des lettres*, 43 vols (Paris, Briasson, 1729-1745), XXXIX, 90-114 ; E. Picot, *Les Français italianisants au XVIᵉ siècle*, 2 vols (Paris, H. Champion, 1906-1907), I, 273, II, 91, 189, 197 ; Louis Berthé de Besaucèle, *J.-B. Giraldi 1504-1573 : étude sur l'évolution des théories littéraires en Italie au XVIᵉ siècle, suivie d'une notice sur G. Chappuys, traducteur français de Giraldi* (Paris, 1920 ; Genève, Slatkine, 1969), pp. 265-296 ; G. Boccazzi, « I traduttori

l'estime comme «homme docte, & des plus diligens Ecrivains de nostre temps»[1], et en 1585 Du Verdier signale que,

> devenu le plus studieux, & laborieux de tous les hommes, il a déjà écrit en l'âge de trente-huit ans, un grand nombre de volumes, en quoi il surpassera tous ceux qui ont été devant lui, si Dieu lui prête vie longue [...] Il a en main plusieurs traductions, tantôt prêtes à mettre sur la presse, & s'est si bien attaché à l'étude, que continuant comme il fait, la postérité aura de quoi lui donner louange perennelle[2].

Quand ce grand érudit fit-il la connaissance de Buttet? Il est peu probable que ce fût à Paris, car on pense que Chappuys s'y établit seulement à partir de 1583 après un long séjour à Lyon. Ce fut peut-être à la cour savoyarde à Turin, car il est fort possible que Chappuys ait séjourné dans la ville entre le 16 novembre 1574 et le 2 mai 1576[3].

En 1574, dans sa traduction de la harangue de Charles Paschal commémorant la mort du mécène de Buttet, Marguerite de France, Chappuys adresse l'éloge suivant à notre poète:

Sonet dudit G. Chappuys Thourangeau.
A Monsieur Buttet

Sçavant Buttet, l'honneur Savoysien,
   Qui de laurier as les temples enceintes,
   Faison cesser toutes noz fureurs sainctes
   Ayans perdu des Muses le soustien.
Haston le pas vers l'Antre Thespien.
   Thespien? Non, il regorge de plainctes.
   Que serviroient ces plainctes sus complainctes,
   Ces pleurs sus pleurs? Ailleurs, ô Tymbreen.
Non, arreston, que nostre cœur ne cesse
   De s'exempter de l'ignorante presse
   Du peuple bas qui vivant semble mort.

---

francesi de Stefano Guazzo. I. Gabriel Chappuys», *Bulletin du Centre d'études franco-italien*, 3 (1978), pp. 43-56. Pour la biographie la plus récente, voir *Gabriel Chappuys: Les Facétieuses Journées*, éd. Michel Bideaux (Paris, Champion, 2003), pp. 11-39.

[1] La Croix du Maine, *Premier Volume de la bibliothèque*, éd. La Monnoye *et al.*, I, 247.
[2] Du Verdier, *La Bibliothèque*, éd. La Monnoye *et al.*, IV, 3-4.
[3] Voir *Gabriel Chappuys: Les Facétieuses Journées*, éd. Bideaux, p. 16.

> Courage donc, qu'en France soit chantée
> Ceste Pallas, ce dueil, ce piteux sort
> Et laisse à part un peu ton Amalthée[1].

Deux ans plus tard, en 1576, un sonnet liminaire non moins élogieux composé par Buttet parut dans une traduction de Chappuys dédiée au duc Emmanuel-Philibert, les *Commentaires hieroglyphiques ou images des choses de Ian Pierius Valerian* :

Au translateur

> Ce livre estoit laissé de sa gloire premiere,
>> Foulé des ignorans d'un mépris oblieux,
>> Sans toy, docte Chappuys, qui de luy curieux
>> Luy redonnes le jour & la belle lumiere.
> Tu ouvres ses tresors, & de ta main ouvriere,
>> Des vieux Ægyptians les traits mysterieux,
>> Par le tens mi-mangés, découvres à noz yeux,
>> Tant de beaux monumens vengeant de la poussiere.
> Et pour te faire voir aux ans perpetuel,
>> Tu fais ton defenseur ce grand EMANUEL.
>> Ne crein donc que le tens ses dens contre toy grince.
> Tu ne povois, Chappuys, par nostre siecle orner
>> Des dons de ton sçavoir, plus beaux escris tourner
>> Ni dedier ton oeuvre à plus excellent Prince[2].

6. Pierre Enoch/La Meschinière (vers 1530 ?)

Ce fut peut-être pendant une de ses visites à Genève pour gérer son héritage[3] que Buttet fit la connaissance du poète genevois Pierre Enoch, mieux connu sous le nom de La Meschinière, dont la vie reste très obscure[4]. Si les

---

[1] *Harangue de Charles Paschal, sur la mort de tres-vertueuse Princesse Marguerite de Valois*, p. 4.

[2] *Commentaires hieroglyphiqves ou images des choses de Jan Pieirius Valerian* (Lyon, Barthelemy Honorat, 1576), fol. [7 r°]. Voir *infra*, Bibliographie des œuvres de Buttet, n° 21.

[3] Voir *supra*, p. 55.

[4] Nous avons très peu de renseignements sur La Meschinière qui n'a pas été le sujet d'une étude approfondie. Voir La Croix du Maine, *Premier Volume de la bibliothèque*, éd. La Monnoye *et al.*, II, 298 ; Du Verdier, *La Bibliothèque*, éd. La Monnoye *et al.*, III, 267 ;

détails manquent concernant leur amitié, nous savons qu'ils avaient certaines connaissances communes : ils connaissaient tous les deux Joseph Du Chesne[1], et le père de La Meschinière, Louis, régent puis pasteur à Genève, était un bon ami de Théodore de Bèze, qui connaissait aussi Buttet[2].

La Meschinière adressa deux sonnets à Buttet dans *La Ceocyre* de 1578. Ces sonnets confirment la réputation du Savoyard comme poète de l'amour :

> Le ciel estoit serain & la saison riante
>   Convioit un chacun de prendre ses esbats,
>   Quand je vin, mon BUTTET, m'esgarer pas à pas
>   Dans l'espesseur d'un bois que mainte fois je hante.
> En mesme temps Dictynne avec sa troupe gente
>   Poursuivoyent vivement un cerf desja bien las,
>   Afin qu'il se jettast, contraint, dedans leurs lacs,
>   Et eussent le loyer de leur penible attente.
> Les sçachant pres de moy je voulu me cacher,
>   Mais une Nymphe vint à ce bruit descocher
>   Un trait, qui me navra jusqu'au fond de mon ame.
> Puis desirant sçavoir s'elle avoit adressé,
>   Me vid tout estendu, & m'ayant redressé,
>   Me dit : « Vien-çà, suy moi, je te feray pour Dame »[3].

Le deuxième sonnet reste également discret sur les relations entre les deux poètes, correspondant lui aussi à un simple exercice pétrarquiste :

> J'avoy tousjours pensé que c'estoit une fable
>   Ce qu'Isigone estoit (ô cas fort merveilleux !)

Goujet, *Bibliothèque françoise*, éd. Mariette *et al.*, XIV, 198 ; l'article « Enoch » dans E. et E. Haag, *La France protestante*, 9 vols (Paris, Bureau de la publication, 1846-1859), VI, 24-25 ; P. Reverdin, « Pierre Enoc, poète genevois », *Bulletin de la Société historique de Genève*, 8 (1944), pp. 45-50.

[1] *La Morocosmie* de Du Chesne (Lyon, Jean de Tournes, 1583) contient deux quatrains et une ode liminaires et un sonnet de La Meschinière. Sur les relations entre Buttet et Du Chesne, voir *supra*, pp. 58 et 64 et *infra*, pp. 90-91.

[2] Le 10 avril 1568, Louis écrivit à Bèze de Montargis lui annonçant son intention de devenir Pasteur à Orléans et d'y faire venir Pierre pour lui faire continuer de bonnes études, un projet qui déplut à Bèze. Il mourut à Vézelay en 1570 sans mener à bien son intention (*Correspondance de Théodore de Bèze : XXIV [1583]*, éd. Aubert *et al.*, THR 366 (Genève, Droz, 2002), 383-384. Sur les relations entre Buttet et Bèze, voir *supra*, pp. 58-60 et *infra*, p. 92-93.

[3] *La Ceocyre* (Lyon, Barthelemy Honorat, 1578), p. 45, LX.

> Qu'en une religion les hommes ont les yeux
> Donnant par leur clarté la mort inevitable.
> Mais, BUTTET, or'je croy qu'il est tres veritable,
> Et ne faut point voguer jusques-là, curieux,
> Pour en voir les effaits : si en es desireux,
> Vien voir l'oeil de Madame, à moy trop dommageable,
> Car si de l'œillader tu t'essayes par fois,
> Tu perdras tous tes sens, & demeurant sans voix,
> A la fin peu à peu s'envolerait ta vie.
> Sans ce mesme œil aussi, qui encor a pouvoir,
> Apres t'avoir tué, si Madame a envie,
> Te redonnant l'esprit, de te faire mouvoir[1].

7. Jean de La Gessée/Jessée (1550/51 ?-mort après 1597)

Nous savons que le poète gascon, Jean de La Jessée, fit un petit séjour en Savoie après le mois de juin 1574, et ce fut peut-être à ce moment-là qu'il fit la connaissance de Buttet[2]. En tout cas, il est peu probable qu'ils se soient rencontrés à Paris : jusqu'en 1569 ou 1570, La Jessée résidait en Gascogne et, après s'être attaché à la maison de Jeanne d'Albret, il n'arriva à Paris qu'aux alentours de 1570-1571. Rien n'autorise à penser que Buttet était à Paris à cette époque-là. En fait, il semble qu'il séjournât d'une façon plus ou moins permanente en Savoie pendant cette période[3].

Nous pouvons citer deux preuves de leur collaboration littéraire. A la fin du quatrain qui termine l'*In obitum*, composé par Buttet pour commémorer la mort de Marguerite de France en septembre 1574, on trouve un distique en latin de La Jessée : « Vitam, artus, mentem, pessum dedit,

---

[1] *Ibid.*, p. 69, LXXXIIII.

[2] Sur ce séjour, voir Goujet, *Bibliothèque françoise*, éd. Mariette *et al.*, XIII, 179 ; M. Cénac-Moncaut, « Les Gascons célèbres : poètes : Jean de la Jessée », *Revue d'Aquitaine*, 6 (1862), 365-375, 442-449, 490-496, 549-553 (pp. 374, 445) ; M. Raymond, *L'Influence de Ronsard sur la poésie française (1550-1585)*, 2 vols (Paris, Champion, 1927), II, 165 ; K. Lloyd Jones, « Un nouvel Icare-Jean de la Jessée et son 'Discours de Fortune' », *Gallica : Essays Presented to J. Heywood Thomas by Colleagues, Pupils and Friends* (Cardiff, University of Wales, 1969), pp. 71-87 (pp. 73-74). Sur La Jessée, voir la biographie de J. Ph. Labrousse dans *Jean de la Gessée : Les Jeunesses*, éd. Guy Demerson, STFM (Paris, Klincksieck, 1991), pp. vii-xxv.

[3] Voir *supra*, p. 43 et s.

arcet, honorat,/Febre, urna, coelo, mors, Libitina, Deus »[1]. L'année suivante, en 1575, il donna un distique en latin à *L'Amalthée* : « Pallas,
Apollo, Venus, sophia, modulamine, flammis,/Ingenium, os, pectus,
roborat, implet, adit » (éd. Alyn Stacey, p. 383).

Il est à regretter que La Jessée ne fasse aucune mention de Buttet dans
l'« Amoureus errant », considéré comme un récit autobiographique de son
voyage à travers la Savoie en route pour Genève pendant la période 1571-
1572. Pourtant, ne serait-il pas possible qu'il s'adresse à notre poète dans
cette étrenne de 1583 ?

A M.B.

Jadis les Dieus hanter souloyent
Noz femmes, & les acoloyent,
Se changeantz en forme de bestes :
Et moy, quand beste je seroy,
M'eschanger en Dieu je voudroy
Pour n'estre moindre que vous estes[2].

8. Joseph Du Chesne (1546-1609)

Le codicille de Buttet, rédigé le 30 juillet 1586, nomme encore un autre
Gascon, le poète et médecin, Joseph Du Chesne, comme un de ses légataires, peut-être parce que ce dernier le soigna pendant sa maladie fatale :

> à noble Joseph Du Chesne, seigneur de La Viollette, docteur en méde-
> cine, bourgeois de Genève, une esguière d'argent qui apartient au dit
> codicillant, laquelle veult luy estre délivrée incontinent après son décez
> par ses dits héritiers nommez en son dit testament[3].

Du Chesne, qui se qualifie comme « conseiller » et « médecin ordinaire
du roi » et du duc d'Anjou dans plusieurs de ses ouvrages, s'était réfugié à
Genève suivant sa conversion au protestantisme, d'où sa présence dans la

---

[1] *In obitum*, éd. Bertrand, fol. [2]. Sur cette œuvre, voir *supra*, p. 50.
[2] *Les Premières Œuvres françoyses de Jean de la Jessée*, 2 vols (Anvers, C. Plantin,
1583), I, p. 418. Pour le texte de l'« Amoureus errant », voir *ibid.*, I, 1480.
[3] AEG, *Archives notariales : Jean Jovenon : VI*, fol. 80 r°.

ville en 1586[1]. Le grand ami et disciple de Guillaume Du Bartas[2], Du Chesne, comme Buttet, connaissait aussi Pierre de La Meschinière qui donna deux quatrains et une ode liminaires et un sonnet à sa *Morocosmie* (Lyon, Jean de Tournes, 1583)[3]. D'ailleurs, c'est à Jacqueline d'Entremont, un des premiers mécènes de Buttet, que Du Chesne dédie cette œuvre. La dédicace de *La Morocosmie* mérite notre attention car elle donne lieu de croire que Jacqueline, malgré son emprisonnement par le duc de Savoie, était aussi le mécène de Du Chesne. Le poète explique qu'il lui dédie le livre pour trois raisons :

> La première est l'asseurance que j'ay qu'elle sera soutenue par le bras de vostre autorité, & defendue de la dent venimeuse du monde, dequoy certes elle a surtout besoing […] La seconde […] c'est que je sçay que vous avez entre les dames de nostre temps congnu l'inconstance du monde, esprouvé la vanité du monde, soustenu les assauts du monde, gousté son fiel, & couru, comme on dit, fortune parmi ses orages plus tourbillonneux & ses plus aspres tempestes. Le dernier des points n'est de moindre poids que les precedents, qui est l'obligation que je vous ay, accompagnée d'une tres devote, tres sincere, & tres fidelle affection que j'ay et auray à jamais en vostre service, comme je desire (ne pouvant mieux) que ceste mienne petite offrande vous en rende quelque petit tesmoignage. Recevez donc, Madame, les premiers fruicts de mon jardin, qu'un vostre serviteur tres humble vous presente […] Vostre bien humble, tres fidelle & tres affectionné serviteur, IOS. DU CHESNE[4].

---

[1] Du Chesne, qui se maria avec la petite-fille du célèbre Guillaume Budé, s'impliqua dans de nombreuses polémiques médicales. Sur la vie de Du Chesne, voir G. Colletet, *Vie des poètes gascons*, éd. P. Tamizey de Larroque (Paris, 1866 ; Genève, Slatkine, 1970), pp. 137-149 ; Goujet, *Bibliothèque françoise*, éd. Mariette *et al.*, XIV, 103-110 ; L. Gautier, « L'Activité politique et diplomatique de Joseph Du Chesne, sieur de la Violette (1546-1609) », *Bulletin de la Société de Genève*, 3 (1906-1913), 290-311.

[2] L'influence de Du Bartas est surtout manifeste dans *Le Grand Miroir du monde* (Lyon, B. Honorat, 1587). Voir en particulier les poèmes liminaires de Christofle du Pré Passy et de Pierre de Brosses qui soulignent cette influence. Signalons que dans le sixième livre de l'édition de 1593, Du Chesne ne cite pas le nom de Buttet dans le passage où il loue certains poètes et écrivains de son époque.

[3] Sur l'amitié entre Buttet et La Meschinière, voir *supra*, pp. 87-89.

[4] *La Morocosmie*, fols 4 v°-5 r°.

9. Théodore de Bèze (1519-1560)

Selon son cousin, Jehan de Piochet, Buttet fit la connaissance de Théodore de Bèze à Paris avant que ce dernier ne se retirât à Genève, c'est-a-dire, avant octobre 1548[1]. C'est Piochet aussi qui évoque la visite que le chef de l'Église réformée rendit à Buttet en août 1586 la veille de la mort de ce dernier, et la conversation qu'ils eurent portant sur leurs divergences religieuses[2]. Ils se connaissaient donc pendant longtemps, mais ils n'étaient pas forcément amis. Après tout, on ne relève aucune mention de Bèze dans les poésies de Buttet, et Bèze non plus ne nomme pas le Savoyard dans ses nombreux écrits[3].

Nous savons que les projets de Bèze, comme les premiers vers de Buttet, furent encouragés par Jacqueline d'Entremont qui portait beaucoup d'intérêt à la théologie. Citons à ce sujet une lettre du début 1572 que Bèze écrivit à Jacqueline, lui expliquant pourquoi il lui a dédié la première partie du *Quaestionum et responsionum christianarum libellus* (1570):

> Deux choses principalement m'ont esmeu à vous dresser ce mien petit labeur. La premiere, pource qu'encores que vous ayés excellemment profité en la vraye cognoissance, mesmes les plus difficiles questions de nostre religion (la gloire en soit à Dieu qui vous a fait une tant grande et singuliere grace entre toutes les dames Chrestiennes que je cognoisse en ce monde) [...] cest escrit vous estant adressé, sera tombé vrayement en une main qui le recevra volontiers pour en tirer consolation et plaisir, à cause du subject et des matieres qui y sont traitées.
>
> La seconde occasion a esté que, pour plusieurs grandes raisons vous estant tres affectioné et grandement redevable serviteur, et de Monsei-

---

[1] Sur la vie de Bèze, poète, dramaturge, théologien, prédicateur et historien, voir les suivants : H. Heppe, *Theodor Beza. Leben und ausgewählte Schriften der Väter und Begründer der reformirten Kirche* (Elberfeld, R. L. Friderichs, 1861); H. M. Baird, *Theodore Beza : the Counsellor of the French Reformation 1519-1605* (New York, G. P. Putnam, 1899); P.-F. Geisendorf, *Théodore de Bèze* (Genève, Labor & Fides, 1949); A. Dufour, « Théodore de Bèze », *Histoire littéraire de la France*, 42 n° 2 (1995-2002), 315-470.

[2] Voir *supra*, pp. 58-60.

[3] Peut-être que la correspondance de Bèze pour les années 1580 nous réserve des surprises. On attend avec impatience sa publication. Voir *Correspondance de Théodore de Bèze*, recueillie par H. Aubert, publiée par F. Aubert *et al.*, THR (numéros divers), (Genève, Droz, 1960-).

gneur Monsieur l'Admiral auquel il a pleu à Dieu vous unir, je n'ay peu ni deu faire moins que de vous offrir ce tesmoignage de mon devoir.[1]

Certes, les liens entre Jacqueline et Bèze étaient très forts. Il était en partie responsable de son mariage avec Coligny, ce qui lui valut sûrement l'hostilité du duc Emmanuel-Philibert[2]. Après l'emprisonnement de Jacqueline en mars 1573, Bèze intercéda à nombreuses reprises en sa faveur. En mai-juillet 1573, par exemple, il écrivit à la duchesse de Savoie, Marguerite de France, affirmant que si le duc connaissait mieux Jacqueline « il l'estimeroit comme un des plus riches joyaux de ses pays »[3]. Ses efforts, comme ceux des autres qui intercédèrent en faveur de l'Amirale, furent en vain[4], et le duc de Savoie persista dans sa persécution de tous ceux qui avaient des sympathies réformées[5].

10. Jean de Boyssonné (vers 1505-1559)

Comme la vie de Bèze, celle du Toulousain, Jean de Boyssonné, a été le sujet de plusieurs études érudites[6], fondées pour la plupart sur sa corres-

---

[1] *Correspondance de Théodore de Bèze : XIII [1572]*, éd. Aubert *et al.*, THR 229 (Genève, Droz, 1988), p. 21.

[2] Sur ce mariage, voir *supra*, p. 30 et la n. 1. Dans une lettre adressée à la duchesse de Savoie en mai-juillet 1573, Bèze défend son rôle dans l'organisation de ce mariage : « je ne nie pas que je n'y aye aydé, comme il a pleu à Dieu, en quoy tant s'en fault que je pense avoir conseillé chose à ladicte Dame qui fust au prejudice de Son Altesse, ni qui luy deust apporter mescontentement » (*Correspondance de Théodore de Bèze : XIV [1573]*, éd. Aubert *et al.*, THR 242 (Genève, Droz, 1990), p. 141.

[3] *Ibid.*, p. 141.

[4] Voir *supra*, p. 30 et la n. 1.

[5] Sur la persécution des protestants par le duc, voir par exemple les « Nouvelles du Piémont et de Savoie » que Bèze envoie à Heinrich Bullinger le 1er août 1569. Il évoque la persécution de la ville de Caraglio habitée par des Vaudois qui s'étaient pourtant battus pour le duc pendant la guerre avec la France. Il nomme Louis Milliet, un des intimes de Buttet (voir *infra*, pp. 114-116), comme un des conseillers au Sénat responsable du traitement injuste des protestants à Chambéry. *Théodore de Bèze : Correspondance : X [1569]*, éd. Aubert *et al.*, THR 181 (Genève, Droz, 1980), pp. 276-278 ; voir aussi P. Gilles, *Histoire ecclésiastique des Églises réformées, recueillies en quelques valees [sic] de Piedmont et circonvoisines* (Genève, Jean de Tournes, 1644) ; G. Jalla, *Storia della Riforma in Piemonte fino alla morte di Emanuele Filiberto, 1517-1580* (Florence, Libreria Claudiana, 1914).

[6] Nous pensons notamment aux études suivantes : G. Guibal, *De Ioannis Boyssonnei vita seu de litterarum in Gallia meridiana restitutione : thesim* (Toulouse, A. Chauvin,

pondance et sur ses poésies qui existent toujours en forme manuscrite[1].
C'est grâce à ces documents que nous savons que Boyssonné connaissait
plusieurs des amis de Buttet, à savoir Jean Truchon[2], Antoine Baptendier[3],
Ramasse[4], et Emmanuel-Philibert de Pingon[5].

1863); F. Mugnier, *Marc-Claude de Buttet*, pp. 159-164; *idem, La Vie et les poésies de
Jean de Boyssonné* (Paris, 1897; Genève, Slatkine Reprints, 1971; *Mémoires de la Société
savoisienne*, 36 (1898), 1-509); R. de Boysson, *Un humaniste toulousain, Jehan de
Boysson (1505-1559)* (Paris, A. Picard, 1913); H. Jacoubet, *Jean de Boyssoné et son temps*
(Toulouse, E. Privat; Paris, H. Didier, 1930). Compte tenu de la divergence caractérisant
l'orthographe de son nom, nous avons, comme Mugnier, adopté la forme qu'on trouve dans
les registres du Parlement de Chambéry (voir Mugnier, *Marc-Claude de Buttet*, p. 159,
n. 1).

[1] Ces documents, mss. 834-836, sont conservés à la Bibliothèque Municipale de Toulouse. Sur la correspondance du ms. 834, voir J. Buche, *Lettres inédites de Jean de Boyssonné et de ses amis* (Montpellier, 1895); H. Jacoubet, *La Correspondance de Jean de
Boyssoné* (Toulouse, E. Privat, 1931); *Annales du Midi*, 41 (1929), 168-179; 42 (1930),
257-294; 43 (1931), 40-85. Sur les poèmes du ms. 835, voir la monographie très savante de
F. Mugnier, *La Vie et les poésies de Jean de Boyssonné*; voir aussi H. Jacoubet, *Les Poésies
latines de Jehan de Boyssoné: ms. de Toulouse 835 résumées et annotées* (Toulouse,
E. Privat; Grenoble, Allier, 1931). Sur les poésies du ms. 836, voir *idem, Les Trois Centuries de maistre Jehan de Boyssoné: thèse complémentaire présentée à la Faculté des
Lettres de Paris* (Toulouse, E. Privat, 1923). Espérons que ces manuscrits seront bientôt
réédités.

[2] Sur Truchon, un des premiers mécènes de Buttet, voir *supra*, pp. 28-29 et la n. 1. Boyssonné lui adresse plusieurs poèmes: voir BMTo, ms. 835, *Hendecasyllaborum liber unus*,
fol. 28 r°, XLV, « Ad Io. Truchium » (Boyssonné venait d'être condamné par le Parlement
de Dijon et reproche à Truchon son indifférence); fol. 28 v°, XLVI, « De Pica Truchii equo
perempto. Epitaphium » (épitaphe pour le cheval de Truchon); *Elegorum liber*, fol. 53 v°,
XLVI, « De Io. Truchio nuper facto Regis consiliario Camberii » (Boyssonné fête la nomination de Truchon au poste de conseiller à Chambéry en 1549); *Epistolarum liber*, fol. 87
r°, XV, « Ad Io. Truchium praesidem primarium Delphinatus » (épître célébrant l'emprisonnement de Tabouet et l'amitié entre Truchon et Boyssonné); *Iambicorum liber*, fol. 115
v°, XXIII, « Ad Truchium » (Boyssonné chante l'utilité des plumes avec lesquelles Truchon
écrira une œuvre qui fera la gloire de son auteur et de la France). Sur ces poèmes, voir
Mugnier, *La Vie et les poésies de Jean de Boyssonné*, pp. 390-391, 423, 459-462, 481-482;
Jacoubet, *Les Poésies latines de Jehan de Boyssoné*, pp. 22, 23, 42, 58, 71. Truchon est
aussi mentionné dans la correspondance de Boyssonné. Voir BMTo, ms. 834, CXCVII
(lettre sans date à Guillaume Postel louant la science et bonté de Truchon); CCXXII (lettre
sans date à Truchon); CCLVII (lettre à Truchon envoyée de Paris et datée le 1er décembre
1554). Sur ces lettres, voir Jacoubet, « La Correspondance de Jean de Boyssoné », *Annales
du Midi*, 43 (1931), pp. 52, 61, 75.

[3] Voir *infra*, pp. 102-103.

[4] Voir *infra*, p. 109.

[5] Voir *infra*, pp. 111-112.

Professeur de droit à l'Université de Toulouse, Boyssonné fut accusé d'hérésie en 1532 et dut se retracter solennellement devant le Parlement et le peuple de sa ville. Il partit ensuite en Italie. Lors de ce court séjour, qui le mena à Pavie, Padoue, Venise et à Rome, il visita Turin où il donna quelques cours à l'Université. Il rentra à Toulouse pour reprendre sa chaire avant le mois de juin 1533, mais en 1538 il décida de repartir en Italie pour s'adjoindre à Guillaume Pellissier, évêque de Montpellier et ambassadeur de France à Venise. En route pour l'Italie, pourtant, il apprit que le roi, sur la proposition du grand chancelier Guillaume Poyet, venait de le nommer conseiller au Parlement de Chambéry. Il se rendit à Chambéry au début de février 1539. Pourtant, il fut bientôt impliqué dans un nouveau conflit, cette fois-ci avec le procureur général, Julien Tabouet. Tabouet réussit à faire condamner Boyssonné et d'autres membres du Parlement, y compris le Premier Président, Pellisson. Un jugement donné à Dijon en juillet et août 1552 prononça en faveur de Tabouet. Boyssonné perdit donc son poste de conseiller au Parlement, ce qui le mena à quitter Chambéry pour Grenoble où il obtint une chaire de professeur de droit. Pourtant, toujours préoccupé par le jugement de Dijon, il demanda à la Cour la révision du procès, ce qui eut lieu le 16 mai 1555 : le Parlement cassa les arrêts de Dijon de 1552, et le 2 ou le 11 octobre 1556 la Cour de Paris acquitta Boyssonné et ses collègues et prononça contre Tabouet, l'accusant d'avoir porté contre eux de fausses et calomnieuses accusations. Boyssonné et ses collègues rentrèrent à Chambéry pour reprendre leur place au Parlement. C'est sans doute ce retour que Buttet fête dans l'ode qu'il adresse à Boyssonné en 1560 :

> Ta force à nuls maux asservie
> Triumphe de tes ennvieux
> Qui tachoient, forcennés d'envie,
> Rompre le repos de ta vie,
> Ores sus eux victorieux.
>
> D'une accoutumée prudence
> Ton cueur si bien s'est asseuré,
> Qu'apres ta longue patience
> A eux la grieve repentance,
> A toi est l'honneur demeuré[1].

---

[1] *Le Premier Livre des vers, I*, éd. Fezandat, fol. 27 v°, XV, « Au Seigneur Jean Boissoné Tolosan », vv. 31-40.

En revanche, nous ne trouvons aucune mention de Buttet dans les poésies de Boyssonné. Signalons, pourtant, une lettre datée le 9 février 1553 que Boyssonné adresse au jurisconsulte Hector Riquier. Il explique qu'Emmanuel-Philibert de Pingon lui a remis une somme d'argent qu'il avait reçue des procureurs de Buttet. Antoine (Baptendier ?) l'apportera à Riquier, la personne à qui Buttet doit l'argent :

> Curavi negotium tuum, cum huc venissem ; nihilque praetermisi quod ad meum officium erga te pertinere sum arbitratus. Quod tandem confeci ex animi tui meique sententia. Nam eam pecuniam quam tuo nomine Dominus Pingonius a procuratoribus Butteti acceperat, Pingonus mihi hodie numeravit. Quam ego statim ad te deferendam tibique reddendam diligentissime et fidelissime etiam curavi. Scripsi itaque, et mandavi Anthonio meo ut eam pecuniam cum his literis tibi redderet, quibus etiam adiunctae sunt literae quas ad te idem ipse Pingonus nunc exaravit. Reliquum est ut si quid aliud a me, dum hic ago, tua gratia perfici velis, ad me scribas. Meam etenim operam et diligentiam tibi nunquam defuturam, ut tibi persuadeas, omnium maxime cupio. Vale. Camberii. V. Id. Februar. 1553[1].

Ce Buttet, est-il Marc-Claude (comme le pense Mugnier) ou son frère, Louis[2] ? Malheureusement, l'absence du prénom ne nous permet pas de le savoir.

11. Antoine de Bertrand (vers 1530-1581)

En 1578, le musicien toulousain Antoine de Bertrand publia son *Troisieme livre de chansons*. On y trouve la partition pour un des sonnets de *L'Amalthée*, mais on relève une variante textuelle par rapport aux versions publiées par Buttet en 1560 et en 1575[3]. Qui en est responsable ? Malheureusement, rien ne permet de savoir si Bertrand et Buttet collaborèrent ensemble au texte, ou si, comme c'était souvent le cas à l'époque, cette

---

[1] BMTo, ms. 834, CCXLIV. Je tiens à remercier Michel Magnien de sa transcription de cette lettre jusqu'ici inédite.

[2] *Marc-Claude de Buttet*, p. 207, n. 1.

[3] *Contra./Troisieme livre/de chansons./ mis en musique à IIII. parties* (Paris, Adrian Le Roy et Robert Ballard, 1578), fol. 10 v°. La variante se trouve au vers 3 : en 1578 on trouve « maitresse » au lieu de « mignonne ». Voir notre édition de *L'Amalthée*, p. 156, XCV, n. 1.

chanson est une « édition pré-originale » du sonnet en question[1]. Pourtant, le fait qu'un des sonnets de Buttet fût mis en musique par un musicien aussi célèbre que Bertrand en dit long sur la popularité du Savoyard à l'époque[2]. Rappelons que, malgré l'émergence dans les années 1570 de la poésie précieuse de Philippe Desportes, Bertrand préférait la poésie qui était dans la veine ronsardienne[3], ce qui explique, dans une certaine mesure, la raison pour laquelle il choisit le sonnet de Buttet. D'ailleurs, le choix de ce poème en particulier autorise à croire qu'il comptait parmi les plus connus de ceux composés par Buttet.

---

[1] A ce sujet, voir F. Lesure, « Musiciens et textes poétiques au XVIᵉ siècle : corrections ou corruptions ? » in *Literature and the Arts in the Reign of François I : Essays presented to C. A. Mayer*, éd. P. M. Smith et I. D. McFarlane (Lexington, Kentucky, French Forum Publishers, 1985), pp. 82-88 (p. 86). Comme Bertrand avait tendance à attendre longtemps avant de publier ses compositions, nous ne pouvons pas présumer que la date de publication de la partition correspond à la date du remaniement du sonnet. D'ailleurs, il est fort possible qu'il ait composé la partition pour le sonnet bien avant 1578.

[2] D'ailleurs, d'après Richevaux, ce ne serait pas le seul sonnet de Buttet à être mis en musique. Dans la préface de *L'Amalthée* de 1575, il nous raconte qu'étant un jour chez un ami à Avignon, il eut le plaisir d'entendre chanter les sonnets de Buttet accompagnés de musique : « Et tantôt qu'une diversité d'instrumens fut apportée, un jeune chantre prit la harpe, aucunes des Damoiselles le luc, les autres les cistres, autres le livre […] Et ne fu seul émeu à leurs accors, car elles-mesmes ne s'en povoient souler, reiterant le chant par quatre ou cinq fois, tant l'armonie leur estoit agreable » (éd. Alyn Stacey, p. 57, ll. 9-25).

[3] Voir G. Thibault, « Antoine de Bertrand, musicien de Ronsard et ses amis toulousians » in *Mélanges offerts à Abel Lefranc* (Paris, Droz, 1936), pp. 282-300 (p. 300).

Chapitre II

BUTTET ET SES AMIS SAVOYARDS

En plus de ses liens avec la Pléiade, Buttet faisait sûrement partie d'au moins un cercle littéraire composé principalement de Savoyards.

1. Un groupe obscur : Jean de Saint-Denis, Mordentière, Monchatre, Guillaume

Dans *Le Premier Livre des vers*, dans une ode dédiée à un certain Jean de Saint-Denis, seigneur de Saint-Christophe, le poète encourage plusieurs de ses amis à se divertir :

> Que songes tu là, Mordentiere ?
> Tousjours sur ton Timée ? Et puis,
> Monchatre, degaine ta flute,
> Guillaume, emporte ce Platon :
> Je veu qu'orendroit on dispute
> Doctement contre le flacon[1].

S'agit-il d'un petit cénacle littéraire dont Buttet faisait partie ? Malheureusement, l'identité de ces gens reste obscure. Mugnier a sans doute raison quand il affirme que Jean de Saint-Denis était probablement un gentilhomme bressan, étant donné l'existence des fiefs de Saint Denis et de Saint-Christophe en Bresse[2]. Quant à Mordentière et Monchatre, on sait seulement ce que l'ode nous en dit : que le premier admirait Platon (« Tousjours sur ton Timée ? »), et que le deuxième était musicien (« degaine ta flute »). Rien ne permet de confirmer l'hypothèse du

---

[1] *Le Premier Livre des vers*, II, éd. Fezandat, fol. 63 v°, XIX, « A Jean de Saint-Denis, seigneur de Saint-Christophle », vv. 11-16.
[2] *Marc-Claude de Buttet*, pp. 156-157.

Bibliophile Jacob selon laquelle ce Monchatre aurait été un parent de
Jean de Monchastre, natif du Maine, prieur du couvent des Jacobins à
Paris, qui mourut à Paris en 1582 à l'âge de quarante ans[1]. D'ailleurs,
rien ne permet non plus de confirmer l'hypothèse de Mugnier d'après qui
ce Monchatre ne pouvait pas être Jean de Monchastre lui-même[2]. Et qui
est Guillaume ? Un simple domestique qui doit emporter le tome de Mor-
dentiere, un compagnon de Buttet, ou même Guillaume Des Autelz ?[3]
Impossible de le savoir.

2. La « trouppe fidelle » chambérienne

Dans une ode publiée en 1560, Buttet s'identifie comme membre d'un
groupe d'écrivains fréquentant sa Chambéry natale :

> Muses pourquoi venés vous m'empescher ?
> Attendu suis d'une trouppe fidelle,
> Qui par voz dons tousjours m'a tenu cher.
>
> [...] mon Chamberi m'appelle,
> O Paradis de ma felicité,
> [...]
> Si je vai là, tous mes plus favorables
> En m'embrassant me viendront caresser,
> Me faisant voir leurs labeurs memorables,
> Que les longs jours ne pourront ranverser.
>
> De Battandier la joieusetté brave
> Ses mots fleuris soudain dégorgera,
> Et mon Lambert, Pallas, ton doux esclave,
> De Ciceron les thresors versera.

---

[1] *Œuvres poétiques*, II, p. 206, la n. à la p. 158, v. 3 ; sur Jean de Monchastre, voir La
Croix du Maine, *Premier Volume de la bibliothèque*, éd. La Monnoye *et al.*, I, 552-553.

[2] *Marc-Claude de Buttet*, p. 157. Mugnier exclut la possibilité qu'il s'agisse de Jean de
Monchastre car le nom de ce dernier ne se trouve pas sur la liste des dominicains de Chambéry en 1561. Il n'explique pas pourquoi Buttet n'aurait pas pu le connaître ailleurs et avant
1561.

[3] Pour ces hypothèses, voir le Bibliophile Jacob, *Œuvres poétiques*, II, p. 206, la n. à la
p. 158, v. 4 ; Mugnier, *ibid.*, pp. 45, n. 3, 156, n. 3.

> Ramasse i est, & Pingon, à la trace
> Des anciens, ses vers fera bondir,
> Qui sont venus freschement de Parnasse
> Où Apollon les lui a fet ourdir[1].

Il ne s'associa jamais avec aucun autre groupe d'une manière si explicite, ce qui donne lieu de croire que ces quatre hommes, Battandier, Lambert, Ramasse et Pingon, avaient une grande importance pour lui. On peut considérer son hommage à ces écrivains comme marque du patriotisme qu'il ressentait pour la Savoie à une époque où il en était loin, se trouvant à Paris depuis plusieurs années[2] : au XVIe siècle ces écrivains devaient être à peine plus connus en dehors de la Savoie qu'ils ne le sont aujourd'hui, et en les mentionnant Buttet semble donc vouloir afficher la richesse culturelle de son pays natal.

Mais qui sont les quatre hommes de cette « trouppe fidelle » ?

i) Antoine Baptendier (?-mort vers 1572)

Malgré l'absence d'un prénom, il est fort probable que ce « Battandier » est Antoine Baptendier qui, tout en poursuivant une carrière en droit, cultivait les Muses[3]. Après avoir suivi des cours de droit à l'Uni-

---

[1] *Le Premier Livre des vers*, I, éd. Fezandat, fol. 22 v°-23 r°, XII, « Sur son retour des champs », vv. 22-24, 29-30, 33-44.

[2] Depuis son enfance jusqu'en 1560. Voir *supra*, pp. 25 et s.

[3] 'Battandier' étant une variante de 'Baptendier' et de 'Battendier', nous avons adopté la forme du nom qu'on trouve dans les registres du Parlement et du Sénat de Savoie. Sur Antoine Baptendier, voir Foras, *op. cit.*, I, 111, 113 ; le Bibliophile Jacob, *Œuvres poétiques*, II, p. 181 ; Mugnier, *Marc-Claude de Buttet*, pp. 179-183. Signalons les documents retrouvés au cours de nos recherches qui en font mention : AST, Sez. Ri., *Camera dei conti di Savoia, inv. 16, reg. 227* (1565), fol. 58 r° : paiement « pour ses gaiges et entretenement de son office ». Son nom est cité dans plusieurs procès entre 1552 et 1569 : ADS, *Série B : Archives du Parlement de Savoie : arrêts criminels rendus en audience, B45* (1552-1553), fols 82 r°, 234 v° (Baptendier demande l'entérinement de lettres de grâce pour certains accusés) ; *Archives propres du Sénat de Savoie : arrêts civils sur pieces vues et en audience, B68* (1560-1561), fols 88 r°, 89 r° (ces documents concernent un procès intenté contre Baptendier par François Suavet, recteur de l'hôpital Saint-François de Chambéry ; Baptendier perdit et dut payer trois florins) ; *B92* (1565), fol. 122 r° ; *B95* (1566), fol. 88 r° ; *B97* (1566), fols 103 r°-104 r° ; *B102* (1567), fol. 124 r° ; *B115* (1569), fol. 66 r° ; *B116* (1569), fol. 219 r°.

Il y avait d'autres Savoyards qui portaient ce nom, mais nous ne savons pas s'ils étaient poètes. Faisons mention notamment de Claude Baptendier, avocat d'Annecy, col-

versité de Toulouse, il alla compléter ses études à Padoue ce qui déplut à son ami et professeur, Jean de Boyssonné[1]. Dans une élégie, Boyssonné lui reproche de n'être pas allé étudier le droit sous André Alciat, et d'avoir préféré à ce dernier Cagnoli et Tornielli qui enseignaient à Padoue en 1544 et 1545 :

> Incolumi Alciato, civilia Iuria docente,
> Italia in media cur alios sequeris ?
> Quaeso, Batanderi, quae nunc te insania vexat ?
> Quae Furiae exagitant pectus, amice, tuum ?
> Quid tibi Cagnolus ? Tibi quid Torniellus ? Ambo
> Praestare an poterunt quod nequit Alciatus ?[2]

Avocat au Parlement de Chambéry, Baptendier fut nommé juge-mage de Maurienne en 1559. Il prêta serment au duc de Savoie le 22 février 1563. Ce fut peut-être sa nomination au poste de juge-mage qui nécessita son départ de Chambéry, un départ beaucoup regretté par Boyssonné qui considérait Baptendier comme le premier poète de la ville. Ainsi observe-t-il dans une épître que depuis le départ de Baptendier (et d'ailleurs celui d'Emmanuel-Philibert de Pingon) les prés de la vallée chambérienne ont soif de poésies, et les Muses ont abandonné la ville :

> Iam dudum expecto si quid de divite cornu
> Musarum et Charitum quae tecum montibus altis
> Mella premunt, floresque legunt, texuntque coronas
> Ex hedera et lauro, quibus haec tua tempora cingant,

---

latéral au Conseil des Genevois, et auteur de plusieurs ouvrages de droit, parmi lesquels un style judiciaire écrit pour le duc de Genevois et un *Tractatus liberorum parentum* de 1560. Voir Della Chiesa, *Catalogo de'scrittori piemontesi, savoiardi e nizzardi*, p. 219 ; Foras, *op. cit.*, I, 111-112. D'ailleurs, nous connaissons l'existence d'un autre Antoine Baptendier, mort avant 1568 et fils d'un notaire, mais nous ne savons pas s'il était juriste et/ou poète. Voir Foras, *op. cit.*, I, p. 113.

[1] Sur Boyssonné voir *supra*, pp. 38 et 93-96.

[2] BMTo, ms. 835, *Elegorum liber*, fol. 55 r°, XLIX, « Ad Batandierum » ; sur ce poème, voir Mugnier, *La Vie et les poésies de Jean de Boyssonné*, pp. 424-425 ; Jacoubet, *Les Poésies latines de Jehan de Boyssoné*, p. 43. À la requête de François Ier, l'humaniste et jurisconsulte italien André Alciat (1492-1550) vint enseigner le droit à l'Université de Bourges ; il enseigna aussi à Bologne et à Padoue mais, d'après l'élégie de Boyssonné, il n'y était pas à la même époque que Baptendier.

Defluat ad nostram summo de vertice vallem
Camberiam, irroret quod nunc sitientia Vatum
Prata, quibus nihil aridius, postquam illa relinquis,
Prisanumque petis [...]
Te quoque Musarum fuerat quae maxima turba
Tota cohors sequitur, Leysse Albanaque relictis,
Alpinos nimium gaudet contingere rivos.[1]

Il est bien curieux que dans ce poème Boyssonné ne fasse aucune référence à Buttet et aux autres membres de la « trouppe fidelle ».

Lors de son séjour en Savoie, Peletier du Mans fit la connaissance de Baptendier. Il fait l'éloge du juge-mage dans *La Savoye*, louant sa science en poésie et en droit :

[...] Batendier, de suffisance égale
En poésie & science legale,
Fait de ses Droitz Maurienne jouir,
Et ses beaux vers par tout le monde ouir
Son Lancessey, basti joignant la Vile,
Et Armillon, qui en est loin d'un mile,
Pres des Rochers, demontrent bien à part,
L'euvre divers de la Nature à l'Art.
Quand bien je voy son estat domestique,
Le comparant avec le fait rustique,
Je di de luy (ainsi soint vreiz mes chans)
Qu'il est eureus à la Vile & aus chams[2].

---

[1] BMTo, ms. 835, *Epistolarum liber*, fol. 85 r°-v°, XIV « Ad Baptendierum », vv. 1-8, 41-43 ; sur ce poème, voir Mugnier, *La Vie et les poésies de Jean de Boyssonné*, p. 455-459 ; Jacoubet, *Les Poésies latines de Jehan de Boyssoné*, pp. 57-58. Voir aussi deux autres poèmes que Boyssonné adresse à Baptendier sur sa poésie : *Hendecasyllaborum liber unus*, fol. 33 r°, LV, « Ad Baptendierum » : Baptendier n'a pas tort de lui envoyer ses vers, mais il devrait se méfier : l'intérêt sera petit et il risque même de perdre son capital. Sur ce poème, voir Mugnier, *op. cit.*, pp. 399-400 et Jacoubet, *op. cit.*, p. 26 ; *Elegorum liber*, fol. 59 v°, LX, « Ad Baptenderium » : Boyssonné fait allusion à des vers que Baptendier lui a envoyés et qui devaient être accompagnés de prunes. Sur ce poème, voir Mugnier, *op. cit.*, p. 428 et Jacoubet, *op. cit.*, p. 47. Baptendier est-il la personne identifiée par Boyssonné comme « Anthonio meo » dans une lettre à Hector Riquier datée le 9 février 1553 ? Sur cette lettre voir *supra*, pp. 38, 96 et *infra*, p. 112.

[2] *La Savoye*, p. 42.

Malheureusement, les « beaux vers » de Baptendier ont disparu sans laisser de traces. Pourtant, comme les vers de Peletier du Mans cités ci-dessus, une épître de Boyssonné indique qu'il chantait le paysage et, d'ailleurs, l'histoire de la Maurienne :

> Vate Batendiero metuendum est hihil tibi, tellus
> Morica, quae Gallos Italis disiungis ab oris,
> Nomen ut amittas unquam. Nam carmine sacro
> Te claram faciet, te claram carmine reddet
> Describetque tuos montes, fluviosque lacusque
> Et veteres celebrabit avos[1].

Nous relevons aussi ce qui est sans doute une allusion à la nature comme source principale d'inspiration des poésies de Baptendier dans l'ode que Buttet lui adresse en 1560. Il exhorte son ami :

> Laisse le palais plein d'émoi,
> Laisse, laisse, ces loix rongeardes,
> Et te per aux champs avec moi,
> Pour voir caroller les Dryades
> Du bord jasard d'une fonteine pure,
> Sus un lit mol de mosseuse verdure[2].

ii) Les Lambert

Une ambiguïté encore plus complexe entoure l'identité du Lambert de la « trouppe fidelle ». Pourtant, nous pouvons supposer que ce Lambert, admirateur de Cicéron, est le même Lambert à qui Buttet fait référence dans les poèmes qui ne mentionnent que le nom de la famille. C'est ce que nous autorise à penser la coexistence des références à Cicéron et à Marguerite dans une ode dans laquelle Buttet se plaint que Lambert, déprimé par ses chagrins d'amour, ne cherche plus sa compagnie :

---

[1] BMTo, ms. 835, *Epistolarum liber*, fol. 85 r°, XIV, « Ad Baptendierum », vv. 11-16.
[2] *Le Premier Livre des vers*, I, éd. Fezandat, fol. 32 v°, XX, « A Antoine Battandier », vv. 31-36.

Plus a m'appeller il ne tasche
Pour entrefeüilleter
Son cher Ciceron qui lui fache[1].

C'est donc le même Lambert que le domestique de Buttet doit aller chercher « Qu'il vienne droit ici/Avec sa Marguerite »[2] ; et le même Lambert que Buttet appelle sa « fidelle moitié » dans un sonnet mettant en contraste ses tourments amoureux avec le bonheur de son ami : « Ainsi tout seul le sein de Marguerite/[Amour] A tousjours mais te tienne bien heureux »[3]. Dans un autre sonnet, il identifie un certain Lambert comme « mon autre moi »[4], ce qui rappelle de près le terme affectif « fidelle moitié » et qui suggère qu'il s'agit encore une fois de l'admirateur de Cicéron et de Marguerite. Dans ce même poème, Buttet prie Lambert de lui composer une épitaphe à l'occasion de sa mort. Un autre sonnet fait une référence indirecte à cette requête : son « cher Lambert » étant mort le premier, c'est à Buttet de lui écrire une épitaphe :

[...] ton cher Buttet te dresse,
Cette tombe, éperdu d'éternelle détresse,
Et pour un dernier don te paie un grief ennui,
L'honneur qu'il desiroit que tu fisses pour lui[5].

Pour ces raisons aussi, c'est sûrement le même Lambert dont Buttet fait l'éloge par l'intermédiaire de sa bien-aimée : Amalthée avoue que « Mon cueur ard du jeune Lambert/Brave, tout savant, tout expert »[6].

On a identifié cet intime de Buttet comme étant soit Claude soit son frère Jean-Gaspard[7]. D'une vieille famille bourgeoise de Chambéry, leur

---

[1] *Le Premier Livre des vers*, I, éd. Fezandat, fol. 33 r°, XXII, « A. M.D.B. », vv. 16-18.

[2] *Ibid.*, II, fol. 43 v°, VI, « A Philibert de Pingon », vv. 35-37.

[3] *Ibid.*, fol. 82 v° [b] ; republié avec variantes dans *L'Amalthée (1575)*, éd. Alyn Stacey, p. 101, XL, vv. 13-14.

[4] *Ibid.*, fol. 103 r° [b] ; republié avec variantes dans *L'Amalthée (1575)*, éd. Alyn Stacey, p. 173, CXII. En 1575 le sonnet s'adresse à Jehan de Piochet (voir *supra*, p. 61 et la n. l.).

[5] *L'Amalthée*, éd. Alyn Stacey, p. 285, CCXXIV, vv. 1-4.

[6] *Le Premier Livre des vers*, II, fol. 69 r°, XXVI, « Entreparleurs Buttet et Amalthée », vv. 19-20

[7] Voir le Bibliophile Jacob, pour qui l'intime de Buttet serait Claude : *Œuvres poétiques de Marc-Claude de Buttet*, I, p. 167, la n. à la p. 26, v. 3 ; p. 171, la n. à la p. 108, v. 1 ; II, p. 196, la n. à la p. 56, v. 13 ; p. 199, la n. à la p. 82 ; p. 202, la n. à la p. 111, v. 3 ; p. 207, la n. à la p. 172, v. 5. En revanche, Philibert-Soupé reconnaît Jean-Gaspard (*Les*

père était Pierre Lambert, seigneur de la Croix, docteur ès droits, chevalier, conseiller, maître auditeur et président patrimonial à la Chambre des comptes de Savoie[1]. Nous savons très peu de choses sur Claude (15 ?-mort avant 1578 ?)[2], mais la vie de son frère est mieux documentée : Jean-Gaspard (15 ?-mort avant 1569) était conseiller du duc Emmanuel-Philibert, coseigneur de la Colliette, et ambassadeur de Savoie chez les Suisses et en France auprès du roi François Ier. Signalons une de ses ambassades les plus importantes pour la Savoie : il représenta le duc lors de la négociation du traité de Lausanne qui fut signé en 1564 et qui rendit au duc la région du Gex et une partie du duché de Chablais[3]. Nous croyons qu'il mourut à Bazas, près de Bordeaux, lors d'une ambassade[4].

Œuvres poétiques de Marc-Claude de Buttet, p. xv). Mugnier est plus équivoque : tantôt il affirme que Claude était l'intime de Buttet, tantôt il affirme que c'était Jean-Gaspard (Marc-Claude de Buttet, pp. 49-50, 200-203).

[1] Sur la famille, voir Foras, op. cit., III, 223-226.

[2] Foras indique tout simplement : « mentionné avec ses frères en 1549, 1562, mort avant 1577, sans enfants » (op. cit., III, 225). Voir aussi Mugnier, Marc-Claude de Buttet, pp. 200-203. Signalons que Claude est mentionné dans les comptes et procès suivants retrouvés au cours de nos recherches : AST, Sez. Ri., Camera dei conti di Savoia, inv. 16, reg. 218 (1557-1559 ; paiement), fol. 150 r°; ADS, Série B : Archives du Parlement de Chambéry : repertoire des registres des arrêts rendus en audience et sur pièces vues, renvoi au registre des arrêts rendus sur pièces vues 1553-1554, fol. 219 r° (arrêt concernant un procès entre Claude, « appelé », et les syndics de Vassallien ; idem, 1555-1556, fol. 413 r° (Claude est nommé comme appelant du juge de Villars dans un arrêt concernant la cotisation des habitants de Bresse) ; Série B : Archives propres du Sénat de Savoie : arrêts criminals rendus en audience, B146 (1576-1577), fol. 224 r°; Arrêts civils rendus sur pièces vues, B151 (1578), fol. 107 r°; ces deux derniers documents donnent lieu de croire que Claude était toujours vivant en mai 1578, ce qui met en question la date de sa mort – « avant 1577 » – proposée par Foras.

[3] Guichenon, Histoire de Bresse et de Bugey, première partie, p. 107. Sur les terres enlevées à la Savoie en 1536 et rendues entre 1559 et 1569, voir infra, appendice 2, p. 137, n. 3.

[4] Voir Foras, op. cit., III, 225 ; Mugnier, Marc-Claude de Buttet, pp. 199-200. Jean-Gaspard est mentionné dans les documents suivants trouvés au cours de nos recherches : ADS, Archives communales de Chambéry : sous-série CC : titre III : impôts et comptabilité, comptes des syndics et des trésoriers de ville, art. 229, compte 1 (syndic de Chambéry 1554-1555) ; il est nommé dans plusieurs procès entre 1555 et 1558 : Série B : Archives du Parlement de Chambéry : arrêts criminels rendus sur pièces vues, B59 (1555-1556), fol. 16 v° (il est nommé comme « deffendeur » dans un procès contre Philibert de La Forest, seigneur de La Bastie, « demandeur ») ; Arrêts civils rendus en audience, B33 (1557-1558), fol. 259 r° (il est nommé comme « demandeur » dans un procès contre Michel Proust, négociateur de Sébastien de Luxembourg, vicomte de Martigues, et damoiselle Marguerite Millière et ses enfants) ; Série B : Archives propres du Sénat de Savoie : arrêts civils en audience, B116 (1569), fol. 194 r° (référence au « feu Monsier Gaspard de Lambert »). Il est mentionné en

Claude et Jean-Gaspard étaient tous les deux poètes. Claude, « poeta non ignobilis » selon Rossotti, publia un *Hymne triumphal* en 1564 ; cette œuvre fête l'entrée du duc Emmanuel-Philibert dans la ville de Chambéry et contient aussi une épigramme de Claude Alardet[1]. Quant à Jean-Gaspard, il est l'auteur d'une traduction d'espagnol en français des *Faits merveilleux, ensemble la vie du gentil Lazare de Tormes et les terribles avantures à luy advenues en divers lieux* (Lyon, 1560). D'ailleurs, il donna au *Premier Livre des vers* une ode flattant le talent littéraire de Buttet, un talent inspiré par les Muses :

> Te, Buttete, lyram pectine eburneo
> Pulsare, & fidibus carmina consonis
> Dudum aptare iubent,...[2]

Faut-il considérer cet hommage poétique comme preuve d'une amitié particulièrement forte entre Jean-Gaspard et Buttet ? Après tout, dans une ode que Buttet adresse à Jean-Gaspard, il loue son talent poétique, évoquant comment Calliope mit la main de son ami « sur la harpe Orphéenne » et orna « Du rameau triumphant/L'or crespu de ta teste »[3]. Par contre, l'ode que Buttet dédie à Claude ne fait aucune référence à une disposition littéraire. Il est donc fort probable que Jean-Gaspard est « la fidelle moitié » de Buttet et l'intime littéraire de la « trouppe fidelle ».

Rappelons aussi que Peletier connaissait la famille Lambert qu'il mentionne à deux reprises dans *La Savoye*. Il déclare qu'en

> [...] lieus divers tu as de bons espriz
> Dont Maurienne a bien sa part au pris,

---

tant qu'ambassadeur auprès des Suisses dans les documents suivants : AST, Sez. Ri., *Camera dei conti di Piemonte, art. 86* (1559-1561), entrées 310, 399, 400, 401, 402 ; *art. 268*, par. 1, reg. 2 (1565), fol. 4 r° ; *Camera dei conti di Savoia*, inv. 16, reg. 223 (1563), fol. 90 r° ; AST, Prima sez. *Inventaire des écritures concernant la ville de Genève*, cat. 12, paq. 4, art. 2.

[1] Sur cette œuvre, voir Rossotti, *Syllabus scriptorum pedemontii* (Monteregali, Maria Gislandi, 1667), p. 163 ; Della Chiesa, *Catalogo de'scrittori piemontesi, savoiardi e nizzardi*, p. 220. Signalons que dans son *Apologie* Buttet fait l'éloge de Claude-Louis Alardet, abbé de Filly, éveque de Lausanne et précepteur du duc Emmanuel-Philibert, affirmant qu'il est « imbeu à la perfection de tous artz » (fol. [10 r°]).

[2] *Le Premier Livre des vers*, éd. Fezandat, fol. 76 r°, vv. 47-49, « Io. Gasparis Lamberti camberiani ad M. Clau. Buttetum ». Sur cette ode, voir *L'Amalthée*, éd. Alyn Stacey, appendice 5, et les nn. à la p. 510.

[3] *Ibid.*, I, fol. 20 v°, X, « A Jean-Gaspard de Lambert, gentilhomme savoisien », vv. 55-63.

Tant qu'avec soy un Lambert elle garde,
Qui d'oeil veillant dessus elle regarde,
Par son savoir, sa prudence & bonté,
Digne du lieu auquel il est monté[1].

Il s'agit sans doute d'une allusion à Pierre de Lambert, évêque de Maurienne et cousin de Claude et de Jean-Gaspard[2].

La deuxième référence est encore plus obscure :

Au droit d'Eton, où Isere plus forte
De l'Arq bruitif l'eau & le nom emporte,
Se voit le mont de l'Arcluse eminent,
Témoin de l'air & du tems imminent,
Selon qu'il est emmantelé de Nues.
Là sont coutaux de vignes continues,
En Miolan, beau val & fructueus,
Où est le lieu de Lambert vertueus,
Prochein d'honneur, de savoir & de grace
Au prenommé [Ducoudrei], ainsi comme de race[3].

Pour le Bibliophile Jacob ce serait une allusion à Claude, tandis que pour Terreaux il s'agirait d'une allusion à Jean-Gaspard[4]. Malheureusement, rien ne permet de confirmer l'identité de ce Lambert.

iii) Jean de Balme (?-mort après 1572)

Nous regrettons que Buttet ne donne pas d'indications plus précises sur les activités littéraires de Jean de Balme, sieur de Ramasse, de Charansonay et de Puysgros, dont nous ne connaissons aucune œuvre. Nous savons qu'il connaissait Clément Marot pour qui il incarnait en 1543 « la jeunesse en qui

---

[1] *La Savoye*, p. 41.

[2] Selon le Bibliophile Jacob, ce serait une allusion à Jean-Gaspard (voir *Œuvres poétiques*, II, p. 195, la n. à la p. 47). Sur Pierre de Lambert, voir Foras, *op. cit.*, III, 225 : « Chanoine de Genève, 1535, doyen de la Sainte-Chapelle, abbé de Payerne, puis Prince-Évêque de Maurienne, où il fonda dans la cité de Saint Jean le couvent des Capucins et le college Lambertin en 1574 […] Il mourut le 6 mai 1591 ».

[3] *La Savoye*, p. 45.

[4] Voir le Bibliophile Jacob, *Œuvres poétiques*, II, p. 196 ; Terreaux, « Jacques Peletier et la Savoie », *Revue savoisienne* (1986), 94-124 (p. 103).

vertu croist & s'amasse»[1]. Il était aussi un intime de Jean de Boyssonné. Dans une lettre datée du 11 août 1533 et adressée à Boyssonné de la part d'un certain «Io. Peletus», ce dernier, écrivant de Turin, signale que Ramasse lui envoie le bonjour et qu'il écrirait lui-même s'il était mieux disposé[2]. Boyssonné lui adresse cette épigramme, lui conseillant de ne pas oublier ses anciens amis car il pourrait se trouver tout seul :

> Arridet quoties tibi parumper
> Ex his civibus unus, atque item alter
> Foelicissimus ut tibi videris.
> Hos semper sequeris ; simulque rides
> Et magnum esse putas eis placere.
> Tunc nos inspicere esset indecorum.
> Si quis te iubeat valere recte,
> Quasi non videas facis, Ramasse,
> Nec sat perspicis hoc quod est futurum.
> Illi te subito, scio, relinquent
> Si par tunc volumus pari referre,
> Vide ne maneas, Ramasse, solus[3].

Sa vie reste obscure, mais, d'après les archives de Turin, il était attaché à la cour de Savoie en tant que gentilhomme de bouche du duc[4]. Son nom revient dans de nombreux procès plaidés devant le Sénat de Savoie[5]. D'après Guichenon, Claude de La Balme, «Escuyer Seigneur de Langes

---

[1] Clément Marot, *Œuvres complètes*, éd. C.A.Mayer, 6 vols (vols 1-5 : Londres, Athlone Press, 1958-1970 ; vol. 6 : Genève, Slatkine, 1980), I, p. 273, v. 31.

[2] BMTo, ms. 834, III. Sur cette lettre, voir Jacoubet, «La Correspondance de Jean de Boyssoné», *Annales du Midi*, 41 (1929), p. 173. Sur Boyssonné, voir *supra*, p.

[3] BMTo, ms. 835, *Hendecasyllaborum liber unus*, fol. 4 r°, V, «In Ramassum Taurinensem». Sur ce poème, voir Mugnier, *La Vie et les poésies de Jean de Boyssonné*, pp. 369-370 ; Jacoubet, *Les Poésies latines de Jehan de Boyssoné*, p. 6 (il lui attribue la date de 1533).

[4] Voir AST, Sez. Ri., *Camera dei conti di Savoia, inv. 38, fol. 21, mazzo 26, art. 118* (1558-1559) (paiement pour un voyage).

[5] Voir les documents suivants : ADS, *Série B : Archives propres du Sénat de Savoie : arrêts civils et criminels rendus en audience, B70* (1560), fol. 389 r° ; *B71* (1561), fol. 35 r° ; *B74* (1561-1562), fol. 425 r° ; *B78* (1562), fol. 22 r° ; *B82* (1562-1563), fol. 11 r° ; *B83* (1563), fols 45 r°, 72 r° ; *B173* (1582), fol. 130 v° ; *Arrêts civils et criminels rendus sur pièces vues, B130* (1572-1573), fol. 176 v°. Voir aussi Mugnier, qui signale que Ramasse fut coupable de violences contre le cousin de Buttet, Amé de Piochet (*Marc-Claude de Buttet*, pp. 213-214).

vivant en l'an 1470 », porta le premier le titre de seigneur de Ramasse, et son fils Sibued, le père de Jean et seigneur de Charansonay, fit bâtir une maison dans le village de Jasseron à laquelle il donna le nom de Ramasse. Jean, qui fut toujours vivant en 1572, mourut sans enfants, ce qui mena le duc Charles-Emmanuel à réunir la seigneurie de Ramasse à celle de Jasseron[1].

iv) Emmanuel-Philibert de Pingon (1525-1582)

Nous reconnaissons facilement ce Pingon « à la trace des anciens ». Emmanuel-Philibert de Pingon, baron de Cusy et seigneur de Premeyzel, naquit dans la maison paternelle rue Grenaterie à Chambéry le 18 janvier 1525. Il fut tout d'abord destiné à suivre une carrière ecclésiastique : dans son enfance, il était prévôt de Sainte-Catherine d'Aiguebelle, et avait aussi l'église paroissiale des Déserts. Le 27 avril 1534, il devint recteur de la chapelle Saint-Christophe dans l'église Saint-Léger de Chambéry. Pourtant, il renonça à cette carrière pour occuper certains des postes les plus importants dans l'administration de la Savoie : il fut vice-recteur de l'Université de Padoue, réformateur de l'Université de Turin, docteur ès droits, avocat au Parlement de Chambéry, premier syndic de Chambéry 1552-1553, vice-officiel de Savoie, collatéral au Conseil des Genevois en 1554, président du Conseil des Genevois en 1559, gouverneur d'Ivrée, conseiller d'État et référendaire du duc Emmanuel-Philibert, et, d'ailleurs, auteur de plusieurs histoires de la maison de Savoie. Sa femme, Philiberte, eut aussi un poste important à la cour savoyarde : elle fut gouvernante des filles du duc Emmanuel-Philibert et de la duchesse Marguerite. Pingon mourut à Turin le 18 avril 1582. Les archives et les bibliothèques de Turin et de Chambéry conservent une quantité impressionnante de documents le mentionnant[2], ainsi que plusieurs de ses œuvres – pour la plupart des histoires de la maison de

---

[1] Guichenon, *Histoire de Bresse et de Bugey*, deuxième partie, p. 95.

[2] Citons, par exemple, les documents suivants qui détaillent des paiements faits à Pingon par la maison de Savoie : AST, Sez. Ri., *Camera dei conti di Savoia, inv. 5, reg. 2 (1563)*, fol. 33 r°; *reg. 8 (1570)*, fol. 100 r°; *reg. 12 (1576-1578)*, fol. 350 r°; *inv. 6, reg. 1 (1559-1561)*, fol. 342 r°; *reg. 11 (1574)*, fol. 7 r°; *inv. 16, reg. 228 (1556)*, fol. 71 v°; *inv. 74, fol. 1, reg. 1 (1563)*, fols 160 v°-161 r°; *reg. 3 (1574)*, fol. 94 r°; *Camera dei conti di Piemonte, art. 261, par. 30 (1562)*, fols 44 v°, 46 r°, 47 r°, 1235v°, 1222 r°; *art. 267 (1563-1564)*, fols 18 v°, 32 r°; *art. 268, par. 4 (1559-1561)*, fols 80 r°, 81 v°, 157 r°, 195 r°, 207

Savoie sous forme manuscrite[1]. Espérons qu'ils inspireront un jour une étude approfondie sur cet écrivain prolifique.

Pingon était un intime de Jean de Boyssonné qui le considèrait un des meilleurs poètes de la Savoie. Dans un poème qu'il adresse à Pingon peut-être en 1551, Boyssonné évoque la forte affection qui relie les deux hommes : si le jurisconsulte Riquier lui est cher, Pingon lui est encore plus cher car il joint à la science du droit le culte des Muses, et il ne lui refusera donc rien :

---

r°; *art. 269, reg. 1 (1563-1564)*, fols 2 v°, 23 v°, 24 v°; *inv. 16, reg. 228 (1566)*, fol. 71 r°. Son nom est cité dans de nombreux procès : ADS, *Série B : Archives propres du Sénat de Savoie : arrêts civils rendus en audience, B74 (1561-1562)*, fol. 146 r°; *B78 (1562)*, fols 302 r°, 612v°; *B92 (1565)*, fol. 303 r°; *B99 (1566)*, fol. 119 r°; *arrêts civils rendus sur pièces vues, B94 (1565)*, fols 95 r°, 228 v°. Sur l'érection de la baronnie de Cusy le 12 mars 1563, voir ADS, *Série SA : SA 264 (1568)*, fol. 4 v°, entrée n° 6. Voir aussi ADHS, *Série 7J : Fonds du château de Marlioz :* 7J71 *Lettres de fidélité et hommages rendues au duc de Savoie, Emmanuel-Philibert, pour la baronnie de Cusy et le Château de Pingon par Philibert de Pingon*; 7J74, 1412-1413 *Testament et codicille d'Emmanuel-Philibert de Pingon*; 7J212 *Copie d'un livre de raison de Louis de Pingon* (XVIᵉ siècle); 7J378-379 *Généalogies de la famille Pingon*; 7J387 *Notes concernant la maison forte de Pingon. Inventaire détaillé. Extraits des archives de la Cour de Turin au XVIIIᵉ siècle*; 7J1298 *Inventaire d'archives de la famille de Pingon*; 7J1411 *Contrat de mariage d'Emmanuel-Philibert de Pingon* (du 23 avril 1560); AST, Prima Sez., *Storia della real casa : storia generale*, mazzo 5, art. 1, *Inventari delle croniche ed altre scritture ritrovate nella casa del fu Filiberto Pingon, e dal suo figliolo d'ordine di S.A. il duca di Savoia rimesse alli Antonio e Ludovico Bagnasacco, vice chiavario ducale*, 1582; BRT, *Miscellanea Vernazza, 35*, art. 7; *66*, art. 10; *81.8*, art. 89; *97*, art. 16; *19*, art. 39 bis; *171*, art. 8 bis; *Storia patria*, art. 205. Sur Pingon, voir les suivants : La Croix du Maine, *Premier Volume de la bibliothèque*, éd. La Monnoye *et al.*, II, pp. 227-228; Della Chiesa, *Catalogo de'scrittori piemontesi, savoiardi e nizzardi*, pp. 221-223; Rossotti, *Syllabus scriptorum*, pp. 493-495; J.-L. Grillet, *Dictionnaire historique, littéraire et statistique des départements du Mont-Blanc et du Léman*, 3 vols (Chambéry, J. F. Puthod, 1807), II, pp. 75-80, 95; J. Philippe, *Les Gloires de la Savoie* (Paris, Clarcy; Annecy, Monnet; Chambéry, Baudet, 1863), pp. 194-195; Foras, *op. cit.*, IV, 404; Mugnier, *Marc-Claude de Buttet*, pp. 206-208.

[1] AST, Prima Sez., *Storia della real casa : stemmi e monete-addizioni*, mazzo 1; *idem.*, *storia generale*, mazzo 2, art. 1; mazzo 4, art. 1, 2, 3; mazzo 5, art. 2; mazzo 6, art. 1; *idem.*, *storie particolari*, mazzo 1, art. 12; mazzo 11, art. 1; BRT, *Miscellanea Vernazza*, ms 92, art. 1; *95*, art. 26; *97*, art. 39 bis; *105*, art. 87; *128*, art. 14; *171*, art. 8 bis; *Miscellanea Vernazza* : ms 97, art. 16 (*catalogus operum*); BNT, ms. X (fols [2 r°]-[3 r°]. Pour une description bibliographique de ses œuvres imprimées, voir *Le cinquecentine piemontesi*, éd. M. Bersano Begey et G. Dondi, 3 vols (Turin, Tipografia torinese editrice, 1961-1966), I, entrées 182, 260, 419, 420, 421, 422, 531, 609; II, 1036, 1053.

Non solum sacra Iuris atque Lege
Me iunxere tibi : chorus sororum
Qui montem capitum colit duorum
Coniungit me etiam tibi, facitque
Nullo tempore vel loco deesse
Ut possim tibi[1].

Dans une épître qu'il adresse à Antoine Baptendier, Boyssonné
exprime ses regrets que Pingon néglige la poésie en raison de ses devoirs
administratifs auprès du duc de Nemours. Chambéry n'a plus de poètes :

Pingonum non lunga viae distantia quamvis
Separet a nobis donatum munere claro
Consilio in magno magni ducis comitisque
Non datur Aoni dum cantus et plectra moventem
Hic audire : domique sua musa exulat omnis.
Te quoque musarum fuerat quae maxima turba
Tota cohors sequitur, Leyssa Albanaque relictis,
Alpinos nimium gaudet contingere rivos[2].

Pingon est mentionné aussi dans une lettre que Boyssonné envoie à
Hector Riquier le 9 février 1553. Il explique que Pingon lui a remis une
somme d'argent qu'il avait reçue des procureurs d'un certain Buttet et qui
appartient à Riquier[3].

Dans son autobiographie, Pingon évoque les amis qu'il fréquentait
avant 1555 : « familiarem & habebam Ioannem Boisonaeum eloquentissi-
mum, Antonium Battanderium, Marcum Claudium Buttetum, Gasparem
Lambertum, crucium poetas clarissimos »[4]. Le fait qu'il associe son propre
nom et celui de Buttet à ceux d'Antoine Baptendier et de Jean-Gaspard de
Lambert renforce la possibilité que ces derniers soient le « Battandier » et
le Lambert de la « trouppe fidelle ».

---

[1] BMTo, ms. 835, *Hendecasyllaborum liber unus*, fol. 30 v°, LI, « Ad Philibertum Pin-
gonem », vv. 29-34. Sur ce poème, voir Mugnier, *La Vie et les poésies de Jean de Boyssonné*, pp. 393-394 ; Jacoubet, *Les Poésies latines de Jehan de Boyssoné*, pp. 24-25.

[2] BMTo, ms. 835, *Epistolarum liber*, fol. 85 r°, XIV « Ad Baptendierum », vv. 36-43 ;
sur ce poème, voir Mugnier, *op. cit.*, pp. 455-459 ; Jacoubet, *op. cit.*, pp. 57-58.

[3] BMTo, ms. 834, CCXLIV. Sur cette lettre, voir Jacoubet, « La Correspondance de
Jean de Boyssoné », *Annales du Midi*, 43 (1931), p. 69 ; *supra*, pp. 38, 96 et 103, n. 1.

[4] *Emmanuelis Philiberti Pingonii [...] vita*, p. 39.

Quant à Buttet, il affiche clairement son affection pour Pingon, et non seulement en incluant ce dernier dans la « trouppe fidelle », mais aussi par l'intermédiaire d'une ode qu'il lui adresse dans *Le Premier Livre des vers*[1]. D'ailleurs, il fit cadeau à Pingon de deux exemplaires dédicacés de deux de ses œuvres. La page de titre d'un exemplaire du *Chant de liesse*, publié en 1563, porte cette dédicace manuscrite, peut-être même de la main de Buttet : « Authoris. M. Claudii Butteti Sabaudi/Munere/E.P. Pingon »[2]. Sur la page de titre d'un exemplaire du recueil *Sur la venue de tres illustre Princesse Anne d'Este*, publié en 1566, Buttet paraît avoir écrit : « Don/de Marc-Claude de Buttet/autheur/à son entier amy./E.P. Pingon »[3].

Leur amitié dura tout au long de leur vie. Un des derniers poèmes connu de Buttet est un éloge de Pingon, un dizain en latin publié en 1581 dans une des histoires de Pingon sur la maison de Savoie, l'*Inclytorum Saxoniae Sabaudiaeque principum arbor gentilitia*[4]. Ce dizain présente le seul exemple d'une collaboration littéraire entre les deux hommes :

Marcus Claudius Buttetus
Patricius Camberiensis

Obruerat quondam titulos nomenque tuorum
    EMANUEL, cunctis imperiosa dies.
Et quos evexit bellantem fama per orbem,
    Gurgite Lethoeo pressit avara palus.
Non tulit hoc virtus, clara Pingonius arte
    Hos rapit ex tenebris, dum tua iussa parat.
Dumque triumphantum diverso ex orbe trophoea,
    Atque domus reserat stemmata longa tuae :
Ecce tuos scriptis coelo tulit ille triumphos,
    Tantaque sic illi Laurea, Laurus erit[5].

---

[1] *Le Premier Livre des vers*, II, éd. Fezandat, fol. 43 v°, VI, « A Philibert de Pingon ».

[2] Exemplaire conservé aux Archives d'État de Turin (AST), Prima Sez. : Biblioteca antica I. VII.30. Sur cette œuvre, voir *supra*, p. 49 et *infra*, appendice 2. Pour la dédicace, voir la figure 9.

[3] Exemplaire conservé aux Archives d'État de Turin (AST), Prima Sez. : Biblioteca antica I. VII.5. Sur cette œuvre, voir *supra*, p. 50 et *infra*, appendice 3. Pour la dédicace, voir la figure 10.

[4] Voir ce qu'en dit La Croix du Maine : « un fort docte & bien laborieux Œuvre » (*Premier Volume de la bibliothèque*, éd. La Monnoye *et al.*, II, pp. 228).

[5] *Inclytorum Saxoniae Sabaudiaeque principum arbor gentilitia* (Turin, N. Bevilaqua, 1581), fol. [4 r°]. Voir *infra*, Bibliographie des œuvres de Buttet, n° 24.

3. Louis Milliet (1527-1599)

Dans l'ode que Buttet adresse à Emmanuel-Philibert de Pingon en 1560, il nomme encore un autre de ses intimes littéraires qui faisait partie de la « trouppe fidelle » à un moment donné. Il envoie un domestique chercher plusieurs amis pour qu'ils viennent le rejoindre chez Pingon :

> Cour t'en à Lambert dire
> Qu'il vienne droit ici
> Avec sa Marguerite,
> Puis entre chez Milliet.
> Di-lui qu'il vienne vite,
> Et que la bande i est[1].

Nous reconnaissons ici le neveu des frères Lambert, Louis Milliet, baron de Faverges et de Challes[2]. Comme Pingon, Milliet joua un rôle très important dans l'administration de la Savoie : syndic de Chambéry entre 1550 et 1551 et jurisconsulte et juge à Faucigny, il fut nommé avocat général le 6 octobre 1559, vice-président au Sénat de Savoie le 18 mars 1562, conseiller d'État en février 1563, premier président au Sénat de Savoie pour la période allant de 1571 à 1580, garde des sceaux en 1571, commandant général du duché, ensuite grand chancelier le 15 décembre 1580. Il fut huit fois ambassadeur en France, en Suisse et à Milan, et, comme Jean-Gaspard de Lambert, il fut un des ambassadeurs du duc Emmanuel-Philibert lors des négociations du traité de Lausanne signé en 1564[3]. Une autre connaissance de Buttet, Théodore de Bèze, le nomme comme un des conseillers au Sénat responsable du traitement injuste des protestants en Savoie[4]. Il mourut le

---

[1] *Le Premier Livre des vers*, II, éd. Fezandat, fol. 44 v°, VI, « A Philibert de Pingon », vv. 33-40.

[2] La mère de Milliet était Jeanne-Polyxène, la sœur de Jean-Gaspard et de Claude de Lambert. Voir Foras, *op. cit.*, III, 225.

[3] Guichenon, *Histoire de Bresse et de Bugey*, première partie, p. 107. Sur ce traité, voir *infra*, appendice 2, p. 137, n. 3.

[4] « Nouvelles du Piémont et de Savoie » envoyées à Heinrich Bullinger le 1er août 1569 *in Théodore de Bèze : Correspondance : X [1569]*, éd. Aubert *et al.*, pp. 276-278. Bèze signale qu'un certain Claude de Chastillon, qui avait tout simplement assisté à un baptême évangélique, a dû payer une amende bien supérieure à celle que Milliet avait exigée d'un meurtrier à Chambéry.

12 février 1599 à Moncalier, en Piémont, où la Cour s'était retirée en raison d'une maladie contagieuse[1].

Certains exemplaires de l'épithalame que Buttet composa pour fêter le mariage d'Emmanuel-Philibert et de Marguerite de France furent imprimés sur vélin et dorés. Buttet en donna un à Milliet en témoignage de leur amitié :

> Ludovico Millieto Juresconsulto/patrono benemerito in perpetua/amicitia testimonium M. Cl. Buttetus./Dono dedit 1559. Lutetia'.[2]

En 1560, dans un sonnet qu'il adresse à Milliet, Buttet affirme :

> Je ten les bras en haut, j'attemoigne les cieux,
> Et jure le grand Styx, peur de la pauvre ombre,
> Que je mourrai plutôt ains qu'estre écrit au nombre
> Des malheureux ingrates, pour t'estre injurieux[3].

---

[1] Compte tenu de son rôle important dans l'administration de la Savoie, on ne s'étonne pas de relever beaucoup de références à Milliet aux archives de Turin et de Chambéry. Citons, parmi d'autres, les documents suivants retrouvés au cours de nos recherches : AST, Sez. Ri. *Camera dei conti di Savoia : art. 268, par. 4 (1561)*, fol. 11 (identifié comme « avvocato fiscale ») ; (1562), fol. 11 r° (identifié comme « presidente ») ; (1564) fol. 11 v° (identifié comme « presidente ») ; *par. 1, reg. 2 (1565)*, fol. 21 v°, paiement le 14 juillet 1565 ; *art. 282 (1562-1571)*, fol. 23 v° paiement le 5 avril 1566 ; fol. 34 r°, paiement pour la période du 1er janvier 1568 au 12 juillet 1568 ; fol. 46 r°, paiement pour 1569 ; *art. 281, reg. 14*, fol. 222 r°; AST, Prima Sez., *Inventaire des écritures concernant la ville de Genève*, cat. 12, paq. 4, art. 2 (signature de Milliet sur une lettre du 22 août 1563 adressée au duc Emmanuel-Philibert par le baron du Bochet ; Milliet est identifié comme ambassadeur auprès des Suisses) ; ADS, *Série B : Archives propres du Sénat de Savoie : B64 (1559-1560)*, fol. 18 r° (« arrest interinant les lettres establissant Louis Milliet conseiller et avocat général de S.A. ») ; *B65 (1560-1561)*, fol. 395 r°; *B75 (1561-1562)*, fol. 45 r°; *Série B : Archives du Parlement de Chambéry : arrêts criminels rendus en audience : B45 (1552-1553)*, fol. 163 r°; *B46 (1553-1556)*, fol. 570 r°; *Archives communales de Chambéry : sous-série BB : titre II : administration communale*, création des syndics ; *Série J : Documents divers entrés par voies extraordinaires : J242 : Archives de famille concernant la Savoie et des particuliers de 1251 à 1860 en possession de M. le marquis de Faverges* (patente de docteur ès droit de l'université de Padoue accordée à Milliet le 26 mars 1550). Sur Milliet, voir aussi les suivants : Foras, *op. cit.*, IV, 18 ; Mugnier, *Marc-Claude de Buttet*, pp. 204-206.

[2] Exemplaire conservé aux Archives de Turin (AST, Prima Sez., *Storia della real casa : categoria 3, mazzo 10*, art. 11*, fol. [14 v°]. Voir *infra*, Bibliographie des œuvres de Buttet, n° 8, et la figure 4.

[3] *Le Premier Livre des vers*, I, éd. Fezandat, fol. 34 r°, XXIII, « A Louis Milliet Savoisien », vv. 1-4.

D'ailleurs, dans ce même sonnet, il signale qu'avant 1560 Milliet l'avait défendu devant le Sénat, peut-être à l'occasion d'un des procès mentionnés ci-dessus[1] :

> Par ton grave parler me tiras de l'encombre
> Où j'alloi trebucher, quand soudein tu fis sombre
> Tout le Senat béant à tes dits merveilleus.
> (vv. 6-8)

Mais Milliet était aussi poète, comme Buttet nous le rappelle :

> Mais laschant les torrens de ta forte harangue,
> Toutefois tu ne veux que je dore ta langue,
> Aimant mieux à mes vers tes doctes loix changer.
> (vv. 9-11)

Malheureusement, on ne connaît aucune œuvre de Milliet.

4. Jehan de Piochet (1532-1624)

La vie de Jehan de Piochet, cousin maternel de Buttet, est bien documentée grâce à ses dix livres de raison et son livre de comptes de 1568 conservés aujourd'hui aux Archives départementales de la Savoie[2]. Seigneur de Mérandes (dans le val de Miolans), de Pugnet, de Salins, de Villeneuve et de Monterminod, Piochet naquit à Chambéry le 1er mars 1532. Son père, Antoine, était « écuyer ducal » et « bourgeois » de Chambéry, et se maria en secondes noces avec Jeanne, fille de noble Pierre Dieulefils-Magnin, d'où le lien de parenté avec Buttet[3]. Piochet poursuivit des études de droit à Avignon avec Amé Du Coudray mais choisit une carrière d'armes : il fut enseigne colonelle de Chambéry, lieutenant du noble

---

[1] Voir *supra*, pp. 38-42.

[2] Sur Piochet, voir Foras, *op. cit.*, IV, 416, et Devos et Le Blanc de Cernex, « Un 'humaniste' chambérien au XVIe siècle ». Pour ces livres de raison, voir ADS, 1J279/1-1J279/10 Jehan de Piochet : *livres de raison*, 10 vols ; pour son livre de comptes, voir ADS, cote 10F (art. 157) *Fonds du maréchal de Luciane*.

[3] Voir *supra*, p. 20 pour la généalogie de Buttet dressée par Piochet. Les Piochet avaient aussi des liens de parenté avec les Lambert de Chambéry ci-mentionnés (voir Foras, *op. cit.*, IV, 412).

Philibert de Villarin, sieur de Laudes, et capitaine du château de Chambéry à partir du 3 janvier 1569. Il mourut à l'âge de 92 ans le 30 janvier 1624.

Comme nous l'avons constaté dans la première partie de cette étude, Piochet était un des collaborateurs les plus importants dans la vie de Buttet. Rappelons, par exemple, que Piochet composa un dizain pour *L'Amalthée* de 1575[1] et travailla à la troisième edition inachevée, acceptant de rédiger un commentaire pour éclaircir le texte[2]. Rappelons aussi l'ode contre l'or que Buttet lui dédia en 1560 dans *Le Premier Livre des vers*[3]. De plus, c'est à Piochet que Buttet confia la composition de son épitaphe après la mort de Lambert[4]. D'ailleurs, Buttet composa un sonnet pour la traduction d'Ulloa et pour la traduction de Bandello que préparait Piochet[5].

Les livres de raison de Piochet nous offrent un aperçu de ses talents poétiques qui sont fêtés, d'ailleurs, par Peletier dans *La Savoye* : suivant son éloge d'Amé Du Coudray, Peletier, faisant allusion aux liens de parenté entre Piochet et Buttet, affirme que « Piochet, parent d'autre surnom,/D'un pas egal va suivant le renom »[6]. Dans ses livres de raison, on trouve plusieurs de ses poèmes, notamment l'épitaphe qu'il composa pour Buttet « mon cher cousin et mon aultre moy mesme »[7], des « vers à la louange du Saint-Suaire », deux quatrains « pour deux tables d'attente », un dialogue du Génie et de la Savoie « sur la mort d'Emmanuel-Philibert », et un poème « sur le trepas du seigneur Du Coudray », pour n'en mentionner que quelques-uns[8]. De plus, il composa des vers publiés à Paris en 1567 en tête d'un volume intitulé *Les Triomphes du baptême de Charles-Emmanuel, prince de Piémont*[9].

---

[1] *L'Amalthée*, éd. Alyn Stacey, p. 390.

[2] Voir *supra*, pp. 51-52.

[3] *Le Premier Livre des vers*, II, éd. Fezandat, fol. 56 v°, « A Jean de Piochet, son cousin ».

[4] *L'Amalthée*, éd. Alyn Stacey, p. 173, CXII.

[5] Voir *supra*, pp. 46-47 ; *infra*, appendice 5.

[6] *La Savoye*, p. 45.

[7] Voir *supra*, pp. 61-62.

[8] L'Abbé Morand en cite quelques-uns dans son article « La Savoie et les savoyards au XVIᵉ siècle : discours de réception prononcé à l'Académie des sciences, belles-lettres et arts de Savoie », *MASBLAS*, 9, 3ᵉ série (1883), 339-377 (pp. 353-355).

[9] Cité par le Bibliophile Jacob, *Œuvres poétiques*, I, ii, n. 2. Malheureusement, cette œuvre est aujourd'hui introuvable.

Nous savons que Piochet avait une prédilection particulière pour les
œuvres poétiques de ses contemporains. En mai 1578, il dressa un inventaire de tous les livres en latin, italien et français qu'il conservait dans son
étude à Villeneuve[1]. Il catalogua les œuvres suivantes dans la catégorie
« Aultres livres francoys-POESIES- » :

> L'Amour des Amours de Jaques Pelletier du Mans avec les Erreurs
> Amoureuses de Ponthus de Thiard. Les Odes d'Olivier de Magny. Les
> vers de Marc-Claude de Buttet et les Œuvres de Claude Turrin digeonone
> in-8… 412.
> L'Amalthée de Marc-Claude de Buttet, avec les Œuvres Poétiques de
> Mellin de Saint-Gelays in-8… 413[2].

Un peu plus loin, on lit : « Œuvres de Buttet à part, in-8… 457 »[3]. Malheureusement, Piochet ne signale pas les titres de ces œuvres.

Il est à regretter que les exemplaires des œuvres de Buttet que Piochet
possédait aient disparu sans laisser de traces. Huit livres provenant de sa
bibliothèque donnent lieu de croire qu'il avait tendance à annoter ses textes
en détail. Il est donc fort possible qu'il ait annoté ses exemplaires des
œuvres de son cousin[4]. Quant à ces huit livres, des œuvres de Ronsard, on
y relève des annotations de la part de Piochet concernant Buttet, et une
annotation est sans doute de la main de Buttet lui-même.

Les Œuvres de 1567 sont parmi ces huit livres. On rappelera que cette
édition omet le quatrain de Buttet qui avait paru dans l'édition de 1560[5].
Pourtant, au verso du folio 2 du premier tome, on trouve une transcription
manuscrite du quatrain signée « Marc Cl. de Buttet manu propria » et
suivie d'une indication en latin que le quatrain a été omis de cette impression (« hic omissus ex praecedenti impressione inseruim »)[6]. J.-P. Barbier

---

[1] Pour une analyse sommaire de cet inventaire, voir Devos et Le Blanc de Cernex, « Un
'humaniste' chambérien au xvie siècle », pp. 219-225.

[2] ADS, Série J : Piochet : livres de raison : inventaire de mes titres : 1J279/10,
fol. 260 v°.

[3] Ibid., fol. 262 r°.

[4] Ces huit livres appartiennent actuellement à J.-P. Barbier. Pour son analyse de ces
exemplaires, voir son livre Ma bibliothèque poétique : deuxième partie (Genève, Droz,
1990, pp. 322-363).

[5] Voir supra, p. 74.

[6] Voir Barbier, op. cit., pp. 331-332 ; idem., Ma bibliothèque poétique : quatrième
partie, 3 vols (Genève, Droz, 1998), I, 352.

pense que le quatrain fut retranscrit par Buttet, et que la signature et l'indication en latin furent ajoutées par Piochet, car l'écriture ne correspond pas à la signature du poète[1]. Malgré une certaine différence entre les signatures, rien ne permet de confirmer cette hypothèse. Pourtant, la transcription du quatrain autorise à penser que Buttet avait peut-être été offusqué par son omission en 1567, une omission qui témoigne de ces relations moins intimes avec la Pléiade après son retour en Savoie.

Les transcriptions dans les autres ouvrages, qui semblent être de la main de Piochet, comparent souvent la poésie de Buttet à celle de Ronsard. Au recto du folio 208 du deuxième tome des *Œuvres* de Ronsard (édition de 1567), dans les marges d'une ode sur la mort de Marguerite de Navarre, Piochet a retranscrit une ode de Daurat, « In D. Margaritam reginam Navarrae », et une ode de Buttet, « Sur le trepas de la Reine de Navarre »[2]. Le rapprochement des trois textes nous rappelle que les odes de Ronsard et de Buttet sont des traductions du poème de Daurat.

Sur une des pages de garde de ce même exemplaire, Piochet a retranscrit sous le titre « Sonet de Marc Claude de Buttet savoysien à Pierre de Ronsard » le sonnet que son cousin avait dédié à Ronsard dans *Le Premier Livre des vers* et dans *L'Amalthée*, « Lorsque du tens des siecles veincus... »[3]. La transcription est suivie par la devise de Buttet, « cetera mortis erunt ».

Dans le cinquième tome des *Œuvres* de Ronsard, on relève une transcription curieuse dans les marges du poème « Sonet à son livre ». Piochet signale que quand ce sonnet parut pour la première fois (en 1552), les six derniers vers nommaient « Bellay, Baïf, Muret, Buttet, Belleau »[4]. Il se trompe. En 1552, le sonnet nomma Baïf, Muret, Maclou, Bouguier et Tagaut[5]. D'ailleurs, le nom de Buttet ne figure dans aucune des versions connues de ce sonnet[6].

---

[1] Barbier renvoie seulement à la signature qui paraît sur un acte du 1er juin 1586 (AEG, *Archives notariales : Hugues Paquet XII*, fol. 73 r°; voir la figure 16). Voir aussi la signature sur un acte du 18 février 1583 (AEG, *Archives notariales : Hugues Paquet IX*, fol. 31 r°; voir la figure 15).

[2] Publié dans *Le Premier Livre des vers*, I, éd. Fezandat, fol. 31 r°, XIX, « Sur le trepas de la Reine de Navarre, suivant les vers latins de Jean d'Aurat ». Voir Barbier, *Ma bibliothèque poétique : deuxième partie*, p. 334.

[3] Voir Barbier, *op. cit.*, p. 335 ; sur ce sonnet, voir *supra*, pp. 72-73.

[4] Voir Barbier, *op. cit.*, p. 336.

[5] Voir *Les Amours de P. de Ronsard vandomoys : ensemble le cinquiesme de ses odes* (Paris, M. de La Porte, 1552), p. 237 ; éd. Laumonier, IV, p. 185, v. 9.

[6] Pour les variantes, voir *Les Amours*, éd. Laumonier, IV, p. 185, n. au v. 9.

Au verso de la feuille vierge qui sépare le premier livre de la *Franciade*
du deuxième, Piochet a retranscrit le sonnet de son cousin «Je n'arme
point les Atrides guerriers» sous le titre «Sonet sur la Franciade par Marc
Claude de Buttet savoysien»[1]. Le sonnet est suivi par la devise «cetera
mortis erunt», et la date de 1574, peut-être l'année de sa composition.
Signalons que malgré le titre que Piochet lui donne, le sonnet, qui parut
pour la première fois dans *L'Amalthée* de 1575, n'est pas sur la *Franciade*.
Au deuxième quatrain, Buttet fait allusion à cette œuvre («Ronsard
heureux [...] tonnant Mars les François éclercisse», vv. 5-8), mais le
sonnet est plutôt un traitement bien conventionnel du topos de l'amant
vaincu par l'Amour et, d'ailleurs, une imitation d'un sonnet de Ronsard sur
ce même thème[2].

Pour épuiser les références à Buttet dans ces transcriptions, signalons
que Piochet possédait un recueil manuscrit de certaines œuvres de
Ronsard[3]. Au verso du folio 7, Piochet a retranscrit le sonnet que son
cousin avait dédié à Ronsard sous le titre «Marc Claude de Buttet gentilhome savoysien au seigneur P. de Ronsard. Sonet»[4]. Au-dessous on trouve
la devise de Buttet, «Cetera mortis erunt», suivie du titre «Le mesme à
Ronsard sur le Discours de ses Amours» et du quatrain que Buttet avait
donné aux *Amours* de 1560[5].

5. Amé Du Coudray (1535 ?-1600)

Il ne faut pas oublier Amé Du Coudray (1535 ?-1600), conte de Ger-
baix, coseigneur de la vallée de Bozel, docteur en droit, conseiller d'État
du duc Emmanuel-Philibert et syndic de Chambéry entre 1566 et 1567. Il
était d'une famille fort honorable de notaires à Sallanches. Selon un
contrat dotal du 31 août 1588, sa fille aînée, Antoinette, épousa Jean-François de Buttet, le neveu et héritier principal de Buttet[6].

---

[1] Voir Barbier, *op. cit.*, p. 345.

[2] Voir *L'Amalthée*, éd. Alyn Stacey, p. 262, et les nn. à la p. 473.

[3] *Recueil de plusieurs compositions de P. de Ronsard gentilhome vandomoys non impri-
mez* ; voir Barbier, *op. cit.*, p. 349.

[4] Sur ce sonnet, voir *supra*, pp. 72-73.

[5] Voir *supra*, p. 74.

[6] Sur Amé (ou Amed) Du Coudray, voir Foras, *op. cit.*, II, 214 ; Mugnier, *Marc-Claude
de Buttet*, pp. 190-194. Signalons aussi les documents suivants retrouvés au cours de nos
recherches qui en font mention : AST, Prima Sez., *Inventaire des lettres concernant la ville*

Si nous ne connaissons aujourd'hui que deux de ses poèmes, ses talents littéraires étaient très estimés par ses contemporains. Selon Piochet, qui avait poursuivi ses études universitaires à Avignon avec Du Coudray, ce dernier fut « ung des plus literés et des plus doctes jurisconsultes que onques la Savoye aie produit »[1], et Peletier affirme que

> Du Coudrei, dont l'eloquence franche
> Dans le Senat honore la Salanche,
> Merite un los ancor'sur celui-là,
> Pour la faveur que des Muses il a[2].

Il composa le sonnet suivant pour recommander la traduction de Bandello faite par Piochet :

> Sur les discours du sieur
> de Sallins par lui extraits
> du Bandel
> Amed Du Coudray I.C.

> De ce que l'on conçoit exprimer le rebours,
>> Faindre ce qui n'est point, et sur le front pourtraire
>> La chose qui plus est à son desir contraire ;
>> Abattre par soupcon, par inventés discours
> Une chaste Lucrece en peu chastes amours,
>> Par decepvants propos et gestes contrefaire,
>> D'un crédule mary finement se distraire,
>> Et pour choisir ung lieu faire mille destours.
> Ce sont les traits subtils, les habilles cautelles
>> Que tu fais veoir, Sallins, coustumieres à celles
>> Qui d'ung lit nuptial infortunent le sort.
> Mais leur astuce en vain et leur fard tu décèles,

---

de Genève, cat. 12, paq. 4, art. 2 (lettre du 22 août 1563 évoquant son désir d'être l'ambassadeur d'Emmanuel-Philibert auprès des Bernois) ; ADS, *Archives communales de Chambéry : sous-série CC : titre III : impôts et comptabilité*, comptes des syndics et des trésoriers de ville, art. 235, compte 7 (syndic de Chambéry entre 1566 et 1567) ; *Série B : Archives propres du Sénat de Savoie : arrêts civils rendus en audience, B131* (1573), fol. 65 r° (procès contre un certain Louis Jocquet).

[1] ADS, *Série J : Piochet : livres de raison : inventaire de mes titres : 1J279/10*, fol. 8 r°.
[2] *La Savoye*, p. 45.

> Car leurs tours descouverts, mille ruses novelles
> Se forgent, pour tromper le mary plus accort[1].

Il fit cadeau à Buttet du sonnet suivant « pour mettre en son *Amalthée* pour recommandation de sa vertu » :

Au sieur Marc-Claude de Buttet sur son *Amalthée*

> Quiconque fut, entre les siecles vieux,
>   Qui à l'amour premier peignit ses aisles,
>   Qui lui banda ses estoiles jumelles,
>   Et qui premier le mit entre les dieux,
> Il nous monstra que nostre oeil curieux
>   Va aveuglement de folles estincelles,
>   Mais que l'amour des beautés immortelles
>   De la vertu nous porte jusqu'aux cieux ;
> Qui captivant nos affections vaines
>   Nous rend vainqueurs des passions humaines
>   Et nous fait vivre heureusement contents.
> De ceste Amour soubs une flame sainte,
>   Docte Buttet, la vraye idée est peinte
>   Par tes beaux vers, honneur de ton printemps[2].

Ce sonnet ne parut pas dans *L'Amalthée* de 1575, ce qui donne lieu de croire qu'il avait été composé pour la troisième version qui ne fut jamais achevée[3]. Peut-être que Du Coudray répond ici au sonnet que Buttet lui avait adressé sur le bonheur dans *L'Amalthée* de 1575. En effet, le fort accent platonicien nous rappelle ce que Buttet y dit à son ami :

> […] Solon sage ne croioit pas
>   L'homme estre heureux avant son deu trépas :
>   Aux frailes biens jamais l'heur ne se range.
> Noz cueurs plus haut, Coudrei, aillent montant,
>   Car rien çà-bas ne se treuve content,
>   Où, comme en mer, tout se ranverse & change[4].

---

[1] ADS, *Série J : Piochet : livres de raison : inventaire de mes titres : 1J279/10*, fol. 8 v°.
[2] *Ibid.*, fol. 15 v°.
[3] Voir *supra*, pp. 52-54.
[4] *L'Amalthée*, éd. Alyn Stacey, p. 352, vv. 9-14.

6. Jean Bordat

Nous avons très peu de renseignements sur les relations entre Buttet et Jean Bordat et, d'ailleurs, rien de précis sur la vie de ce dernier. Est-ce le même Jean Bordat mentionné dans les comptes du duc de Genevois, qui est identifié en 1580 comme un « homme de chambre »[1], et en 1585 et 1587 comme « valeto di camera dell'Altissimo G. Marchese di San Sorlino »[2] ? Comme Buttet, il connaissait Grévin qui lui adressa le sonnet suivant dans la *Gelodacrye* :

> O mélange du monde ! O mondaine inconstance !
>   O monde, mais immonde ! O grand tout, mais un rien !
>   O le monde nouveau ! O le monde ancien !
>   O tous deux parangons de certaine impuissance !
> Que tiens-tu dedans toy qui tienne une constance,
>   Sinon cest element, qui ha moins de moyen
>   De garder entre tous l'accoustumé maintien,
>   Et qui semble de soy faire moins resistance ?
> Troye le grand tombeau de la Grece feconde,
>   Et Romme la tremeur du demeurant du monde,
>   D'eux-mesmes ont esté en la fin le tombeau.
> Le Xante est demouré, le Tybre coule encore :
>   Voyla pourquoy, BORDAT, maintenant je déplore
>   Ce monde, ne voyant qu'asseurance dans l'eau.[3]

Nous ne connaissons que deux œuvres de Bordat : une traduction en latin de l'évangile de Saint Jean[4], et les 14 vers en grec louant le duc Emmanuel-Philibert et Buttet qu'il donna à *La Victoire*[5] :

---

[1] AST, Sez. Ri., *Camera dei conti di Savoia : inv. 53, mazzo 26, reg. 2 (1580)*, (pages non numérotées).

[2] AST, Sez. Ri., *Camera dei conti di Piemonte : art. 217, par. 1* (1585), entrée n° 124 ; 1587, entrée n° 185.

[3] *Gelodacrye*, p. 300. Le sonnet se trouve à la même page que le sonnet à Buttet (voir *supra*, p. 83).

[4] Arcollières est le seul à mentionner cette œuvre (*La Victoire*, éd. Arcollières, p. 3). Malheureusement, cette traduction est aujourd'hui introuvable.

[5] *La Victoire*, éd. Arcollières, p. 19 ; sur *La Victoire*, voir *supra*, p. 49.

ΕΚ ΤΩΝ ΑΥΡΑΤΟΥ

Ἀίδιος πόνος ἀιδίοις αἰωνίη ἔσται
Αἰον᾽ ἀοιδοπόλοις σοῦ, Φιλιβερτ᾽ ἀρέτη.
καὶ ἀμέγαρτος ἀγὼν θέμενοι διὰ σεῖο ἀγῶνες
ἔσσονται πᾶσιν ἀνδράσιν ἀγχινόοις,
ἡνίκα συμβάλλῃ πολύιδρις ὅμιλος ἄρεια
ἔργα καταγράφεμεν σοῦ μαλ᾽ ἐελδόμενος.
Σύγκοιτιν γάρ σοι Μουσῶν ἡ δοῦσα τεκοῦσαν
εὐσθενέων Κελτῶν γαῖα πολυστάφυλος,
ἱρομελιφθόγγων Φοίβου χρυσάορος υἱῶν
προιχωην(?) ἤδη ὤπασε χιλιάδα.
Ἀλλ᾽ ὅτι μηδ᾽ ἀρετὴ ἀρετῆς μηδ᾽ αἶνος ἀγαῖος
οἰκείων χατέη ἀλλοδαπῶν τ᾽ ἀγαθῶν·
ὡς πέλες Ἀλλοβρόγων πατρώιος ἄλλος Ἀχιλλεύς,
ὥς ῥά συ Μαιονίδην πάτριον ἄλλον ἔχῃς.

CONCLUSION

Il ne faut que thresor si beau
S'accable dessous le tombeau,
Ni que ton nom là-bas arrive
Sans gloire, aux ombres [...]
(Marc-Claude de Buttet, *Le Premier Livre des vers*, I, VI,
« A Madame de Saint Vallier », vv. 55-58)

Marc-Claude de Buttet a été longtemps négligé, et pourtant, pendant son vivant, il fut estimé par certaines des personnes les plus illustres de son époque et à la cour française et à la cour savoyarde : le duc Emmanuel-Philibert, Marguerite de France, le cardinal de Châtillon, Henriette de Nevers, François de Clèves, Jacqueline d'Entremont, et nous en passons. Il avait aussi des liens avec les poètes les plus innovateurs de son époque, notamment Pierre de Ronsard et Jean Daurat, dont l'influence a laissé une forte empreinte sur l'œuvre de notre poète, surtout en ce qui concerne l'emploi du sonnet et des vers mesurés. Citons aussi, parmi d'autres, Jacques Peletier du Mans, Jacques Grévin, Charles d'Espinay, Gabriel Chappuys, et Jean de La Jessée. Guillaume Colletet le considéra même digne d'une biographie. Fêté en France et en Savoie pour sa poésie et son érudition générale, un fort patriotisme marque son œuvre, notamment *Le Premier Livre des vers* de 1560 et *L'Amalthée* de 1575. Ce patriotisme, qui se renforce surtout après le retour de Buttet en Savoie dans les alentours de 1560, se traduit par une prédilection pour des allusions au paysage savoyard, certains termes régionaux, et des vers de circonstance pour la cour de Savoie[1]. D'ailleurs, il n'hésite pas à chanter les talents littéraires de ses amis savoyards dont la plupart des noms sont aujourd'hui tombés dans l'oubli : Antoine Baptendier, Jean-Gaspard et Claude Lambert, Emmanue-Philibert de Pingon, Louis Milliet, Jehan de Piochet et Amé Du Coudray. Ce sont des noms qui devraient retenir notre attention, car ils témoignent de l'importance de

---

[1] Rappelons que l'œuvre de Buttet sera analysée dans notre étude critique (en cours).

l'activité littéraire en Savoie au XVIᵉ siècle. Espérons que cette étude sur Buttet, qui était sûrement le poète le plus important de ce groupe d'écrivains, en inspirera d'autres sur cette activité trop longtemps négligée.

Appendice 1

ÉPÎTRE EN PROSE À MARGUERITE DE FRANCE (1559)

Nous reproduisons ici l'épître qui accompagne certains exemplaires de l'*Épithalame* que Buttet composa à l'occasion du mariage entre Marguerite de France et le duc Emmanuel-Philibert de Savoie le 9 juillet 1559[1].

A TRES HAULTE ET TRES EXCELLENTE PRINCESSE MADAME MARGUERITE DE FRANCE, DUCHESSE DE SAVOYE ET DE BERRY.

MADAME, ayant esté dès mon enfance nourri à Paris à l'estude & cognoissance des lettres, le plus grand desir que j'aye jamais eu c'est de m'y pouvoir si bien employer qu'enfin par là je puisse parvenir au nombre de ceux qui sont dediés à vous faire tres humble & tres obeissant service. Et puis que le ciel a rendu tant heureuse la Savoye que de vous avoir entre toutes, par l'excellence & merite de voz vertus, élue pour sa princesse, icelle affection d'autant m'est accreue, que mon devoir m'a commandé le témoigner par quelque mien labeur qui vous soit aggreable.

Ne pouvant donques choisir meilleur sujet que celuy qui est cause de nostre plus grand heur, je deliberay de coucher par écrit les triomphes de voz nosses par cest Epithalame, ainsi comme la breveté du temps le permettoit, & que je pouvoy estre adverti par les apprests de ce qui s'en devoit faire, affin qu'ayant baisé les mains de l'Altesse de mon souverain seigneur & prince, je le peusse presenter à tous deux, pour témoignage de l'obeissance tres humble que je vous doy. Et me sembloit que puis qu'il vous avoit pleu trois ans y à m'ouïr reciter au Louvre en presence de monseigneur le reverendissime cardinal de Chastillon ce que ma Muse en avoit desja chanté & predit, qu'estant la chose accomplie, estoit

---

[1] Sur ces exemplaires, voir *supra*, p. 25, n. 1, et *infra*, Bibliographie des œuvres de Buttet, n° 8. Sur la commémoration de cet évènement, voir *supra*, p. 27 et la n. 2.

besoing de faire quelque mention qui repondit au commencement. J'ay donques mis la main à l'euvre, mais ainsi qu'elle s'achevoit d'imprimer, cependant que le louable & requis exercice des armes avoit émeu tout le tournoy dressé pour la commune joye d'un tant heureux mariage, & que les princes & chevaliers de la France avoyent ja fait grandes preuves de leurs vaillances, la Fortune coustumiere d'entremesler la tristesse au plaisir a fait que le roy (après s'estre monstré aux armes & vaillant chevalier & roy) a esté atteint au visage d'un coup de lance qui a non seulement apporté un commun dueil à la France mais retardement des nosses que tout le monde attendoit avec une tres grande joye. Pour cette occasion fut apres deliberé que les nosses seroyent faites aux Tournelles, tous les apprests du palais seroyent transferés ailleurs, & le theatre dressé devant le grand temple deffait.

Ce que voyant, j'estoy aussi tout prest de ruiner ce mien petit edifice, n'eût esté l'asseurance que j'ay eue qu'encores que les choses n'ayent esté faites ainsi qu'on les preparoit & que vostre grandeur meritoit, plus que je n'en ay sceu prevoir & mettre par écrit, vostre excellence ne trouveroit mauvais les voir décrites, mesme ne m'ayant donné le temps tant soit peu de loisir pour les refaire. D'autre part, MADAME, il me sembleroit chose grandement reprehensible & seroy digne d'estre estimé homme de peu de cueur, voyant les étrangers de tous costés addresser à l'Altesse de mon seigneur diverses euvres consacrées à son nom, si entre les doctes personnages je demeuroy muet[1], & si au besoin je me monstroy paresseux à l'endroict où le ciel & ma naissance m'obligent, estimant que si en cela on me repute peu consideré, pour le moins on ne m'estimera defaillant à mon devoir ; joint aussi la crainte que j'avoy que l'euvre ne fût publiée. Qui est cause, MADAME, que pour en donner advertissement au lecteur, avec votre licence j'en touche ce petit mot, vous suppliant tres humblement mesurer l'affection pour l'euvre & la recevoir comme pour arres d'une plus grande qui vous est vouée de longtemps, & bientôt, aidant Dieu, sera mise au jour sous la protection & garde de vostre nom, auquel dès à present avec toute reverence je la dedie[2].

---

[1] Sur les poèmes commémorant le mariage entre Marguerite de France et Emmanuel-Philibert, voir Hartley, « La Célébration poétique du traité de Cateau-Cambrésis (1559) ».

[2] Buttet fait surement allusion au *Premier Livre des vers* qui parut en 1560 (voir *supra*, pp. 27-28)

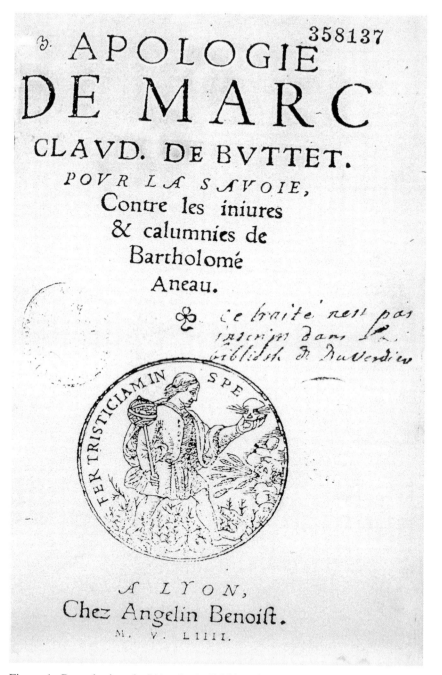

APOLOGIE
DE MARC

CLAVD. DE BVTTET.

POVR LA SAVOIE,

Contre les iniures
& calumnies de
Bartholomé
Aneau.

ce traité n'est pas inscrit dans la biblioth. de DuVerdier

FER TRISTICIAM IN SPE

A LYON,

Chez Angelin Benoist.

M. V. LIIII.

Figure 1 : Page de titre de *L'Apologie* (1554) (Bibliothèque municipale de Lyon, Rés. 358137).

ODE A LA PAIX
Par Marc Claude de
Buttet.

A PARIS.
Chez Gabriel Buon, au Clos Bruneau, à
l'enseigne S. Claude.

1559.

AVEC PRIVILEGE.

Figure 2 : Page de titre de l'*Ode à la paix* (1559) (Bibliothèque nationale de France, Ye. 2168).

EPITHALAME,

OV

NOSSES DE

TRESILLVSTRE

ET MAGNANIME PRINCE
EMANVEL PHILIBERT
DVC DE SAVOYE, ET DE
TRESVERTVEVSE PRIN-
CESSE MARGVERITE DE
FRANCE, DVCHESSE DE
BERRY, SEVR VNIQVE DV
ROY.

PAR

MARC CLAVDE DE BVTTET
SAVOISIEN.

A PARIS,

DE L'IMPRIMERIE DE ROBERT ESTIENNE.

M. D. LIX.

AVEC PRIVILEGE.

Figure 3 : Page de titre de l'*Épithalame* composé à l'occasion du mariage entre Marguerite de France et Emmanuel-Philibert, duc de Savoie (1559) (Bibliothèque nationale de France, Vélins 2268).

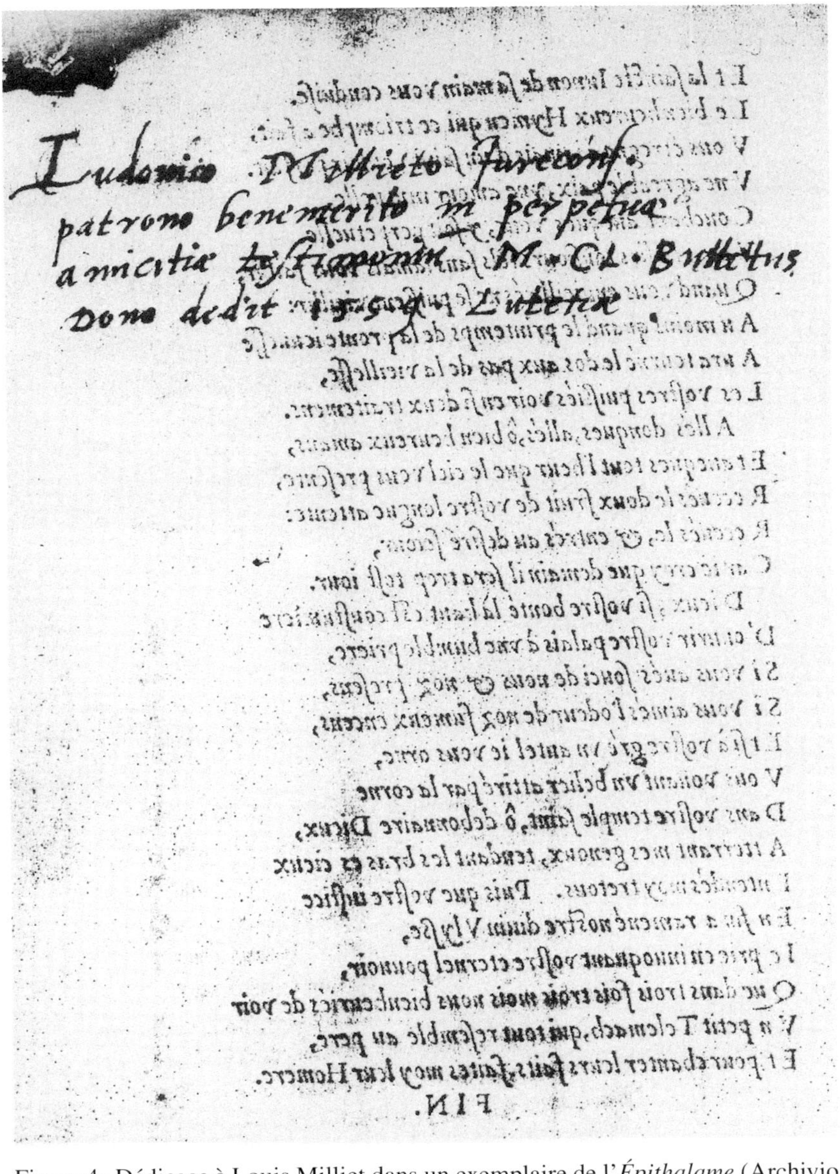

Figure 4 : Dédicace à Louis Milliet dans un exemplaire de l'*Épithalame* (Archivio di stato : Prima Sezione, Turin, Storia della real casa : cat. 3, mazzo 10, art. 11, fol. 14 v°).

ODE FVNEBRE
Sur le Trepas du Roi,
ou font entreparleurs.

La France, & le Poëte.

PAR MARC CLAVDE DE BVTTET,
SAVOISIEN.

A PARIS,

Chez Gabriel Buon, au clos Bruneau,
à l'enfeigne S. Claude.

1559.

AVEC PRIVILEGE.

Figure 5 : Page de titre de l'*Ode funebre* composée sur la mort d'Henri II (1559)
(Bibliothèque de l'Arsenal, Paris, 4° B3928).

LE PREMIER

LIVRE DES VERS DE

MARC CLAVDE DE BVTTET
SAVOISIEN.

*DEDIE'
A TRESILLVSTRE PRINCESSE
MARGVERITE DE FRANCE
DVCHESSE DE SAVOIE
ET DE BERRI.*

AVQVEL A ESTE' AIOVTE' LE SECOND
ENSEMBLE L'AMALTHE'E.

A PARIS,

De l'imprimerie de Michel Fezandat au
mont S. Hilaire à l'hostel d'Albret.

1560.

AVEC PRIVILEGE DV ROY.

Figure 6: Page de titre du *Premier Livre des vers* portant la date de 1560
(Bibliothèque de l'Arsenal, Rés. 8° B8833).

LE PREMIER
LIVRE DES VERS DE
MARC CLAVDE DE BVTTET
SAVOISIEN.

DEDIE'
A TRESILLVSTRE PRINCESSE
MARGVERITE DE FRANCE
DVCHESSE DE SAVOIE
ET DE BERRI.

AVQVEL A ESTE' AIOVTE' LE SECOND
ENSEMBLE L'AMALTHE'E.

A PARIS,

De l'imprimerie de Michel Fezandat au
mont S. Hilaire à l'hoftel d'Albret.

1561.

AVEC PRIVILEGE DV ROY.

Figure 7 : Page de titre du *Premier Livre des vers* portant la date de 1561
(Bibliothèque de l'Arsenal, Paris, Rés. 8° B8834).

LES OEVVRES
POETIQVES DE
MARC CLAVDE
DE BVTTET,

Sauoisien.

EN MOY LA MORT.

EN MOY LA VIE,

A PARIS,

Chez Hierofme, de Marnef, & la vefue
Guillaume Cauellat, au mont S.
Hilaire au Pellican.

M. D. LXXXVIII

Figure 8: Page de titre du *Premier Livre des vers* portant la date de 1588
(Bibliothèque de l'Arsenal, Paris, Rés. 8° B8879).

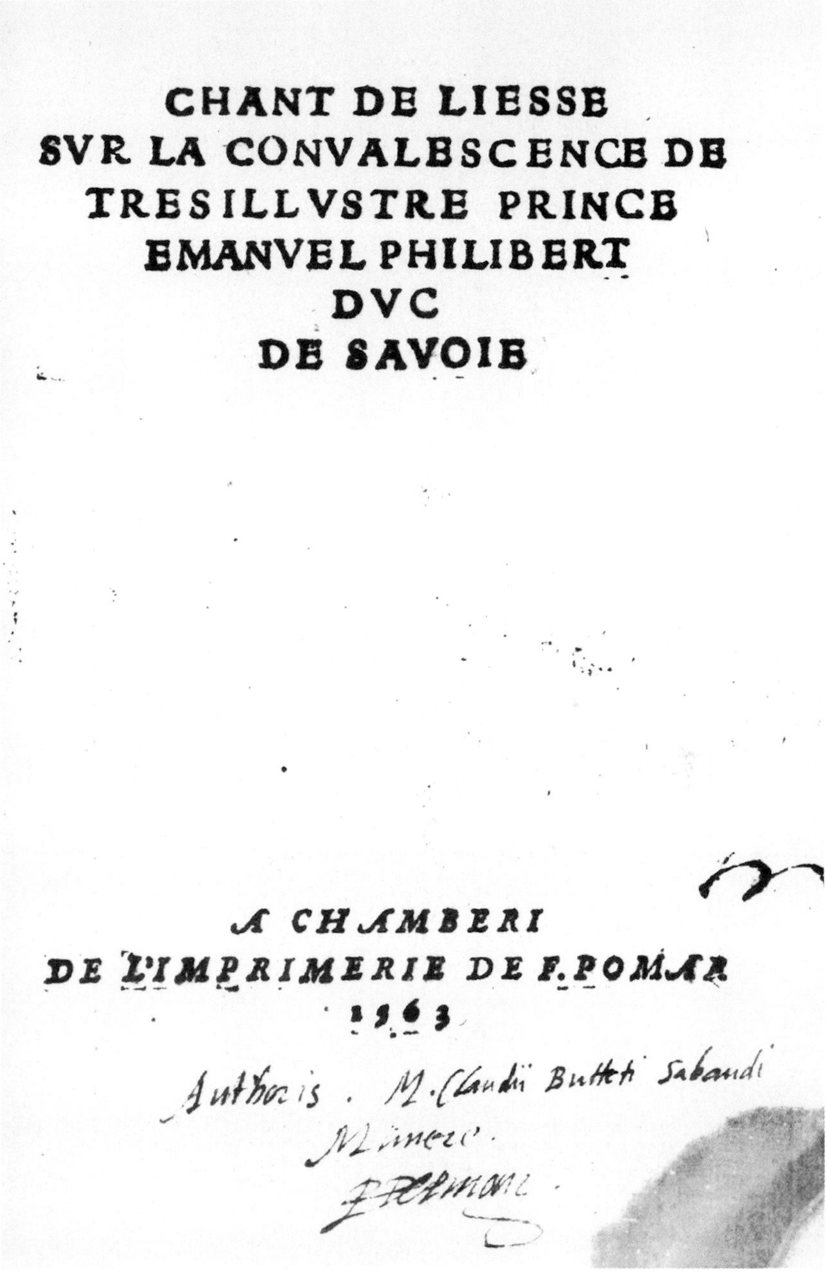

CHANT DE LIESSE
SVR LA CONVALESCENCE DE
TRESILLVSTRE PRINCE
EMANVEL PHILIBERT
DVC
DE SAVOIE

A CHAMBERI
DE L'IMPRIMERIE DE F. POMAR
1563

Authoris . M. Claudii Butteti Sabaudi

Figure 9: Page de titre du *Chant de liesse* (1563) portant une dédicace à Emmanuel-Philibert de Pingon (Archivio di stato: Prima Sezione, Turin, Biblioteca antica I. vii. 30, fol. [1r°] VII).

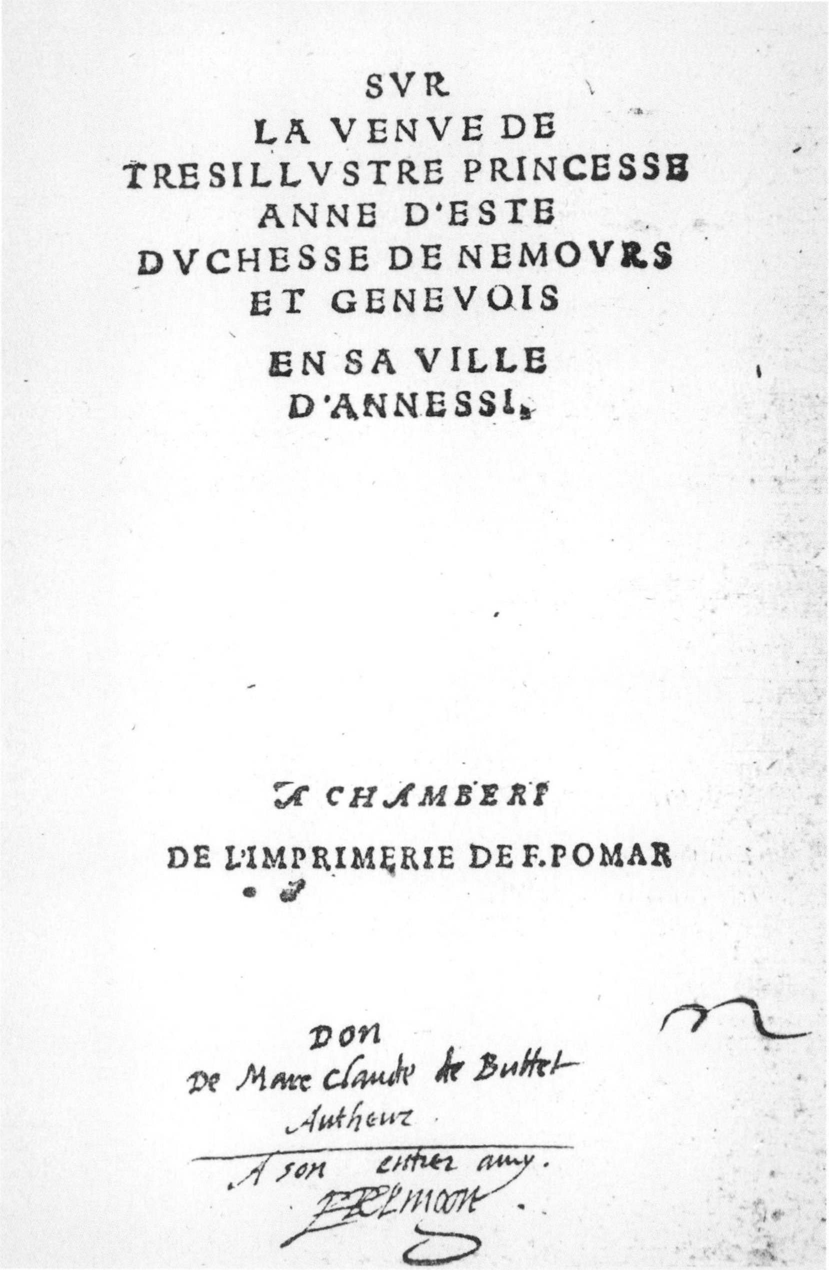

SVR
LA VENVE DE
TRESILLVSTRE PRINCESSE
ANNE D'ESTE
DVCHESSE DE NEMOVRS
ET GENEVOIS

EN SA VILLE
D'ANNESSI,

A CHAMBERI

DE L'IMPRIMERIE DE F. POMAR

DON
De Marc Claude de Buttet
Autheur.
A son cither amy.
PELMOON.

Figure 10 : Page de titre du *Sur la venue [d']... Anne Este* (1566) portant une dédicace à Emmanuel-Philibert de Pingon (Archivio di stato : Prima Sezione, Turin, Biblioteca antica I. vii. 5, fol. [1r°]).

L'AMALTHEE
DE MARC CLAVDE
DE BVTTET GENTIL-
HOMME SA-
VOISIEN,

NOVVELLEMENT PAR LVI
REVEVE, MISE EN SON ORDRE, ET
DE LA MEILLEVRE PART
AVGMENTEE.

KEPAΣ AMAΛΘEIAΣ.

A LYON,
PAR BENOIST RIGAVD.

M. D. LXXV.

AVEC PERMISSION.

Figure 11 : Page de titre de *L'Amalthée* (1575) (Bibliothèque nationale de France, Rés. Ye. 1874).

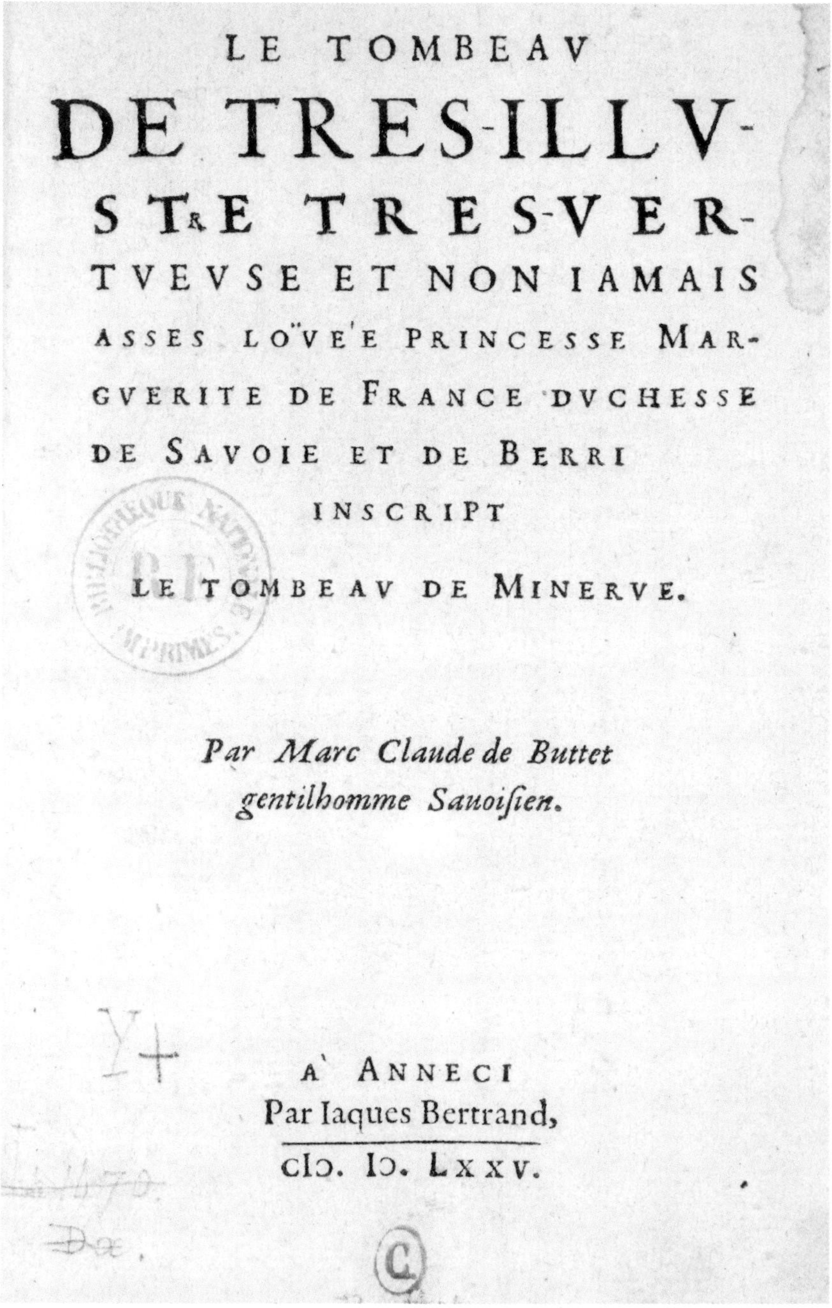

LE TOMBEAV

DE TRES-ILLV-

STRE TRES-VER-

TVEVSE ET NON IAMAIS

ASSES LOÜE'E PRINCESSE MAR-
GVERITE DE FRANCE DVCHESSE
DE SAVOIE ET DE BERRI

INSCRIPT

LE TOMBEAV DE MINERVE.

Par Marc Claude de Buttet
gentilhomme Sauoisien.

À ANNECI
Par Iaques Bertrand,
cIↃ. IↃ. LXXV.

Figure 12 : Page de titre du *Tombeau* (1575) (Bibliothèque nationale de France, Rés. Ye. 3645).

Buttet no Consttÿ Lequel en reçõm au dehors
de la ditte relashon qnel donna Le Bondt
frâment.

AU MAGNANIME
seigneur
Prosper ~~Ptbd~~ De Genefue sr de Luttin
chenallier de lordre de sauoÿa
anquel Le sr de sallin a.
dedié ses troys histoures
DE BANDEL.

MARC CLAVDE DE BVTTET

SONET.

Maintz tours accordz en maint diuert affaire
sur leurs maris des fammes intenter
pourtraitz au vif or nous sont presentez
o de verfu comme de nom PROSPERE
L'Italien BANDEL les volent faire
Et ~~mon~~ PROCLET les a presque muetez
pyochet cognéu entre les plus uâintez
en Appollon aymé et que Pallas reuere
Et nous monsieur qui niuez si henreux
libre du long aux bons maris facheux
contemplerez sil nous plout leur naufrage
comme celly qui en la houlte mer
Loing uoyt du bord les aultres abismez
n'aiant comm' eux esloigné sa rinago.
Ce que estant venu a la notiÿe du seigr Amed
du Couldray L'vng des plus hiferez et
des plus doctes Jurisconfultez que oanqus

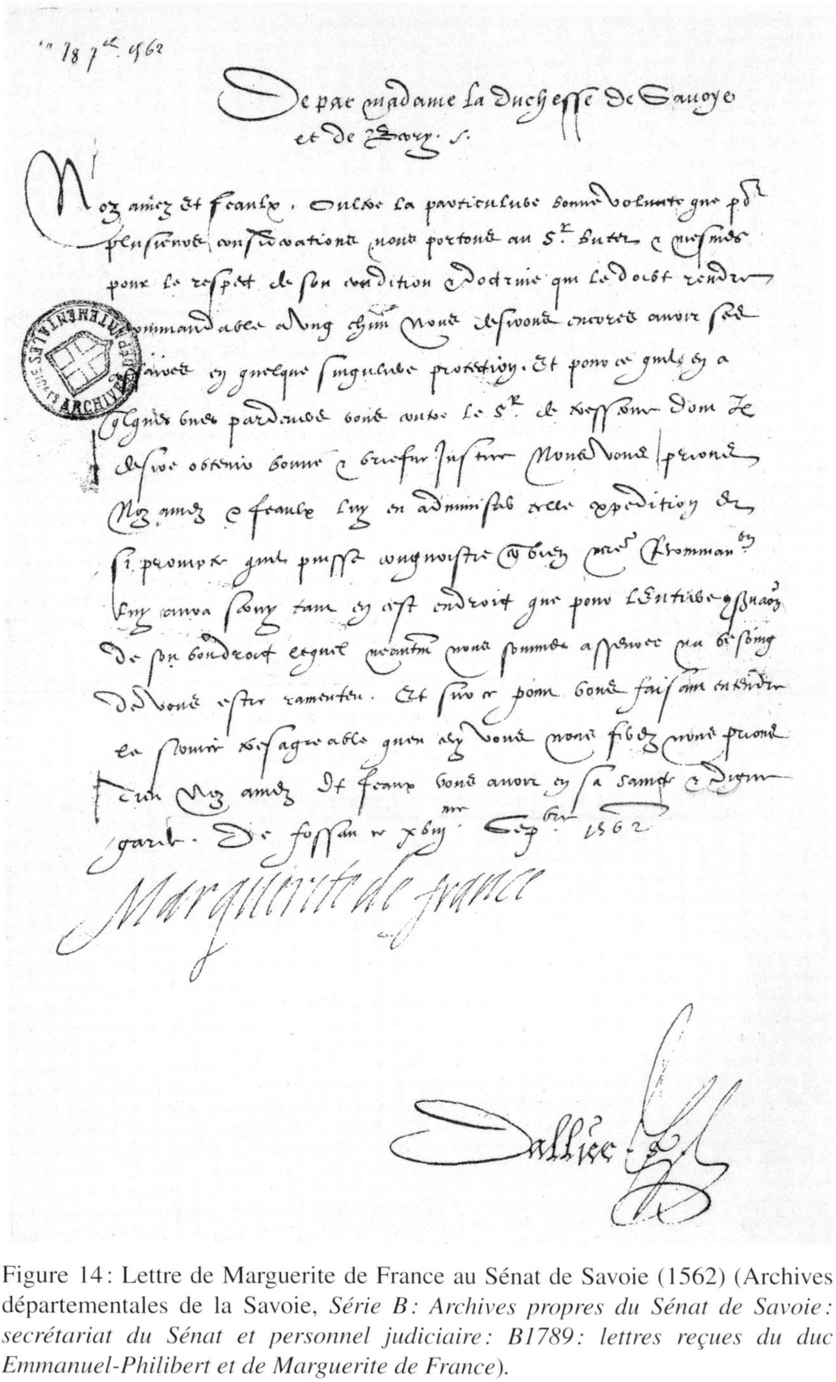

Figure 14: Lettre de Marguerite de France au Sénat de Savoie (1562) (Archives départementales de la Savoie, *Série B: Archives propres du Sénat de Savoie: secrétariat du Sénat et personnel judiciaire: B1789: lettres reçues du duc Emmanuel-Philibert et de Marguerite de France*).

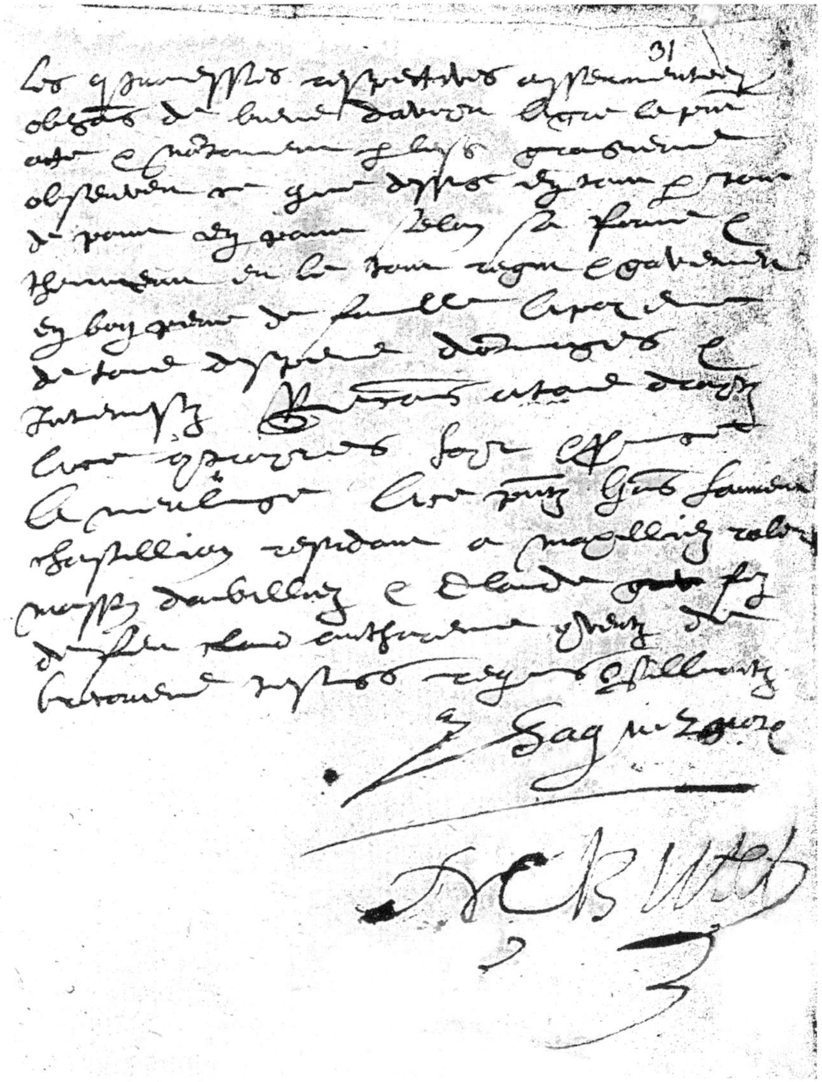

Figure 15 : Un acte du 18 février 1583 portant la signature de Marc-Claude de Buttet (Archives d'État, Genève, *Archives notariales : Hugues Paquet : IX*, fol. 31 r°).

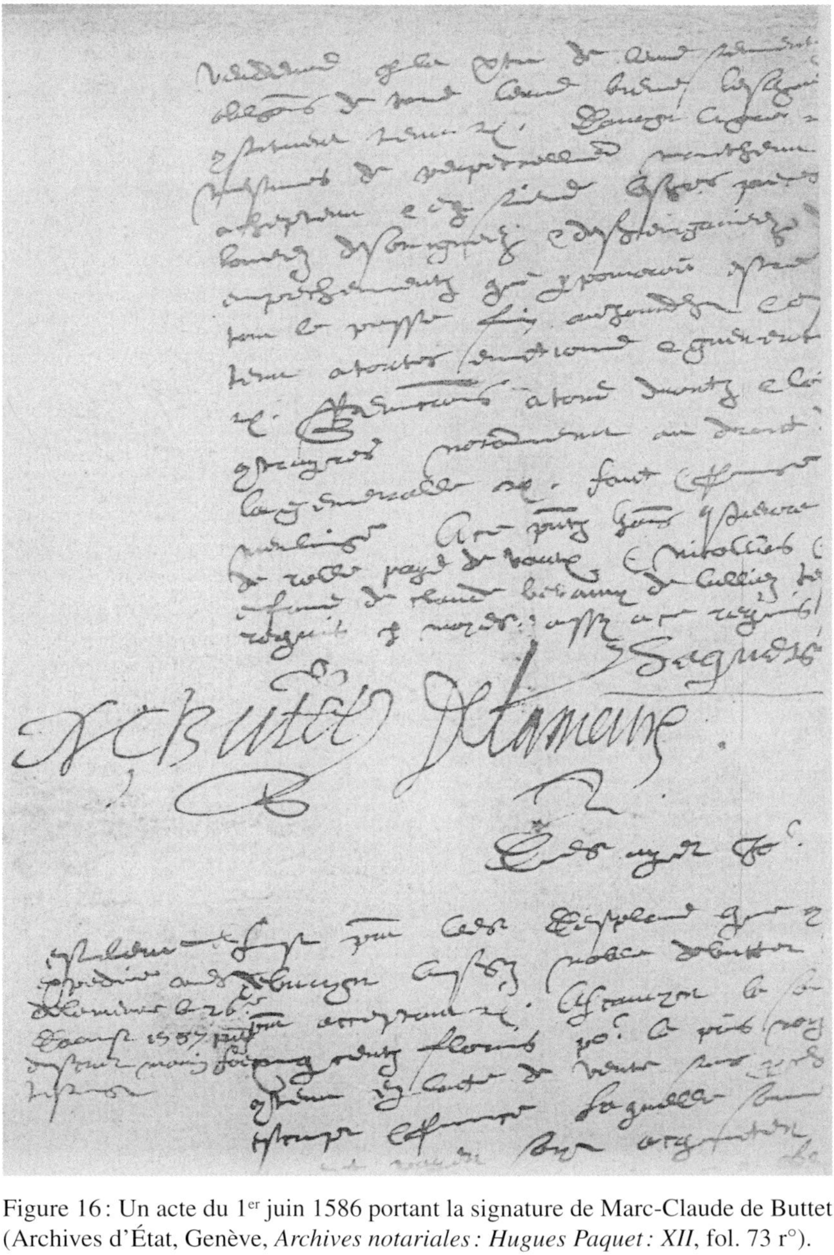

Figure 16 : Un acte du 1er juin 1586 portant la signature de Marc-Claude de Buttet
(Archives d'État, Genève, *Archives notariales : Hugues Paquet : XII*, fol. 73 r°).

MADAME, je supplie l'Éternel vous vouloir conserver en santé, heureuse & longue vie, & continuer les dons & graces dont tousjours il vous a esté liberal & favorable.

De vostre excellence le tres humble & tres obeissant sujet & serviteur, Marc Claude de Buttet.

Appendice 2

UNE ŒUVRE RETROUVÉE : *CHANT DE LIESSE* (1563)

Pendant longtemps une certaine ambiguïté entourait la publication de deux œuvres de Buttet : le *Chant de liesse*, commémorant la remise en santé du duc Emmanuel-Philibert, et le *Sur la venue [... d']Anne d'Este*, fêtant l'entrée à Annecy du duc et de la duchesse de Nemours. La plupart des bibliographies des œuvres de Buttet ne mentionnent pas ces deux compositions[1]. A une exception près, ceux qui les mentionnent soutiennent qu'elles furent publiées en 1563 dans un seul tome. Mugnier, pourtant, doute d'un tel regroupement, car ce n'est qu'en 1566 qu'Anne d'Este devint duchesse de Nemours[2]. La rareté des exemplaires a sans doute contribué à cette incertitude. On a même suggéré que les deux œuvres étaient perdues ou qu'elles n'ont jamais existé[3]. Pourtant, au cours de nos recherches aux Archives de Turin, nous avons eu le bonheur de trouver un exemplaire de chacun des deux compositions[4]. Chaque exemplaire dispose

---

[1] Seuls les suivants en font mention : C. M. Pillet, « Buttet (Marc-Claude de) », *Biographie universelle, ancienne et moderne*, éd. M. Michaud, 45 vols (Paris, A. Thoisnier Desplaces, 1843-1865), 396-397 ; J. Philippe, *Les Poètes de la Savoie* (Annecy, J. Philippe, 1865), p. 23 ; C. Burdin, *Notice sur la vie et les œuvres du poète Marc-Claude de Buttet, gentilhomme savoisien* (Chambéry, Albane, 1872), p. 17 ; A. Philibert-Soupé, *Les Œuvres de Marc-Claude de Buttet*, p. xvii ; le Bibliophile Jacob, *Œuvres poétiques de Marc-Claude de Buttet*, I, xxix ; E. Ritter, « Recherches sur le poète Claude de Buttet et son Amalthée » *in Compte rendu du Congrès des sociétés savantes de la Savoie tenu à Thonon les 20, 21 et 22 août 1886* (Thonon, Dubouioz, 1886), pp. 133-160 (p. 155) ; F. Mugnier, *Marc-Claude de Buttet*, p. 58 ; G. Pérouse, « Marc-Claude de Buttet », *Causeries sur l'histoire littéraire de la Savoie*, 2 vols (Chambéry, Dardel, 1934), I, 109-146 ; H. Arminjon, « Marc-Claude de Buttet en son temps » (communication faite à l'Académie de Savoie, sciences, belles-lettres et arts le 19 novembre 1986).

[2] *Op. cit.*, pp. 58-59.

[3] Voir Ritter, *op. cit.*, p. 155 ; Mugnier, *op. cit.*, pp. 58-59.

[4] AST, Prima Sez., Biblioteca antica, I, VII, 30 (*Chant de liesse*) ; Biblioteca antica, I, VII, 5.1 (*Sur la venue*). Voir *infra*, Bibliographie des œuvres de Buttet, n° 15 et n° 16.

de sa propre page de titre[1], et rien ne donne lieu de croire que les deux
ouvrages aient été publiés dans un seul tome. La page de titre du *Chant de
liesse* porte la date de 1563. En revanche, la page de titre du *Sur la venue*
ne porte pas de date, mais nous croyons, comme Mugnier, que cet ouvrage
ne fut pas publié avant 1566, l'année de l'entrée qu'elle commémore[2].

CHANT DE LIESSE

(i) Détails bibliographiques

CHANT DE LIESSE/SUR LA CONVALESCENCE DE/TRES
ILLUSTRE/PRINCE/EMANUEL/PHILIBERT/DUC/DE/SAVOIE/A
CHAMBERI/DE L'IMPRIMERIE DE F. POMAR/1563. In-8 de 4 fols
non chiffrés. Aucune signature. Sur la page de titre, note manuscrite (de la
main de Buttet semble-t-il): « Authoris. M. Claudii Butteti Sabaudi/
Munere./ E.P. Pingon. »[3]

(ii) Texte

Au duc remis en santé [4]

Le haut Père éternel et souverein monarque,
Qui d'œil non jamais clos tout l'univers remarque,
Loin de nous au besoin ne cachant ses douceurs,
A entendu des bons les cris confus aux pleurs
5   Et les vœux, car voiant qu'Atropos[5], ennemie,

---

[1] Voir les figures 9 et 10.

[2] Pour ce texte, voir *infra*, appendice 3.

[3] Sur Emmanuel-Philibert de Pingon, voir *supra*, pp. 110-113. Pour cette dédicace, voir la figure 9.

[4] Le duc Emmanuel-Philibert (1528-1580) tomba malade à Rivoli au mois d'août 1563. Voir Emmanuel-Philibert Pingon, *Emmanuelis Philiberti Pingonii [...] vita*, p. 28; W. Stevens, *Margaret of France*, p. 242.

[5] Une des trois Parques qui filent la trame de la vie des hommes. Contrairement aux recommandations de Du Bellay (*Deffence*, II, vi), Buttet ne gallicise pas la forme grecque Ἀτροπος.

Heureux Duc PHILIBERT, de ta faillante vie,
Ja tranchoit le fillet, à ton aide soudein
Est venu empogner & retirer sa main,
Puis favorable a dit : 'O filles trop cruelles,
10   Tirés plus long le fil de ses années belles.
Je veu qu'EMANUEL premier aille appaisant
Des grands vagues & vens ce grief trouble nuisant
A la nacelle à Pierre¹, ores en flanc forcée,
Qui ja seroit sans moi au rivage cassée.
15   Le viel siege Romain des tourbillons battu,
Se rafferme en ses gons par sa forte vertu.
Que bien tôt il garrotte & que robuste il lie
De cent chaînes d'erein Mars en sa felonnie,
Affin qu'ores les bras, sous tant de fers lassés,
20   Ne soient veuz derechef aux allarmes forcés.
Ah, trop jusques ici la terre désolée
Et la mer a rougi de sang humain soûlée,
Donc, Parques, ne bougés : par un massacre tel
Je ne veux abolir ce las genre mortel.
25   Respirent maintenant les terres, enfin gaies
De tant de maux passés, & pancent leurs grands plaies,
Et l'attendue Paix, ces bas lieux recherchant,
Douce mere aux humains, partout aille marchant'.
Il parla. De là-haut, avec pronte ambassade,
30   Le vollant Gabriel² fondit bas au malade.
Suis-je trompé ? Comment ? Ne flamboioit encor
En sa divine main un beau grand vase d'or ?
Celeste, outrepassant les hauts marbres des chambres,
Il s'en vint. Doucement il oint ses ardens membres.
35   Du corps roide-abbatu la cruelle langueur
S'enfuit, et jettant hors en ardente vapeur,
Une Méphitis³ chaude est lors de lui faillie,
S'engoufrant au bas Styx d'où elle étoit saillie.

---

¹ « A la nacelle à Pierre » : référence métonymique au catholicisme. Buttet fait sûrement allusion aux Guerres de Religion.
² L'ange Gabriel, messager de Dieu.
³ Méphitis : déesse romaine qui détourne les exhalaisons nocives.

Tôt ce divin héraut, de ces lieux éplorés,

40   Ses grands ailes ouvrant aux beaux pourfils dorés,
Depart comme un eclair : ainsi qu'il print carriere,
Le palais se comblant d'odorante lumiere,
A merveilles partout lors fut resplendissant,
Et lui en l'air, à coup tout s'évanouissant

45   Et se poussant bien haut, tourne son beau visage,
Pareil aux vens legiers & au songe vollage.

Il n'a été permis en tel avenement
Voir le celeste gars qu'à toi tant seulement,
Et certes à bon droit, Ô FLEUR DES MARGUERITES[1],
Car ja Déesse grande es, hauts cieux tu habites.
Les puissans immortels (aiant de ton œil beau
Sagement devoilé le terrestre bandeau)
Au mesme estre qu'ils sont en leurs celestes temples,
Sans nue clerement vis-à-vis tu contemples.

55   Tu les vois, tu les suis, & d'eux ce bien tu as
Que tu jouïs du ciel, mesmement ici-bas,
Et pourrois (ja égale aux déesses premieres)
Preter, s'il te plaisoit, l'oreille à noz prières.

Or magnanime duc, puisque le Tout-Puissant[2]

60   A fet si grand miracle en ton corps finissant,
Il faut que ta santé, mise en sa force entiere,
Dès meintenant te soit plus qu'auparavant chere.
Un si dine present qui tout de là-haut vient,
Bien que[3] te soit donné en part nous apertient :

65   Car notre santé mesme i est conjointe pource
Qu'elle depend de toi, comme l'eau de sa source.

---

[1] Jeu de mots fréquent sur le prénom de Marguerite de France (1523-1574), fille de François Ier, femme d'Emmanuel-Philibert, et mécène de Buttet (voir *supra*, pp. 31-33 et *passim*). Pour ce même jeu de mots, cf. Buttet, *L'Amalthée*, éd. Alyn Stacey, p. 115 ; Du Bellay, *Œuvres de l'invention de l'auteur,* éd. H. Chamard, STFM, 5 vols (vols 1-2, Paris, E. Cornely ; vols 3-5, Paris, Hachette, 1908-1923), IV, 156, VII, « Les deux Marguerites », vv. 4, 33, 135 et *passim*.

[2] Périphrase dans le goût classique pour Jupiter.

[3] « Bien que » : dans le texte original on lit « Bien qui », coquille que nous avons corrigée.

           Tu nous es de là-haut & donné & rendu ![1]
           Ah, fai que notre espoir en fin ne soit perdu !
           Ni de ton fils petit, qui ja riant t'apelle[2],
70   Ni de sa mère aussi, ta compagne fidelle[3],
           Seule dine entre tant par ce sacré lien
           D'aggrandir sous le ciel ton sang herculien[4].
           Il est certein à tous qu'elle étoit resolue,
           Si par toi le destin à ce coup l'eût voulue,
75   De te suivre bientôt, et, pour te secourir,
           Encores plusieurs fois elle eût voulu mourir.
           Fut soir ou fut matin, tousjours de toi procheine,
           Mise après ta santé, en obliant la sienne,
           Chetive remontrant un vrai amour parfet,
80   Qu'est-ce qu'elle faisoit ? Qu'est-ce qu'elle n'a fet ?
           Sans sommeil, sans repos, angoissée en son ame,
           Montrant un cueur viril en tendre corps de femme,
           Outrepassant sa force & ne flechissant bas,
           Et plus forte au besoin que femmes ne sont pas.
85   Que te doi-je amener ? Ses larmes abondantes,
           Ses soupirs, ses sanglots, ses pleintes gemissantes ?
           Et sous le pesant faix d'un monde de douleurs,

---

[1] Sur cette notion traditionnelle, voir par exemple Erasme, *Institutio principis christiani* (Bâle, Froben, 1516), I, 151 ; voir aussi L.K. Born, *The Education of a Christian Prince*, Records of Civilization 27 (New York, Octagon Books, 1973), p. 44 et *passim*.

[2] Charles-Emmanuel (1562-1630). Sur le sonnet que Buttet écrivit pour commémorer le baptême du prince le 9 mars 1567, voir *supra*, p. 50.

[3] Marguerite de France.

[4] Sur l'origine herculéenne de la maison de Savoie, prétention assez tardive par rapport à ailleurs, voir M.R. Jung, *Hercule dans la littérature française du xvi° siècle : de l'Hercule courtois à l'Hercule baroque*. THR 79 (Genève, Droz, 1966), pp. 60-61. Buttet exprime la même idée dans son *Épithalame*, fol. 4 r°, vv. 24-26 : « Estant sorti du sang des puissans Empereurs,/ Et vieux Princes Saxons (descendance certene/Du grand Tirynthien fils de la belle Alcmene » ; voir aussi *Le Premier Livre des vers*, II, éd. Fezandat, fol. 41 r°, II « Sur la mort de tres illustre prince Charles IX [*sic*] duc de Savoie », vv. 61-66 :

> Si pour ton tige élever,
> Ton filz pousse ma hardiesse,
> J'irai ta grand'race treuver
> Jusqu'au fond de l'antique Grèce :
> Et montrerei nés tes aieux,
> Du sang d'Hercule merveilleux.

Doi-je mesme émovoir et attirer tes pleurs ?
Conterei-je ses vœux en sa demande dine,
90   Et à ses justes vœux la majesté divine,
Tant de fois appellée, en dueil si violant,
Qui présente l'otoit & l'alloit consolant ?
        Donq'à elle, ô bon duc (où tant l'amour te pousse
Que pour la racheter la mort te seroit douce),
95   Vi, & te porte bien, et pour longtens l'avoir !
Ren-lui tousjours ainsi un semblable devoir.
        Certeinement on tient que la vertu entiere
Se soucie bien peu de la douée lumiere
Des lons jours incerteins, mesmes des plus plaisans,
100   Sans aucune fraieur prodigue de ses ans.
Sur quoi, si de tes fais tu veux fere reveue,
Et de ta renommée or egale & venue
Aux clairs astres, en tout non pareille pourtant,
Peut-estre tu diras que : « Va l'on souhaitant
105   Que je vive en ces lieux aux plus heureux molestes ?
N'a asses le Renom à parler de mes gestes ? »
        Cellui seul entre tous vraiement connut bien
L'heur ample des briefs jours du Macedonien[1],
L'estimant en ses fais, partant de durs passages,
110   Plus meur & plus aagé que trois viels Nestors sages[2].
Ses ouvrages hauteins lui allerent offrant,
Comme il le meritoit, l'immortel nom de « grand »,
Mais s'il eût plus vécu, d'une gloire supresme
Surmontant tout, il eût surmonté son nom mesme,
115   Et lus eût la longueur de sa vie ajouté,
Ce que le tens trop court à tort lui a oté[3].
        L'Afrique lui restoit & l'Espagne dontable,
Et la France autrefois au monde redoutable.
Allemagne, & aussi ton long col inconnu

---

[1] Alexandre le Grand, roi de Macédoine.

[2] Nestor, célèbre pour sa sagesse et son éloquence, survécut à trois générations d'hommes.

[3] Vv. 106-116 : sur le thème du triomphe qui confère l'immortalité, voir F. Joukovsky, *La Gloire dans la poésie française et néolatine du xvie siècle : des Rhétoriqueurs à Agrippa d'Aubigné*, THR 102 (Genève, Droz, 1969), pp. 421-515.

120 Dessous son puissant joug contreint n'estoit venu,
Ni Romme, par le sac de toi sa mère, ô Troie,
Connue seulement, non encores par proie,
Le chef du monde émeu, ains mise bien avant,
Dessous le grand destin de l'empire suivant,

125 Elle avoit ja produit, en épreuves certeines,
Innombrables guerriers & vaillans capiteines.
Aussi peu n'avoit-il ce fier peuple touché
Qui voit l'ardent soleil dans ses ondes couché :
L'arrogante Angleterre, à bon droit écartée

130 Des trois plus grandes pars de la terre habitée[1].
            A quel sommet d'honneur se voioit-il venir,
Si de l'aage plus long il eût peu obtenir
De ranger sous ses loix tant de terroirs étranges ?
Quel accroissement d'heur à ses hautes louanges ?

135   Si donques ta vertu, mise en bruit éternel
Par tes heureux combas[2], ton pais paternel
A la fin t'a rendu, dontant tes aversaires[3],
Vi, et ne crein l'effort de tes plus fors contraires.
Encor sur l'ennemi des triomphes nouveaux

140 Te sont gardés du ciel, plus notables & beaux,
Et si ajouteras par tes foudres belliques
Encor'nouveaux honneurs à tes honneurs antiques,
Ton domeine ample & grand tes hauts fais fonderont
A ton fils, qui l'attend, et de là monteront

145 De ta race suivante innumerables septres.

---

[1] Référence aux trois continents connus à l'époque : Europe, Afrique et Asie.

[2] Sur le lien entre le bruit et la gloire, voir Joukovsky, *op. cit.,* pp. 339-347.

[3] En 1536, François Ier enleva à Charles III, père d'Emmanuel-Philibert, la Bresse, le Bugey, le Valromey, le Gex, la Savoie et une grande partie du Piémont. Les Valaisiens s'emparèrent de la plupart des territoires du Chablais. Par le traité du Cateau-Cambrésis (1559), la France rendit à Emmanuel-Philibert presque toutes les régions qu'elle avait saisies. Le duc regagna Turin, Chieri, Chivasso et Villeneuve d'Asti en 1562, et Pignerol et Savigliano en 1574 ; par le traité de Lausanne (1564), le Gex et une partie du duché de Chablais lui furent rendus. Par le traité de Thonon (1569), il regagna encore des terres du duché de Chablais. Sur la prouesse militaire d'Emmanuel-Philibert, voir S. Guichenon, *Histoire généalogique de la Royale Maison de Savoye*, 2 vols (Lyon. G. Barbier, 1660), I, 704-874.

Asseure-le en son roch, par-dessus tes ancetres
Si puissant & si fort, que du tens le pouvoir
Ne le puisse à jamais abbatre ni mouvoir.
Ceci est vraiement de la vertu l'ouvrage :
150   Peut-estre la Fortune i prend quelque partage.
          Or donques vi & vi, et après l'aage tien,
(Aiant passé cellui du vieillard Pylien[1]),
Le plus tard que pourras laissant ton faix terrestre,
Et rendu pur et clair, va prendre immortel estre,
155   Comme tu dois là-haut aux astres glorieux,
Bien heureux te jognant à la trouppe des dieux !
Quant à moi, en voiant florissante ta vie,
Je ne saurois avoir aux celestes envie,
Vinssent-ils m'appeller à leurs divins repas[2].
160   Et toi, vivant encor'seur, je ne creindrai pas
Du plus cruel destin les diverses atteintes,
Mesme le trait meurtrier de la foudre à trois pointes.

FIN

---

[1] Périphrase pour Nestor, roi de Pylus. Buttet s'inspire du dicton latin « Vivere Nestora totum ».

[2] Vv. 153-159 : notion platonicienne/néo-platonicienne. L'âme, une fois libérée du corps et de tout vice (vv. 153-154), remonte la hiérarchie cosmique et s'approche de l'Idéal, le primum mobile (vv. 155-156), pour jouir de son immortalité (v. 154). « Divins repas » (v. 159) est une référence oblique à l'ambroisie, nourriture des Dieux et symbole platonicien de l'immortalité. Toutes ces idées se trouvent chez Platon, *Phèdre*, 245C-256 ; voir aussi Marsile Ficin, *Commentarium in Phedrum*, publié dans *Marsilio Ficino and the Phaedran Charioteer*, éd. M.J.B. Allen, Centre for Medieval and Renaissance Studies UCLA (Berkeley, Los Angeles, London : University of California Press, 1981), pp. 86-110, V-IX ; *Commentum cum summis capitulorum, ibid.*, pp. 144-180, XV-XXX.

Appendice 3

UNE ŒUVRE RETROUVÉE :
SUR LA VENUE [... D']ANNE D'ESTE (1566)

Nous avons déjà signalé l'ambiguïté concernant la publication, voire l'existence, de cette œuvre commémorant l'entrée d'Anne d'Este et Jacques de Savoie à Annecy en 1566[1]. Publiés sans doute vers 1566, les quatre sonnets de cette œuvre furent republiés dans *L'Amalthée* de 1575[2]. Nous signalons les variantes en bas de chaque sonnet.

SUR LA VENUE [... D'] ANNE D'ESTE

(i) Détails bibliographiques

SUR/LA VENUE DE/TRES ILLUSTRE PRINCESSE/ANNE D'ESTE/ DUCHESSE/DE/NEMOURS/ET/GENEVOIS/EN/SA/VILLE/ D'ANNESSI./ A CHAMBERI/DE L'IMPRIMERIE DE F. POMAR. In-4, 5 fols non chiffrés. Aucune signature. Sur la page de titre, note manuscrite (de la main de Buttet semble-t-il) : « Don/de Marc Claude de Buttet/Autheur/[en-dessous d'un trait horizontal :] A son entier amy. E. P. Pingon. »[3]

---

[1] Voir *supra*, appendice 2. Sur cet évènement, voir C. A. Ducis, « Entrée de Jacques de Savoie et Anne d'Este à Annecy », *Revue savoisienne,* 24 (1883), 16-17 ; *idem,* « Anne d'Este duchesse de Genevois et de Nemours », *Revue savoisienne,* 32 (1891), 6-33. Sur le duché Genevois-Nemours sous Jacques de Savoie et Anne d'Este, voir R. Avezou, « Le rôle d'Annecy aux XVe-XVIe siècles. Les apanages : comté de Genevois et duché de Genevois-Nemours », *Annesci,* 12 (1965), 9-27 (pp. 24-26).

[2] Voir *L'Amalthée*, éd. Rigaud, pp. 104-105 ; éd. Alyn Stacey, pp. 248-51, CLXXXVII-CXC.

[3] Sur Emmanuel-Philibert de Pingon, voir *supra*, pp. 110-113 ; pour la dédicace, voir la figure 10.

(ii) Texte

[I]

Fleuves roide-courans d'une éternelle trace,
    Arrestés coi voz flots maintenant ébais ;
    0 mons, tertres & bois, ô dieux de ce pais,
4   Ecartés-vous un peu, & humbles faittes place ;
Durs rochers, fendés-vous : il faut que par vous passe
    Une déesse grande. Ouvre donques tes huis,
    0 ville, à ton grand heur, & soient mesme éjouïs
8   Tes murs, pour maintenant voir leur princesse en face.
Et toi, lac azuré, de ton verdissant bord
    Tes plaisirs jusqu'au ciel retentissent bien fort,
11   Recevant, fortuné, la gloire à toi baillée.
Ores à tout jamais donne au vent le souci,
    Et publie partout que cette terre ici
14   De ses plus grands beautés la France a dépoillée[1].

Variantes de *L'Amalthée* (1575), éd. Alyn Stacey, p. 248, CLXXXVII

3. 0 mons, tertres, ô bois, ô dieux de mon païs
4. Tirés vous à l'écart, & humbles faites place
5. Gais rochers fendés vous : il faut qu'en ce lieu passe
7. 0 ville, à ton bon heur, mesmes soient éjouïs

---

[1] Allusion à l'ascendance française d'Anne d'Este (1531-1607) : par sa mère, Renée, elle était la petite-fille de Louis XII de France. Entre 1549 et 1563, elle fut la femme de François de Lorraine, duc de Guise.

[II]

LE PRINCE[1] qui n'a peu son hardi cueur soûler
   De mettre pour la France[2] & les biens & la vie,
   Dontant ses ennemis, tous enragés d'envie,
4   Mutins prenans le fer pour meurtriers la voller,
  Le duc sage & vaillant, qui puissant fit couler,
   Comme la cire au feu, l'ardente felonnie
   Des traîtres étandars & l'armée infinie,
8   Vint au plus grands dangers sous sa vertu fouler.
  Brief, le duc de Nemours, qui, par sa résistance,
   Fut veu un grand rampart à l'ébranlée France,
11   Par qui, sans nul repos, veincueur il a vécu,
  Maintenant pour l'amour reposant sa prouesse,
   Pris au sein désiré d'une demi-déesse[3],
14   Vit content de se voir heureusement veincu.

Variantes de *L'Amalthée* (1575), éd. Alyn Stacey, p. 249, CLXXXVIII

2. D'emploier pour la France, & les biens, & la vie
3. Dontant ses fiers haineux, tous enragés d'envie

---

[1] Jacques de Savoie (1531-1585). Fils de Philippe de Savoie, frère cadet du duc Charles III de Savoie, il était le cousin germain du duc Emmanuel-Philibert. Voir M. Bruchet, *Étude biographique sur Jacques de Savoie, duc de Genevois-Nemours* (Annecy, Abry, 1898); L. Cramer, *La Seigneurie de Genève et la maison de Savoie de 1559 à 1603*, 4 vols (Genève, A. Köndig; Paris, A. Julien, 1912-1958; vol. 4 par A. Dufour), *passim*.

[2] En 1550, par exemple, Jacques de Savoie était ambassadeur extraordinaire d'Henri II; en 1558 il était nommé au poste de commandant de la Cavalerie légère; pendant les Guerres de Religion, il aida les catholiques contre les protestants. Voir L. Romier, *Les Origines politiques des Guerres de Religion*, 2 vols (Paris, Perrin, 1913-1914; Genève, Slatkine Reprints, 1974), I, 77, 126, 223 et *passim*.

[3] Anne d'Este.

[III]

Comme au ciel le soleil perd tout autre flambeau,
　　　　　Le feu les elemens plus haut surpasse encore,
　　　　　Comme l'or plus exquis ses frères décolore,
4　　　　　Comme le Rosne & Paud tonne sus un ruisseau,
　　Et comme l'aigle on voit le roi de tout oiseau,
　　　　　Et le lion veincueur des bestes qu'il devore,
　　　　　Ce prince entre ceux-là que nostre siècle honnore
8　　　　　Apparoit plus vaillant, plus admirable, & beau.
　　Et sa divine épouse autant les autres passe,
　　　　　Que la perle ahontit les pierres qu'on enchasse,
11　　　　　Que la rose au printens nous plaît sur toute fleur.
　　0 ciel qui or sur nous prodigues tes largesses,
　　　　　Meintenant tu fais veoir des princes & princesses
14　　　　　En un si rare pair joinct ensemble l'honneur.

Variantes de *L'Amalthée* (1575), éd. Alyn Stacey, p. 250, CLXXXIX

3. Comme le plus fin or ses freres décolore
11. Que la rose au printens nous rid sur toute fleur

[IV]

« DIEU du ciel, qu'ai-je fait », (disoit la triste France),
Qu'ainsi tant de malheurs m'ont accablé le dos !
Mille glaives tranchans j'ai senti jusqu'aux os,
4   Saisie, saccagée, & pillée à outrance.
Mes deux rois estans mors[1], mes eaux en abondance
Au sang de mes enfans ont taints leurs flots dispos[2],
Cependant tu vivois amie du repos,
8   Fortunée SAVOIE, en ta douée asseurance.
Et maintenant, hélas, avec tant de faveurs,
De grâces, de beautés, de biens, & de douceurs,
11   D'ANNE qui m'honnoroit ta main me déshérite.
Il te devoit suffire, (hélas, sans me donner
Ces nouvelles douleurs), d'avoir peu emmener
14   A mon plus grand besoin l'unique MARGUERITE[3] ».

Variantes de *L'Amalthée* (1575), éd. Alyn Stacey, p. 251, CXC

1. Dieu du ciel qu'ai je fait (crioit la povre France)
3. Tant de glaives tranchans sentir jusques aux os
4. Trahie par les miens, & meurtrie à outrance
5. Mes deux rois à l'envers, mes eaux en abondace
8. Fortunée Savoie, avec toute asseurance
9. Et maintenant sur moi gagnant tant de faveurs
10. De graces, de beautés, d'attraicts, & de douceurs

FIN
ΚΕΡΑΣ ΑΜΑΛΘΕΙΑΣ

---

[1] Allusion à la mort d'Henri II en 1559 et à celle de François II en 1560.
[2] Allusion aux Guerres de Religion.
[3] Marguerite de France (1523-1574), fille de François Ier, duchesse de Savoie et pendant longtemps le mécène de Buttet (voir *supra*, pp. 31-33 et *passim*).

Appendice 4

Un poème inédit :
« C'est bien force, ô mon cœur, que tu sois consumé »

La source du texte que nous reproduisons est l'abbé Morand[1]. Selon Morand, Buttet aurait retranscrit lui-même ce poème à la fin d'un « recueil de poésies » signé de son nom. Au XIXᵉ siècle ce recueil appartenait à Jean Faga, bibliophile chambérien, mais il est à croire qu'il périt ou fut perdu lors de l'incendie à la maison Angleys à Chambéry en 1872.

> C'est bien force, ô mon cœur, que tu sois consumé,
> Puisque de tant d'ennuis ma vie est combatue,
> Et que de l'œil divin qui l'esprit m'a charmé,
> 4   La présence me brusle et l'absence me tue.
>
> Mais quel dieu favorable et propice à mes vœux
> Me peut faire espérer que mon malheur finisse,
> Si vaincu du destin je ne puis ny ne veux
> 8   M'affranchir du trépas qu'en courant au supplice ?
>
> Craignant estre en l'absence estouffé de mes pleurs,
> Je cours vers ces beaux yeux qui m'ont embrazé l'ame.
> N'est-ce pas en fuiant rechercher les doleurs,
> 12   De peur de me noier me jetter dans la flamme ?
>
> Hélas il paroit bien qu'ung estrange poison
> Rend fatal et mortel l'amour qui me possède,
> Puisqu'au lieu de chercher et treuver guerison
> 16   Le changement du mal me tient lieu de remède.

---

[1] « La Savoie et les Savoyards au XVIᵉ siècle », pp. 366-367. Voir *infra*, Bibliographie des œuvres de Buttet, n° 37.

Si faut-il rompre enfin ce cordage amoreux
Bien qu'il puisse lier l'ame la plus sauvage,
Et penser désormais qu'il est bien malheureux
20   Qui peut vivre en franchise et se meurt en servage ?

Mais non, ne fuions point cest amoreux soucy.
Rien n'est doux sans amour en ceste vie humaine :
Ceux qui cessent d'aymer cessent de vivre aussy,
24   Et vivent sans plaisir comme ilz vivent sans peine.

Les soucis des humains ne sont que vanité.
D'ignorance et d'erreur toute la terre abonde,
Mais constamment aymer une rare beauté
28   C'est la plus douce erreur des vanitez du monde.

Aymons doncq et portons jusques dans le cercueil
Le joug qui n'a servi qu'aux plus braves courages,
Et souffrons sans gémir la rigueur d'ung bel œil :
32   Soyons au moins constans si nous ne sommes sages.

Appendice 5

UN SONNET INÉDIT À PROSPER DE GENÈVE :
« MAINTZ TOURS ACCORDS, EN MAINT DIVERTZ AFFAIRE »

Buttet dédia deux sonnets à Prosper de Genève[1]. L'un fut publié dans *L'Amalthée* de 1575 (éd. S. Alyn Stacey, p. 316, CCLV) et l'autre, celui que nous reproduisons ici, devait paraître dans la traduction des *novelle* de

---

[1] Sur Prosper de Genève (dates inconnues), seigneur de Lullin, Cursinge, Saint-Rambert, Saint-Germain, Ambérieu, Cervens, Entrembières, Monestier, Grangettes, Brissoigne etc., voir Foras, *op. cit.*, III, 80 :

[Il fut] conseiller d'état, chambellan, capitaine des archers de la garde avant 1562, colonel le 30 septembre 1584, puis général des gardes avant 1594 […] chevalier de l'Annonciade en 1569, ambassadeur en France, 1584, en Espagne où il accompagna, en 1585, le duc Charles-Emmanuel lorsqu'il alla s'y marier, […] un des plus vaillants compagnons d'armes d'Emmanuel-Philibert, à côté duquel il combattit à Saint-Quentin (1557). Il sauva ce prince d'un grand danger en 1560 lorsque le duc, se trouvant à Villefranche près Nice et voulant chasser le corsaire Ochiali qui avait débarqué au camp des Soupirs près Villefranche, aurait été fait prisonnier si Prosper ne l'avait forcé de se retirer. Il rencontra Jean Baptiste Cambiano de Ruffia, maître d'hôtel du duc, abandonné par son estafier qui avait fui avec les chevaux et qui, souffrant de la goutte, pouvait difficilement se mouvoir. Prosper mit pied à terre, fit enfourcher son cheval à Cambiano et, se voyant serré de près par l'ennemi, se jeta à la mer et gagna le port à la nage.

Signalons aussi quelques-unes des nombreuses références à cet homme que nous avons trouvées aux archives de Turin et de Savoie. Entre 1559 et 1572, le « seigneur de Lullin, gentilhomme de la Chambre du duc et capitaine des archers » reçut paiement de la Trésorerie ducale : AST, Sez. Ri., *Camera dei conti di Piemonte : art. 86, reg. 1559-1561*, entrée n° 814 ; *art. 261, reg. 1561-1563*, fols 30 r°, 31 r°, 32 r° ; *art. 268., par. 4*, fol. 14 r° ; *art. 282, reg. 1562-1570*, fol. 1 r° ; *art. 373, par. 1, reg. 1572*, fol. 101 v°). Dans certains documents judiciaires, il est nommé « Chevalier de l'Ordre », allusion à son élection à l'Annonciade en 1557 (Guichenon, *Histoire de Bresse et de Bugey*, première partie, p. 107), une élection fêtée par Buttet dans le sonnet qu'il lui adresse dans *L'Amalthée* : ADS, *Série B : Archives propres du Sénat de Savoie : arrests par écrit : B113 (1569)*, fol. 314 r° ; *Série SA : SA 1004 (1581-1582)*, fol. 122 r°. Entre 1566 et 1568, il est mentionné dans de nombreux procès : ADS, *Série B : Archives propres du Sénat de Savoie : arrêts civils et criminels rendus sur pièces vues et en audience*. D'autres documents font référence à ses terres : AST, Sez. Ri., *Camera dei conti di Savoia : inv. 5, reg. 4 (1565-1566)*, fol. 211 r° ; *inv. 6, reg. 1 (1559-1561)*, fols 174 r°, 176 r°, 332 r° ; *inv. 6, reg. 5 (1564-1565)*, fol. 260 r° ; *inv. 6, reg. 9 (1572)*,

Bandello que préparait Jehan de Piochet[1]. On connaît ce sonnet seulement grâce aux livres de raison de Piochet[2].

Au magnanime seigneur Prosper de Genefve,
sieur de Lullin, Chevallier de l'Ordre de Savoye,
auquel le sieur de Sallin a dedié ses troys histoires de Bandel.
Marc-Claude de Buttet
Sonet

Maintz tours accords, en maint divertz affaire,
Sur leurs maris des fammes intentez,
Pourtant au vif or nous sont presentez,
4   O de vertu, comme de nom PROSPERE.
L'italien BANDEL les voleut faire
Et mon PYOCHET les a presque inventez,
Pyochet cogneu entre les plus vantez
8   Qu'Apollon ayme et que Pallas revere.
Et vous, monsieur, qui vivez si heureux,
Libre du joug aux bons maris facheux,
11   Contemplez, s'il vous plait, leur naufrage,
Comme celluy qui en la haulte mer
Loing voyt du bord les aultres abismer,
14   N'aiant comm'eux esloigné le rivage.

---

fol. 83 r°; ADS, *Série SA : SA 1004 (1581-1582)*, fols 122 r°, 162 r°. Voir aussi ADHS, *Série J : Documents entrés par voie extraordinaire : 7J : Fonds du château de Marlioz; 7J65 Copies de lettres patentes d'Emmanuel-Philibert, duc de Savoie, faisant don à M. Prosper de Genève*, 16 mai 1569 ; *lettre de jussion*, 21 octobre 1579.

[1] Voir *supra*, pp. 46-47.

[2] ADS, *Série J : Piochet : livres de raison : inventaire de mes titres : 1J279/10*, fol. 8 r°. Voir *infra*, Bibliographie des œuvres de Buttet, n° 1.

Appendice 6

LE TESTAMENT ET CODICILLE DE MARC-CLAUDE DE BUTTET[1]

[Fol. 76 v°] Testament de noble Marc-Claude de Butet, bourgeois de Chambery

Au nom de Dieu, à tous soit notoire que l'an de nostre Seigneur Jesus Christ courant mil cinq cent huictante-six le vingt-neuvieme jour du mois de juillet par devant moy notaire public juré de Geneve, soubzsigné, et en presence des tesmoings apres nommez, s'est personnellement estably noble Marc-Claude de Butet, gentilhomme de Savoye, bourgeois de Chambery, lequel de son bon gré estant en son bon sens et entiere memoyre par la grace de Dieu, combien qu'il soyt detenu de malladye corporelle, considerant neantmoings et sçachant bien qu'il n'y a chose plus certaine que la mort ne plus incertaine que l'heure d'icelle, pour obvier à ce que apres son decez entre ses parens et successieurs ne se puisse mouvoir aucun procez ne different à l'occasion de ses biens et heritages par faulte de disposition testamentaire. Pour ces causes et autres bonnes considerations à ce le mouvant il a faict et ordonné par les presentes son dernier testament nuncupatif, derniere et extreme volonté nuncupatrice en la forme et maniere que s'ensuyt.

Premierement il rend grace à Dieu de tant de biens qu'il luy a faictz et singullierement de ce qu'il luy a donné la cognoissance et asseurance de son salut en nostre Seigneur Jesus Christ, nostre seul sauveur et redempteur, le priant qu'il luy face la grace de perseverer en l'invocation de son sainct nom jusqu'au dernier souspir de sa vye. Et puisqu'il a pleu à Dieu le visiter de ceste mallaldye [fol. 77 r°] en ceste cité, au cas qu'il viendra à y decedder, il supplye nos tres honnorés seigneurs et superieurs dudict

---

[1] AEG, *Archives notariales: Jean Jovenon: VI*, fols 76 v°-78 v°. Ces documents sont cités en partie par Dufour, « Notice bibliographique sur le 'Le Cavalier de Savoie', 'Le Citadin de Genève' et 'Le Fleau de l'aristocratie genevoise' », et par Mugnier, *Marc-Claude de Buttet*, pp. 133-139. Nous les reproduisons ici *in toto*.

Geneve vouloir permettre son corps estre porté à Chambery pour estre ensevely au tombeau de ses ancestres en attendant le jour de la bienheureuse resurrection. Et quant aux biens qu'il a pleu à Dieu luy donner en ce monde, il en dispose et ordonne par ce present son dernier testament en la maniere suyvante.

En premier lieu, donne et legue à l'hospital general de ceste cité de Geneve la somme de dix escus ; au college de ladicte cité, quarante escus ; et à la Bourse des pauvres estrangers dudict Geneve dix escus, lesdicts troys legatz payables pour une foys dans ung an apres son decez par ses heritiers apres nommez.

Item, donne et legue par droit de preciput et advantage à noble Pierre de La Mure, son nepveu, la somme de deux cents escus d'or sol, laquelle il prendra sur toute l'hoyrie dudict testateur avant tout partage, à la charge qu'il sera tenu, avant que pouvoir retirer ladicte somme, d'exhiber son testament paternel qui est entre les mains de sa mere.

Item, donne et legue à Marc-Claude Boulhet, son fillol, la somme de deux cens escus payable pour une foys par ses heritiers apres nommez, lorsqu'il sera en aage d'estudier en loix.

Item, donne et legue à tous et chascuns ses parents et autres qui voudroyent demander et prethendre droict sur ses biens et heritages, à chascun d'eux cinq solz pour une foys, les excluant et dejettant ce moyennant de tous ses biens et heritages.

Et pour ce que le chef et fondement d'ung chascun bon, parfaict, dernier [fol. 77 v°] et vallable testament nuncupatif et volonté extreme est l'institution de l'heritier, à ceste cause ledict noble Marc-Claude de Butet, testateur, en tous et chascuns ses autres biens, droictz, noms, raisons et actions, meubles, immeubles, presens et advenir quelconques en quelque lieu qu'ils soient assis et situés et en quoy qu'ils consistent desquels n'a point cy-dessus disposé ne ordonné, disposera ne ordonnera cy-apres, a faict et institué ses heritiers universelz et sa bouche les a nommez, assavoir le susnommé noble Pierre de La Mure, bourgeois dudict Chambery, son nepveu, noble Gaspard Boulhet, advocat au souverain Senat de Savoye seant à Chambery, aussi son nepveu, et nobles Jehan-Françoys et Balthazar Balein, aussi ses nepveux, bourgeois dudict Chambery, tous quatre ensemble pour la moictyé entiere de tous ses dicts biens et heritages. Et noble Jehan-Françoys Butet, fils aisné de feu Monsieur de Butet, demeurant au Bourgey, son cousin germain, faisant profession des loix, luy seul pour l'autre moictyé entiere de tous ses dicts biens et heritages, à la charge qu'iceluy noble Jehan-Françoys Butet, son dict nepveu, poursuivra ses estudes de loix qu'il a commencées, et au cas qu'il viendra à les quitter, il le dejette de tous ses dicts biens et heritages, nommant et instituant en son lieu et place audict cas et pour ladicte moictyé de tous ses dicts biens et heritages noble Amyed Butet, son neveu, escollier, de present estudiant à Thoulouse.

Et par lesquels ses heritiers susnommez ledict testateur veult et ordonne que tous ses debtes, legatz et autres choses par luy deues, disposées et ordonnées soyent payez et satisfatz [fol. 78 r°] à qui apartiendra.

Item, veult et ordonne ledict testateur que ledict noble Jehan-Françoys Butet, son dict nepveu et coheritier susnommé, retienne et soyt tenu prendre sur son partage la maison dudict testateur située à Sainct-Françoys, sans qu'il la puisse vendre ne alliener, mais qu'il la doibve garder pour luy et les siens legitimes successeurs, pour le nom et honneur de la maison. Et d'autant qu'icelle maison est située près l'Hostel-Dieu dudict Chambery, veult et ordonne qu'iceluy son dict nepveu soyt tenu payer audict Hostel-Dieu tous les ans perpetuellement à ung chascun premier jour de janvier ung escu de rente annuelle et perpetuelle sans touteffois aucun lods.

Cassant, revocant, annulant et mettant entierement au neant tous autres testamens, codicilz, donation à cause de mort et toutes autres dispositions de derniere volonté que par le passé pourroit avoir faictz, le present seul sien dernier testament nuncupatif et volonté extreme demeurant en sa force, vertu, et efficace perpetuelz. Et lequel a voulu et ordonné valloir par droict de dernier testament nuncupatif ou par droit de codicil, donation à cause de mort, fideicommis et par toute autre disposition de derniere volonté et meilleure forme et maniere par laquelle mieux pourra et debvra valloir, tant de droict que de coustume. Et si a prié et requis les tesmoings cy-apres nommez qu'il a à ces fins faict appeler que du contenu en son dit testament ils ayent souvenance pour en temps et lieu [fol. 78 v°] en pouvoir deposer la verité si requis en sont, moy notaire juré soubzsigné en prendre et recepvoir acte et instrument public pour l'expedier et clauses d'icelluy au proffict de tous ceux qu'il apartiendra.

Faict à Geneve dans la maison d'habitation dudict testateur ès presences de honnorable Jehan-Baptiste Desplans, Jaques Perraud, Guillaume Ogier [?], Claude Bogey, Claude Yves, Thomas Chaptier, Pierre de La Moithe, tans bourgeois que habitans dudict Geneve, tesmoigns à ce appellez et requis, et moy notaire public juré de Geneve.

[Signé :] Jovenon

[Fol. 79 v°] Codicil de noble Marc-Claude de Butet, bourgeois de Chambery

A tous soit notoire que l'an de nostre Seigneur Jesus Christ courant mil cinq cent huictante-six, le trentieme jour du mois de juillet, par devant moy notaire public juré de Geneve soubzsigné, et en presence des tesmoings apres nommez, s'est personnellement estably noble Marc-Claude de Butet, gentilhomme de Savoye, bourgeois de Chambery, lequel de son bon gré, estant en son bon sens et entiere memoyre par la grace de Dieu, combien qu'il soyt detenu de malladie corporelle [fol. 80 r°], sçachant avoir faict du jour d'hier son dernier testament nuncupatif par lequel il avoyt disposé de ses biens et heritages, et d'autant qu'il est permis de droict à ung chascun de faire codicil ung ou plusieurs et par iceux adjouxter ou diminuer aux testamens auparavant faictz, à ceste cause ledit noble Butet en codicillant et adjouxtant en son dit testament donne et legue par ce present son codicil et disposition de derniere volonté à honnorable Jehans-Baptiste Desplans, bourgeois de Geneve, la somme de vingt escus, payables pour une fois apres son decez par ses heritiers nommez en son dit testament.

Item, veult et ordonne ledit codicillant que chascun de ses heritiers nommez et institués en son dit testament soyent tenus payer pour une foys incontinent apres son decez à son serviteur qui le sert presentement, nommé Claude Couvaz, filz de Anthoyne Couvaz, de Brecoran en Savoye, la somme de vingt escus.

Item, donne et legue à Jaquema, femme de Claude Bougey, laquelle sert ledit codicillant en sa presente malladie, la somme de dix escus pour une fois payables incontinent apres son decez par ses dits heritiers du testament.

Item, donne et legue à noble Joseph Du Chesne, seigneur de La Viollette, docteur en medecine, bourgeois de Geneve, une esguiere d'argent qui apartient audit codicillant, laquelle veult luy estre delivrée incontinent apres son decez par ses dits heritiers nommez en son dit testament.

[Fol. 80 v°] *Item*, declaire ledit codicillant (comme il a cy-devant declaré et faict declarer) qu'il veult et entend que une piece de courtil expediée à Égrège Dagoneau et une piece de pré expediée au sieur Françoys Villain, lesquelles deux pieces ont appartenu à noble Pierre de La Mar, son oncle, estant mouvantes du fief de noble Jehan-François Bernard, citoyen et seigneur conseiller de Geneve, qu'il a entendu et voulu, veult et entend, qu'elles demeurent du fief et directe seigneurye dudit sieur Bernard, nonobstant toutes declarations qui se pourroient trouver au contraire. Et quant au surplus ledit codicillant a ratiffié, approuvé et confirmé par ce present son codicil son dit testament et tout le contenu en icelluy, lequel, ensemble le present codicil, il veult et ordonne estre perpetuellement vallables par droict de testament nuncupatif, par droict de codicil, donnation à cause de mort, fideicomys et par toute autre disposition de derniere volonté et meilleure forme et maniere par laquelle mieux pourront et debvront valloir tant de droict que de coustume. Priant les tesmoings cy-apres nommez qu'il a à ces fins faict appeller en avoir souvenance pour en temps et lieu en pouvoir depposer de la verité, si requis en sont, et moy notaire juré soubzsigné en recevoir acte et instrument public pour l'expedier et clauses d'icelluy au proffict de tous ceux qu'il apartiendra.

Faict à Geneve dans la maison d'habitation dudit codicillant ès presences de honorable Claude Gilber, noble Guillaume Varro, Jaques Perraud, Claude Myvelle et Henry Mathieu, Claude Bougey, tans citoyens, bourgeois que habitans dudit Geneve, tesmoigns à ce appellez et requis, et moy notaire public juré de Geneve soubzsigné.

[Signé :] Jovenon

Appendice 7

[Fol. 481 bis] Du 31 janvier 1595

Personnellement s'est constitué et establi honorable Jean Sermod, marchand, citoyen, agissant au present acte au nom et comme procureur de noble Gasparde de La Mure, faisant au nom et comme heritiere de feu noble Pierre de La Mure, son frere, heritier de feu noble Claude-Marc de Buttet [mot illisible]

Lequel, [mot illisible] pour acquitter ladite noble Gasparde de La Mure de la somme de dix escus d'or sol, par ledit noble Claude-Marc de Buttet donnés et legués à Jaquema, femme de honorable Claude Bogey, par son dernier testament reçu et signé par Jean Jovenon le 30 juillet 1586, ensemble de la somme de soixante-quatre florins deubs audit Bogey pour fournitures par luy faictes.

Baillie et vend [mot illisible] audit Claude Bogey sçavoir tous et chascun les meubles qu'il avoit entre mains dudit feu sieur de Buttet, et qui sont contenus en ung inventaire escrit de la main dudit Sermod en date du 28 de ce moys, sauf deux landiers de fert, pesant environ huict vingt livres, par ledit Bogey remis et delaissés audit Sermod.

Et ladite vente faite par ledit Sermod par le moyen de la somme de cent cinquante un florins de laquelle ledit Bogey donne entiere quittance envers les heritiers dudit feu noble de Buttet[2].

***

---

[1] AEG, *Archives notariales : Jean Jovenon : VI*, fols 481 bis-483 r°. Ces inventaires sont cités par E. Ritter, « Le Poète Claude de Buttet », *Revue savoisienne*, 36 (1895), 190-193.

[2] Ritter attire l'attention sur l'erreur de ce calcul : « dix écus sol font 105 florins qui, ajoutés à 64, donnent un total de 169 florins, et non pas de 151 ; ces chiffres ne concordant pas non plus avec le total de l'évaluation des meubles (79 florins 8 sous). Mais nous sommes assurés que ces différences n'échappèrent point aux contractants » (*art. cit.*, p. 193, n. 1).

[Fol. 482 r°] Inventayre faict et evaluation des meubles estans en la maison de Claude Bougey, lesquelz meubles ont esté laissés en ladite maison pour le deces de feu monsieur de Buttet, pour payement des parties, à forme du rolle par ledit Bougey produict le 28ᵉ janvier 1595

Premièrement, une coultre de plumes, vallant et estimée à 35 ff . .ff.   35

Plus, une couverte rouge, taxée . . . . .ff.   10

Item, servisoyr, taxé . . . . .ff. 3

Item, ung bois de lavemain, taxé . . . . .ff. 1

Item, une table, taxée . . . . .ff.   2-6

Item, ung chalict, taxé . . . . .ff. 3

Item, une escabelle, taxée . . . . .ff.   0-6

Item, une oulle de metal de cloche, pesant avecq son
couvercle 9 lb., taxé 5s . . . . .ff. 3-9

Item, ung brochet de cuyvre, pesant environ 4 lb., taxé 1 ff. lb . . .ff. 4

Item, une eschauffette de lotton, taxée six solz . . . . .ff. 0-6

Item, ung chandelier de lotton, taxé . . . . .ff. 0-6

[Fol. 482 v°]

Item, une cassette de lotton, taxée . . . . .ff. 0-4

Item, ung pot-de-chambre d'étain, taxé .ff. 0-10

Item, une forchette de fert, taxée . . . . .ff. 0-4

Item, une caisse fustiere, taxée . . . . .ff. 0-10

Item, ung levrault, taxé . . . . .ff. 3

Item, une broche de fert, taxée . . . . .ff. 0-4

Item, deux landiers de fert, taxes 2s lb., pesant . . . . .ff.

Item, deux autres landiers, pesant... taxés 2s lb . . . . .ff.

Item, ung coumacle, taxé . . . . .ff. 1

Item, 4 linceulx, taxez 2 ff. pièce . . . . .ff. 8

Item, ung mantil, taxé . . . . .ff. 0-6

Item, ung collet, taxé . . . . .ff. 0-3

Item, une chemise, taxée . . . . .ff. 0-6

***

[Fol. 483 r°] S'ensuict ce qu'est dheub à Claude Bogey par les hoirs de
Monsieur de Butet, fourny en l'année 1585 :

Premierement pour le louage de deulx chambres
(commencé le 6ᵉ may 1586) d'ung an et demy, monte . . . . .ff. 45-0-0
Plus, livré au serviteur dudit noble de Butet,
12 lb. pain bys à 2s 6d lb., monte ff.2-6-0
Plus, livré audit quand monsieur Bolliet vint en ceste ville,
4 lb. pain blanc à 3 ss la livre . . . . .ff. 1-0-0
Plus, pour ung quateron vin claret prins chez Isaye Comparet . .ff. 0-9-0
Plus, pour une payre pingeons pour ung soupper dudit
sieur Bolliet . . . . .ff. 0-10-0
Plus, en poyres . . . . .ff. 0-2-0
Plus, pour ung quarteron de vin audit soupper . . . . .ff. 0-9-0
Plus, pour une poule en la maladie dudit sieur de Butet . . . . . .ff. 1-0-0
Plus, pour la nourriture de deulx homes pendant deulx jours
entiers, lors du deces dudit sieur de Butet, à 15s par homme
pour chasque jour . . . . .ff. 5-0-0
Oultre ce que dessus doibvent les dits hoirs pour le legat faict
par ledit defunct noble de Butet à la femme dudit Bogey par
son dernier testament :
Dix escus vallant . . . . .ff.
Oultre aussy 6 florins livrez à noble Françoys de Butet, heritier
dudit defunct, lorsqu'il estoit malade au logis de la Grue en
ceste cité, et dont en appert par cedulle dudit heritier . . . . .ff. 6-0-0

_____

ff. 64-0-0

BIBLIOGRAPHIE

I. BIBLIOGRAPHIE DES ŒUVRES DE BUTTET

I. Manuscrits

1. Sonnet à Prosper de Genève
   Exemplaire : ADS, *Série J : Piochet : livres de raison : inventaire de mes titres : 1J279/10*, fol. 8 r° (voir la figure 13 et *supra*, appendice 5)
2. Sonnet « Je n'ai point veu au mont à double crest »
   Exemplaire : ADS, *Série J : Piochet : livres de raison : inventaire de mes titres : 1J279/10*, fol. 10 r° (voir *L'Amalthée*, éd. Alyn Stacey, p. 62, I)
3. Épigramme en latin
   Exemplaire : ADS, *Série J : Piochet : livres de raison : vol. G : 1J279/7*, fol. 166 r° (voir *supra*, p. 48)
4. A TRES ILLUSTRE PRINCESSE/MARGUERITE DE FRANCE/ DUCHESSE DE BERRI/. ODE/Par Marc Claude de Buttet Savoisien
   Exemplaire : BNF, ms. fr. 25446
5. In obitum
   Exemplaire : BNT, ms. X9, fols 16 v°-17 v°

II. Imprimés

6. APOLOGIE / DE MARC / CLAVD. DE BVTTET. / POVR LA SAVOIE, / Contre les iniures /& calumnies de / Bartholomé /Aneau. / A LYON, / Chez Angelin Benoist. / M.V.LIIII. In-8, 16 fols (non chiffrés). A-B⁸
   Exemplaires : BML : Rés. 358137 (voir la figure 1)

7. ODE A LA PAIX / Par Marc Clavde de Bvttet. / A PARIS. / Chez Gabriel Buon, au clos Bruneau, à l'enseigne S. Claude. / 1559 / AVEC PRIVILEGE. In-14, 10 fols (non chiffrés). A-B⁸
   Exemplaires : BNF : (i) Ye. 2168 (voir la figure 2) (ii) Rés. Ye. 482 BSM : 4° P.O. gall. 176/56

8. EPITHALAME, / OV / NOSSES DE / TRESILLVSTRE / ET MAGNANIME PRINCE / EMANVEL PHILIBERT / DVC DE SAVOYE, ET DE / TRES VERTVEVSE PRIN- / CESSE MARGVE-RITE DE / FRANCE, / DVCHESSE DE / BERRY, SEVR VNIQUE DV ROY. / PAR / MARC CLAVDE DE BVTTET / SAVOISIEN. / A PARIS, / DE L'IMPRIMERIE DE ROBERT ESTIENNE. / M.D. LIX. / AVEC PRIVILEGE. In-4, 12 fols (non chiffrés). A-C⁴
    Exemplaires / (l'astérisque indique un exemplaire sur vélin accompagné d'une épître) :
    BNF : (i) Rés. Ye. 483 (ii) Vélins 2268* (voir la figure 3)
    BPUG : Rés. HF4645
    AST, Prima Sez. : *Storia della real casa : cat. 3, mazzo 10*, art. 11*. Au verso du fol. [14], note manuscrite à l'encre noire : « Ludovico Millieto Jurescons. / Patrono bene merito in perpetua / amicitia testimoni[u]m. M. Cl. Buttetus. / Dono dedit 1559. Lutetia » (voir la figure 4)
    AF : 6223*. Au recto du fol. [1], note manuscrite au crayon : «exemplaire de William Martin Paradin. T.G. HERPIN» et «bibl. de Backer».

9. ODE FVNEBRE / Sur le Trepas du Roi, / ou sont entreparleurs. / La France, & le Poëte. / PAR MARC CLAVDE DE BVTTET, / SAVOISIEN. / A PARIS, / Chez Gabriel Buon, au clos Bruneau, / à l'enseigne S. Claude. / 1559. / AVEC PRIVILEGE. In-4, 4 fols (non chiffrés). A⁴
    Exemplaires : BAP : 4° B3928 (3) (voir la figure 5)

10. « Sonet sur sa Couronne » au fol. [4 v°] des SONETS / Amoureux, / PAR C.D.B. / A PARIS, / Pour Guillaume Barbé. / M.D.LIX. / AVEC PRIVILEGE.
    Voir *L'Amalthée*, éd. Alyn Stacey, p. 204, CXLIII, et les nn. à la p. 457.

11. « Sonet sur sa Couronne » au fol. [3 v°] des SONETS / DE / CHARLES D'ESPI- / NAY BRETON. / Reueus & augmentez par l'Autheur. / A PARIS, / De l'Imprimerie de Robert Estienne. / M.D.LX. / AVEC PRIVILEGE.
    Voir *L'Amalthée*, éd. Alyn Stacey, p. 204, CXLIII, et les nn. à la p. 457.

12. Quatrain au fol. [2 r°] des OEVRES DE / P. DE RONSARD / GENTILHOMME / VANDOMOIS. / TOME PREMIER / Contenant ses Amours, diuisées en deux parties / la premiere commentée par M.A.

de Muret. / La seconde par R. Belleau. / A PARIS, / Chez Gabriel Buon, au clos Bruneau, / à l'enseigne S. Claude. / 1560. / AVEC PRIVILEGE DV ROY.

13. LE PREMIER / LIVRE DES VERS DE / MARC CLAVDE DE BVTTET / SAVOISIEN. / DEDIE´/ A TRESILLVSTRE PRINCESSE / MARGVERITE DE FRANCE / DVCHESSE DE SAVOIE / ET DE BERRI. / AVQVEL A ESTE´AIOUTE´LE SECOND / ENSEMBLE L'AMALTHE´E. / A PARIS, / De l'imprimerie de Michel Fezandat au/Mont S. Hilaire à l'hostel d'Albret. / 1560. / AVEC PRIVILEGE DV ROY. In-8, 124 fols : [1] 2-120 [4]. A-P⁸ ; Q⁴

Exemplaires (un astérisque indique un exemplaire portant une page de titre de 1561 ; deux astérisques indiquent un exemplaire portant la page de titre « LES OEVVRES / POETIQVES DE / MARC CLAVDE / DE BVTTET, / Sauoisien. / A PARIS, / Chez Hierosme de Marnef, & la vefue Guillaume Cauellat, au mont S. / Hilaire au Pellican. / M.D.LXXXVIII) :

BAP : (i) Rés. 8°B 8833 (voir la figure 6) (ii) Rés. 8° B 8834* (voir la figure 7) (iii) 8° B 8879** (voir la figure 8)

BMV : Goujet 116**

BMB : B5289/1*. Au recto du fol. [1], note manuscrite : « DECRESSAC / qui me nourrit me tue » ; au verso, des comptes manuscrits.

BMC : 111 B 29**. Le texte manque à partir du fol. 78.

BMT : X. 12. 1980*. Au recto du fol. [1], note manuscrite : « Au Me des Comptes de Maigeret ».

BNF : Rés. Ye. 1873*

KBC : 174 IV-52-8*

Jean-Paul Barbier en possède un exemplaire. Voir *Ma bibliothèque poétique : quatrième partie*, 2 vols (Genève, Droz, 1998), I, 341.

14. LA VICTOIRE / DE TRES-HAVT / ET MAGNANIME / PRINCE EMANVEL / PHILIBERT, DVC DE SAVOIE. / PAR / MARC CLAVDE DE BVTTET. / A ANVERS. / POVR PIERRE MATHIEV, LIBRAIRE. / 1561.

Exemplaires : DST

15. CHANT DE LIESSE / SVR LA CONVALESCENCE DE / TRES ILLVSTRE PRINCE / EMANVEL PHILIBERT / DVC / DE SAVOIE / A CHAMBERI / DE L'IMPRIMERIE DE F. POMAR / 1563. In-8, 4 fols (non chiffrés). Sans signatures.

Exemplaires : AST, Prima Sez. : Biblioteca antica I. VII.30. Fol. [1 r°], note manuscrite : « Authoris M. Claudii Butteti Sabaudi / Munere / E.P. Pingon » (voir la figure 9 et *supra*, appendice 2).

16. SVR / LA VENVE DE / TRESILLVSTRE PRINCESSE / ANNE D'ESTE / DVCHESSE DE NEMOVRS / ET GENEVOIS / EN SA VILLE / D'ANNESSI. / A CHAMBERI / DE L'IMPRIMERIE DE F. POMAR. In-4, 5 fols (non chiffrés). Sans signatures.
    Exemplaires : AST, Pri. Sez. : Biblioteca antica I. VII.5. Fol. [1 r°], note manuscrite : « Don / de Marc Claude de Buttet / autheur à son entier amy. / E.P. Pingon » (voir la figure 10 et *supra*, appendice 3).

17. Sonnet au fol. [8 v°] du IL BATTESIMO / DEL SERENISSIMO / PRENCIPE DI / PIEMONTE, / FATTO NELLA CITTA DI TVRINO / L'ANNO MDLXVII. IL IX. DI MARZO. / Aggiontiui alcuni componi-menti Latini e Vol- / gari di diuersi, scritti nella solennità di / detto Bat-tesimo. / Nella Stamparia Ducal de'Torrentini / MDLXVII.
    Voir *L'Amalthée*, éd. Alyn Stacey, p. 240, CLXXIX, et les nn. aux pp. 467-468.

18. L'AMALTHE´E / DE MARC CLAVDE / DE BVTTET GENTIL- / HOMME SA- / VOISIEN, NOVVELLEMENT PAR LVI / REVEVE, MISE EN SON ORDRE, ET / DE LA MEILLEVRE PART / AVG-MENTEE. / ΚΕΡΑΣ ΑΜΑΛΘΕΙΣ / A LYON, / PAR BENOIST RIGAVD. / M.D. LXXV./ AVEC PERMISSION. In-8, 190 fols : [1-2] 3-176 [14]. A-M⁸.
    Exemplaires : BAP : 8°B8878 Rés.
    BMA : Belles Lettres 1648A. Fol. [190 v°], note manuscrite : « A Paris, 1584, 7 s ».
    BNF : Rés. Ye. 1874 (voir la figure 11).
    Jean-Paul Barbier en possède un exemplaire. Voir *Ma bibliothèque poétique : quatrième partie*, 2 vols (Genève, Droz, 1998), I, 354.

19. LE TOMBEAV / DE TRES-ILLV- / STRE TRES-VER / TVEVSE ET NON IAMAIS / ASSES LO´VE´E PRINCESSE MAR- / GVERITE DE FRANCE DVCHESSE / DE SAVOIE ET DE BERRI / INS-CRIPT / LE TOMBEAU DE MINERVE. / Par Marc Claude de Buttet / gentilhomme Sauoisien. / A´ ANNECI / Par Iaques Bertrand, / cl'. l'. LXXV. In-8, 11 fols : [1] 2-8 [3]. A-B⁴.
    Exemplaires : AST, Prima Sez. : Biblioteca antica I. IX.32.
    BNF : Rés. Ye. 3645 (voir la figure 12)

20. IN OBITVM / MARGARITAE FRANCISCI MA- / GNI GALLO-
RUM REGIS FILIAE / EMANVELIS PHILIBERTI AL- /
LOBROGVM ET SVBALPINO- / RVM PRINCIPIS CONIVGIS IN-
/ COMPARABILIS ELEGIA /ANECII ALLOBROGVM / Excudebat
Iacobus Bertrandus, / cl'. l'. LXXV. In-8, 3 fols (non chiffrés). *ij.
Exemplaires : AST, Prima Sez. : Biblioteca antica I. ix.32. Fol. [4 v°],
note manuscrite : « Invetum intra moena / Civitatis Taurin 1575 /
memore fracto literis / Elegentibus. / C. / VIBIUS C. F / STEL.
AVITO / ET. C.F. / TESTAME / LEIBERT »
BNF : Rés. Ye. 3645

21. Sonnet à Gabriel Chappuys au fol. [7 r°] des COMMENTAIRES HIE-
ROGLYPHIQVES OV IMAGES DES CHOSES DE IAN PIEIVS
VALERIAN, ESQVELS COMME EN VN VIF TABLEAV EST
INGE-/nieusement depeinct & represent'e l'estat de plusieurs choses
antiques : comme de monnoyes, medals, armes, inscriptions &
deuises, obelisques, pyramides, & aultres monumens : outré une infi-
nite de diuerses & profitables histories, prouerbes & lieux communs :
auec la parfaicte interpretation des mysteres d'Aegpte, & plusieurs
passages de l'escriture saincte conformes a iceux, PLVS DEVX
LIVRES DE COELIVS CVRIO, TOV- / chant ce qui est signifié par
les diuerses images & pourtraits des Dieux & DES HOMMES. Mis en
François par GABRIEL CHAPPVYS Tourangeau / A LYON, / Par
BARTHELEMY HONORAT / M.D.LXXVI. / AVEC PRIVILEGE
DV ROY.

22. Sonnet au fol. 10 v° du CONTRA / TROISIEME LIVRE / DE CHAN-
SONS. / mis en musique à IIII. parties par Anthoine de/Bertrand natif
de Fontagnes en Auuergne / A PARIS. / Par Adrian Le Roy, & Robert
Ballard. / Imprimeurs du Roy ./ M.D.LXXVIII. / Auec priuilege de sa
majesté pour dix ans.
Voir L'Amalthée, éd. Alyn Stacey, p. 156, XCV, et les nn. aux pp. 439-
440.

23. Dix sonnets aux pp. 313-322 de L'ŒUURE / CHRESTIENNE / DE
TOUS LES / Poëtes Fran- / çois : / Recueilli des œuures de / Marot,
Ronsard, Bellay, / Belleau, Pybrac, Des-por- / tes, Saluste, Buttet,
Iamin, / de Billy & Pontoux. / A LYON, / Par Thibaud Ancelin. /
M. DCXLI. / On les vend au Change / à la boutique de Paulin /
Bianchi, & au Palais à / celle d'Anthoine Prat.

Voir *L'Amalthée*, éd. Alyn Stacey, pp. 374- 382, CCCXIII-CCCXXI, et les nn. aux pp. 504-505.

24. Dizain au fol. [4 r°] de l'INCLYTORVM / SAXONIAE / SABA-VIAEQ. / PRINCIPVM / ARBOR GENTILITIA / PHILIBERTO PINGONIO / Authore. / AVGUSTAE TAVRINORUM / Apud hae-redes Nicolai Bevilaquae, / M.D.LXXXI. / CVM PRIVILEGIO DECENNALI.
Voir *supra*, p. 113.

III. Rééditions

Nous nous limitons ici à des rééditions *stricto sensu* et ne faisons pas référence aux diverses anthologies qui contiennent des poèmes de Buttet.

25. Sonnet à Prosper de Genève (voir *supra*, n° 1) : E. d'Oncieu de la Batie, « Note sur les derniers moments du poète Marc-Claude de Buttet : extrait d'un livre de raison du XVIᵉ siècle », *MASBLAS*, 1884 (10), 347-63 (p. 350) ; voir *supra*, appendice 5.

26. *A tres illustre Princesse Marguerite* (voir *supra*, n° 4) : *Ode à Madame Marguerite de France Duchesse de Savoie par Marc-Claude de Buttet Savoisien*, éd. A. Dufour et F. Rabut (Chambéry, A. Bottero, 1880).

27. *Apologie* (voir *supra*, n° 6) : F. Mugnier, « Marc-Claude de Buttet poète savoisien (XVIᵉ siècle) : notice sur sa vie, ses œuvres poétiques et en prose française et sur ses amis : l' 'Apologie' pour la Savoie : le testament de M.-C. de Buttet », *MDSS*, 35 (1896), 5-227 (pp. 109-132) ; Genève, Slatkine Reprints, 1971.

28. *Ode à la Paix* (voir *supra*, n° 7) : *Le Premier Livre des vers*, II, éd. Fezandat (voir *supra*, n° 13), fols 49 r°-52 v°, sous le titre « HYMNE A LA PAIX » (sans variantes).

29. *Épithalame* (voir *supra*, n° 8) : *Le Premier Livre des vers*, éd. Fezandat (voir *supra*, n° 13), fols 110 v°-120 r°, sous le titre « EPITHALAME AVX / NOSSES DE TRESMAGNANIME / PRINCE EM. PHILI-BERT DVC DE SAVOIE / & De tresuertueuse Princesse MARGVE-RITE / de France, Duchesse de Berri, sur les triumphes : qui étoient prets à faire, sans la mort du Roi / suruenue » (sans variantes).

30. *Ode funebre* (voir *supra*, n° 9) : *Le premier Livre des vers*, II, éd. Fezandat (voir *supra*, n° 13), fols 58 r°-60 r°, sous le titre « SVR LE TREPAS / du Roi. ODE XV » (sans variantes).

31. *Le Premier Livre des vers* (voir *supra*, n° 13) : les deux livres des odes (ensemble *L'Amalthée* de 1575) sont publiés dans *Les Œuvres poétiques de Marc-Claude de Buttet Savoisien*, éd. A. Philibert-Soupé (Lyon, N. Scheuring, 1877). Pour le texte entier de 1560, voir *Œuvres poétiques de Marc-Claude de Buttet*, éd. P. L. Jacob, 2 vols (Paris, Librairie des bibliophiles, 1880).

32. *La Victoire* (voir *supra*, n° 14) : *La Victoire de tres-haut et magnanime prince Emanuel Philibert duc de Savoie par Marc-Claude de Buttet : réimpression avec une notice bibliographique et des notes par le chevalier d'Arcollières correspondant de la royale deputation d'histoire nationale de Turin* (Turin, Tipografia del collegio degli artigianelli, 1915).

33. *Chant de liesse* (voir *supra*, n° 15) : S. Alyn Stacey, « Deux œuvres retrouvées de Marc-Claude de Buttet : 'Chant de liesse' et 'Sur la venue [… d'] Anne d'Este' », *BHR*, 56 n° 2 (1994), 405-417 ; voir *supra*, appendice 2.

34. *Sur la venue de tresillustre princesse Anne d'Este* (voir *supra*, n° 16) : S. Alyn Stacey, « Deux œuvres retrouvées de Marc-Claude de Buttet : 'Chant de Liesse' et 'Sur la venue [… d'] Anne d'Este' », *BHR*, 56 n° 2 (1994), 405-417 ; voir *supra*, appendice 3.

35. *L'Amalthée* (voir *supra*, n° 18) : *Les Œuvres poétiques de Marc-Claude de Buttet Savoisien*, éd. A. Philibert-Soupé (Lyon, N. Scheuring, 1877) ; *L'Amalthée (1575)*, éd. S. Alyn Stacey (Paris, Champion, 2003).

36. *Le Tombeau* (voir *supra*, n° 19) : *Les Œuvres poétiques de Marc-Claude de Buttet Savoisien*, éd. A. Philibert-Soupé (Lyon, N. Scheuring, 1877).

37. Poème de trente-deux vers tiré d'un « Recueil de poésies » de Buttet : l'abbé Morand, « La Savoie et les Savoyards au XVIᵉ siècle », *MASBLAS*, 9, 3ᵉ série (1883), 360-368 (p. 367) ; voir *supra*, appendice 4.

IV. Œuvres perdues

38. « Idyllies à l'imitation de Theocrite ».
    Source : « Louis de Richevaux au lecteur », *L'Amalthée*, éd. Rigaud,
    p. 7 (éd. Alyn Stacey, p. 58, l. 64).

39. « Cinq volumes de lyriques ».
    Source : « Louis de Richevaux au lecteur », *L'Amalthée*, éd. Rigaud,
    p. 7 (éd. Alyn Stacey, p. 58, l. 65).

40. « Un livre des plus illustres & apparens personages de son païs ».
    Source : Buttet, *Le Premier Livre des vers*, éd. Fezandat, fol. [123 r°];
    « Louis de Richevaux au lecteur », *L'Amalthée*, éd. Rigaud, p. 7 (éd.
    Alyn Stacey, p. 58, l. 65-66) ; La Croix du Maine, *Premier Volume de
    la bibliothèque*, éd. La Monnoye *et al.*, II, 78 ; Du Verdier, *La Biblio-
    thèque*, éd. La Monnoye *et al.*, III, 10.

41. « La nouvelle poësie en vers mesurés, comme les Grecs & Latins ».
    Source : « Louis de Richevaux au lecteur », *L'Amalthée*, éd. Rigaud,
    p. 7 (éd. Alyn Stacey, p. 59, ll. 66-67).

42. « Trois tretés qui ne seront veuz que de la posterité à qui il les dédie
    […] *Les Hystoriens*, *Le Monde bigarré*, & *Pandore* ».
    Source : « Louis de Richevaux au lecteur », *L'Amalthée*, éd. Rigaud,
    p. 7 (éd. Alyn Stacey, p. 59, ll. 67-70).

43. « Traduction de Job, faite en diversité de vers pour les chanter »
    (dédiée à Marguerite, duchesse de Savoie, mais inachevée lors de la
    mort de celle-ci en septembre 1574).
    Source : « Louis de Richevaux au lecteur », *L'Amalthée*, éd. Rigaud,
    p. 7 (éd. Alyn Stacey, p. 59, ll. 70-75) ; La Croix du Maine, *Premier
    Volume de la bibliothèque*, éd. La Monnoye *et al.*, II, 78.

44. « La Maison ruinée ».
    Source : La Croix du Maine, *Premier Volume de la bibliothèque*, éd.
    La Monnoye *et al.*, II, 78.

45. « Recueil de poésies ».
    Source : Morand, « La Savoie et les Savoyards au XVIᵉ siècle »,
    pp. 366-67. Morand signale : « Ce 'Recueil', devenu depuis la pro-

priété de M. Jean Faga, bibliophile, à Chambéry, a péri ou s'est égaré, lors de l'incendie de la maison Angleys, en 1872» (p. 366, n. 3 ; voir *supra*, appendice 4).

46. Sonnet en recommendation d'une traduction par Jehan de Pyochet d'une œuvre d'Alphonse Ulloa, une biographie de Charles V.
Source : ADS, *Pyochet : livres de raison : inventaire de mes titres : 1J279/10*, fol. 7 r°; Oncieu de la Batie, «Note sur les derniers moments», p. 349 (voir *supra*, p. 46).

II. ARCHIVES CONSULTÉES

I. France
II. Italie
III. Suisse

I. FRANCE

A. Archives nationales, Paris
B. Bibliothèque nationale de France
C. Archives de l'Université de Paris, la Sorbonne
D. Minutier central de notaires de Paris
E. Archives départementales de la Savoie (Chambéry)
F. Archives départementales de la Haute-Savoie (Annecy)
G. Bibliothèque municipale de Toulouse

A. *Archives nationales, Paris*

(a) Documents concernant la Sorbonne et les collèges parisiens
(i) *Sous-série H³ : Ancienne Université de Paris et collèges*
Titre III :
- H³*2589 Université, *Registre,* 1552-1613
- H³*2776¹ Collège Sainte-Barbe, *Comptes,* 1559-1764
- H³*2776³⁻⁵ Collège du Mans, 3 *Registres de comptes,* 1531-1764
- H³*2784¹⁻⁴ Collège de Bayeux, 4 *Registres de comptes,* 1546-1764
- H³*2785¹⁻⁴⁷ (art. 21-24), Collège de Beauvais/de Dormans, *Comptes de recettes et de dépenses,* 1540-1548, 1553-1566
- H³*2787¹⁻¹⁶ Collège d'Autun, 16 *Registres de comptes,* 1397-1764
- H³*2796¹ Collège de Cambrai, *Registre de comptes,* 1523-1546
- H³*2796² Collège de Cambrai, *Registre de comptes,* 1546-1560

- H³*2803¹⁻¹⁵ (art. 5-6), Collège de Laon, *Comptes*, 1540-1550, 1551-1552, 1554-1557
- H³*2855¹⁻³ (art. 1), Collège de Tréguier, *Comptes*, 1541-1543, 1547
- H³*2862¹ Collège du Trésorier, *Comptes*, 1549-1600
- H³*2863¹⁻⁶ (art. 1), Collège de Tours, *Comptes*, 1548-1561
- H³*2869¹⁻⁴ Collège de Saint-Michel, *Comptes*, 1542-1764
- H³*2874² Collège de Presles, *Comptes*, 1546-1573
- H³*2875⁴⁻⁵ Collège de Maître-Gervais, *Comptes*, 1533-1539, 1554-1557
- H³*2891² Collège de Presles, *Boursiers, pensionnaires, rentes*, XVIᵉ-XVIIIᵉ siècles

(ii) *Série M : Université et collèges*
Titre II :

- M81 (art. 130-148), Collège d'Autun, *Procédures diverses concernant les boursiers*, 1548-1559
- M83 (art. 5-6), Collège d'Autun, *Comptes*, 1534-1545, 1556
- M84 (art. 6-11), Collège d'Autun, *Comptes*, 1546-1550, 1560
- M92 (art. 1-90), Collège de Beauvais/de Dormans, *Provision de bourses*, 1520-1728
- M110 (art. 1-36), Collège de Cambrai, *Comptes*, 1390-1770
- M118 (art. 31-56), Collège de Dainville, *Officiers et boursiers*, 1284-1699
- M121 (art. 31-89), Collège des Dix-Huit ou de Notre Dame, *Provisions de bourses par le doyen de Notre-Dame*, 1513-1769
- M124 (art. 1-249), Collège de Fortet, *Nominations aux bourses*, XVIᵉ-XVIIᵉ siècles
- M127 (art. 1-46), Collège de Fortet, *Attestation de parents à l'effet d'obtenir des bourses*, 1539-1702
- M130 (art. 2-3), Collège de Fortet, 1551-1552, 1557-1559
- M134 Collège de Harcourt, *Dossiers de fondations de bourses*, 1484-1724
- M144A (art. 16), Collège de Laon, *État des bourses*, 1313-1683
- M144B Collège de Laon, *Quittances, mémoires etc.*, XVIᵉ-XVIIIᵉ siècles
- M170 (art. 20), *Collège du Mans, principaux et boursiers*
- M185 (art. 39-93), Collège de Presles, *Officiers et boursiers*, 1546-1697
- M187 (art. 26-91), Collège de Reims, *Officiers et boursiers*, 1503-1762
- M188 (art. 10-37), Collège de Saint-Michel, *Principaux et boursiers*, 1428-1743

- M189 (art. 1-159), Collège Sainte-Barbe, *Fondations, visites, officiers, boursiers, legs, necrologues etc.*, 1556-XVIIIe siècle
- M190 (art. 1-86) Collège Sainte-Barbe, *Rentes, comptes, inventaire de la chapelle etc.*, XVIe-XVIIIe siècles
- M193 (art. 36-48), Collège de Tréguier, *Nominations aux bourses*, 1384-1684; (art. 52-59), *Nominations de principal et provisions de bourses au Collège de Kerambert avant sa réunion au Collège de Tréguier*, 1515-1564; (art. 61-75), *Nominations de principal et provisions de bourses au Collège de Tréguier*, 1521-1708

(b) Documents concernant la cour
(iii) *Série K : Monuments historiques*
Titre III :
- K503 *Comptes divers*, 1468-1711
- K530$^{24-28}$ *Fragments divers*, XVIe siècle
Titre V :
- K651 *Offices et charges divers*, 1236-1714
Titre X :
- K1715 *Mariages des rois et des princes royaux*, 1543-1775
- K1722 *Quittances concernant essentiellement les hôtels ou maisons royaulx, gages des officiers, paiement de fournisseurs et frais divers*, 1504-1597

(iv) *Série KK : Registres*
Titre I :
- KK106 *Argenterie d'Henri II, dons, voyages, recompenses, etc.*, 1557
- KR107 *Comptes de l'hôtel du roi*, 1556
- KK108 *Comptes de l'hôtel du roi*, 1558
- KR113 *Gages et soldes des gentilhommes ordinaires de l'hôtel*, 1552-1555
- KK129 *Gages des officiers de la maison du roi*, 1559

(v) *Série PP : Chambre des comptes et comptabilité*
- PP98 *Anciens inventaires, mémoires, rôles, etc. dressés aux XVIe et XVIIe siècles*
- PP99 *Anciens inventaires et relevés généraux se rapportant à l'ancienne Chambre des comptes dressés aux XVIe et XVIIe siècles*

(vi) *Série Z1A : Cour des aides de Paris*
- ZIA 472 *Maison du roi : états généraux des officiers*, 1535-1642
- ZIA 145 Recueil Gromo-extraits sommaires d'édits de création d'offices, érections de tribunaux, lettres et confirmations de noblesse, exemptions, privilèges, 1360-1721

B. Bibliothèque nationale, Paris

(a) Documents concernant la Sorbonne et les collèges parisiens
- Mss. lat. 9953-9955 *Acta rectoria universitatis Parisiensis*, 1534-1544, 1544-1553, 1568-1585
(b) Documents concernant la cour
- Ms. fr. N.A. 1471 *Recueil de lettres, quittances et pièces diverses [...] formé par le Dr Payer*
- Ms. fr. N.A. 1474 *Chartres, rôles, quittances et actes divers relatifs à différents villes et châteaux de Guyenne, aux dignitaires et officiers de la maison du roi, aux connétables, etc.*
- Ms. fr. 2833 *Les Noms des officiers de l'ostel du roy, et combien chascun doit prendre de gaiges* (XVIe siècle, sans date précise)
- Ms. fr. 3109 *Compte de la trésorerie des cens gentilzhommes de la maison du roy estans soubz la charge de monsr. de Boisy, grand escuier de France, pour le quartier de janvier, février et mars mil cinq cens cinquante-cinq*
- Ms. fr. 3134, fol. 126 *Estat à M· Jehan de Fournicon, trésorier commis au paiement des gaiges des gentilzhommes et officiers domestiques du roy Daulphin et de messeigneurs les ducs d Orléans, d'Angoulesme et d'Anjou, ses frères, faict pour ung an commançant le premier jour de janvier mil cinq cens cinquante-huict et finissant le dernier jour de décembre mil cinq cens cinquante-neuf*
- Ms. fr. 3156 *Retranchement fait par le roi Henri II dans sa maison, dans celle de la reine et des enfants de France*, 1556
- Ms. fr. 4432 *Ordonnances et reglemens de la Chambre des comptes*, 1338-1636
- Ms. fr. 4581 *Divers reglemens faictz dans les maisons et conseilz des roys [Henri II], Charles IX, Henry III, Henry IV et Louis XIII*, 1555-1618
- Ms. fr. 6640 *Recueil de lettres originales des rois, reines, princes, ministres et principaux seigneurs de la cour de France*

- Mss. fr. 7855-7856 *Table des ordonnances et estats des roys, reynes, dauphins, enfans et autres princes de France depuis S. Louis jusqu'à Louis XIV, 1231-1665*
- Ms. fr. 7857 *États et rôles de paiement des 1ʳᵉ et 2ᵉ compagnies des gentilhommes de la maison du roy*, 1471-1596
- Ms. fr. N.A. 7858 *Maison du roi, de la reine et des enfans de France*, 1548-1549
- Ms. fr. N.A. 9737 *Grands officiers de la couronne et officiers de la maison du roi en général etc.*
- Ms. fr. 10394 *Compte septiesme de M⋅ François Barguin, trésorier et receveur général de la maison de madame Marguerite de France, seur unique du Roy, des receptes et despenses par luy faictes à cause de ladicte trésorerie et recepte générale, où sont comprins la Chambre aux deniers, gaiges et pensions des officiers de ladite dame, escuyerie et argenterie, durant le quartier de janvier février et mars 1549* [sic : le compte est pour l'année 1550]
- Ms. fr. 20451 *Recueil de lettres originales, de minutes et de pièces réunies par Gaignières*
- Ms. fr. 20452 *Recueil de lettres originales, de minutes et de pièces réunies par Gaignières, pour servir à l'histoire de France depuis le règne de Charles VII, jusqu'à celui de Louis XIV*
- Ms. fr. 20525 *Recueil de lettres et pièces originales formé par Gaignères* (comprend des lettres de la part de Marguerite de France, 1554-1557)
- Mss. fr. 20684-20685 *Recueil de copies et d'extraits faits dans les archives de la Chambre des comptes*, XIIIᵉ-XVIIᵉ siècles
- Ms. fr. 20776, fol. 303, *Extraits assez considérables des registres de la Chambre des comptes*, XIVᵉ-XVIᵉ siècles
- Ms. fr. 21448 *Rôles des gentilshommes de la maison du roi*, 1471-1580
- Ms. fr. 26434 *Meslanges pour l'histoire et la généalogie : Chambre des comptes de Paris, tome XXXIII. Secrétaires du roy, maison et coronne de France*, XVIᵉ-XVIIᵉ siècles

C. Archives de l'Université de Paris, la Sorbonne

- AU 19 (20) *Registrum congregatiorum, conclusionum, ordinationum Universitatis Parisiensis ac deputatorum et Facultatis Artium nec non quattuor Nationum eiusdem, inceptum anno Domini millesimo quingentesimo quadragesimo primo (dies pasche viia aprilis) iovis xxia mensis iulii xliii*, 1541-1543

- AU 66 (56) *Rotuli nominandorum*, 1540-1546
- AU 68 (58) *Rotuli nominandorum*, 1547
- AU 69 (59) *Rotuli nominandorum*, 1548
- AU 70 (60) *Rotuli nominandorum*, 1549
- AU 71 (61) *Rotuli nominandorum*, 1551-1555
- AU 72 (62-63) *Rotuli nominandorum*, 1553-1554
- AU 73 (64) *Rotuli nominandorum*, 1556-1570

D. Minutier central de notaires de Paris

- Fichier de tous les noms figurant dans les actes notariaux du XVIe siècle
- Fichier de tous les étudiants mentionnés dans les actes du XVIe siècle
- Fichier de tous les écrivains mentionnés dans les actes notariaux du XVIe siècle

E. Archives départementales de la Savoie (Chambéry)

(i) *Série SA : Archives de Cour (SA1-259)*

(a) Consignements et sommaires des titres de fiefs (SA1-13), 1758-1781 :
- SA1 *Savoie en général. Consignements des fiefs. Reconnaissances reçues du 31 août 1758 au 1er décembre 1773 par Jean-Baptiste Léger, commissaire générale des royales extentes, et Louis-Joachim Léger, substitut commissaire. Copie conforme des actes originaux faite en 1774*
- SA2 *Savoie en général. Consignements des fiefs. Reconnaissances reçues et enregistrées du 16 décembre 1773 au 1er juin 1774 par Louis-Joachim Léger, substitut commissaire et archiviste des extentes de sa majesté*

Catégorie II : Fonds de la Province de Savoie (SA14-61) :
- SA17 (art. 19) *Rôle des cotisants, taxés pour les frais de la muraille dite de la Trosse, établie le long de la Leysse pour la défense de la ville de Chambéry : énumération des habitants, chefs de famille, de la ville et des environs par quartiers ou dizaines*
- SA41 *Province de Savoie : Chambéry. Ventes, reconnaissances, contrats de mariage, testaments et autres actes concernant les bourgeois de Chambéry et leurs transactions immobilières et intéressant en particulier les familles Calod et de Leschaux, 1420-1600*

(b) Fonds de l'instruction publique (SA243-245)

(c) Fonds des matières économiques (SA246-259) :
- SA259 *Matières économoques : salines et gabelles du sel, mémoire rédigé à la suite au sujet de la relation du chevalier de Buttet au sujet des améliorations et des progrès à éffectuer aux salines de Tarentaise pour le proufit des royales finances*, 1780

(d) Finances (SA260-473) :
- SA264 *Sommaire des reconnaissances de la province de Savoie*, 1339-1668

(e) Chambre des comptes de Savoie :
- SA499 *Registre 2 : lettres originelles et minutes écrittes par la Chambre au Cour et aux ministres*, 1576-1585
- SA503 *Lettres de particuliers à la Chambre des comptes et aux ministres*, 1578-1589
- SA512-514 *Séances et entrées de la Chambre des comptes*, 1575-1589
- SA537-591 *Registres des arrêts rendus par la Chambre des comptes*, 1560-1586
- SA873 *Registre des ordonnances rendues ès audiences de la Chambre des comptes*, 1576-1579
- SA914-923 *Registre des actes de présentation et de comparaissances mis au greffe par les plaidants*, 1560-1586
- SA957-958 *Registres des défauts obtenus par les parties plaidants en la Chambre des comptes*, 1576-1617
- SA966 *Registre des contrats, prix faits, baux à ferme*, 1579-1589
- SA979-987 *Registres des requêtes et actes de caution et soumission passés au greffe de la Chambre des comptes*, 1561-1591
- SA1004-1005 *Requêtes de divers seigneurs pour entérinement de patentes d'inféodations, dons, mandats, constitutions d'offices, gages et pensions*, 1581-1584
- SA1073-1075 *Verbaux, informations, procès contre des comptables pour reddition de leurs comptes*, 1331-1730
- SA1137-1138, 1142-1143, 1145-1152, 1155, 1159 *Registres des restants des amendes, condemnations, confiscations et peines, tant civiles que criminelles, adjugés à S.A. par la Cour et Parlement de Savoye*, 1540-1614
- SA1587 (11) *Contrerolle, soit dénombrement des personnes des paroisses de Tresserve, Aix, St Innocent, Gresy, Cessens, La Biolle, St*

Germain, St Girod et Albens, signé Ducioz, 13 octobre-23 décembre
1561

– SA1593 *Dénombrement contenant la cotte de ce que chaque paroisse
des baillages de Savoye, Tarentaise, Maurienne, Bugey, Bresse, Genevois et Faucigny sont tirées et taxées pour le subside, soit don gratuit,
signé par extrait Trollioz*, 1576

– SA1864 *Registre des actes de transport [du sel] aux paroisses de la
province de Savoye pour la description et dénombrement des familles et
bétail tenu par le commis Ducayre*, 1561

– SA1865 *Registre contenant la description des maisons qui sont cotti-
sées pour prendre le sel suivant l'ordonnance de S.A. rière la ville et
mandement de Chambéry*, 1561-1562

– SA1866 *Dénombrement des personnes, manans et habitants de la
paroisse de Chambéry le vieux, signé Ducayre commis et Bochet*, 1562

– SA1951 *Registres des productions des roolles et registres des descrip-
tions et dénombrements des sujets de S.S. et autres habitans dans le
comté du Genevois et Beaufort que du bétail y étans prenans sel*,
18 mai-18 juillet 1561

– SA1953 *Livre contenant le dénombrement des personnes de la province du Genevois prenans sel au grenier d'Annessy*, septembre 1561

– SA2025 *Gabelle du sel* (Allinges, Sciez, Brenthonne, Loisin),
décembre 1568

– SA2026 *Gabelle du sel* (Allinges, Chens-sur-Léman, Hermance,
Lullin, Samoens, Sciez), octobre 1568

– SA2027 *Gabelle du sel* (St-Paul-en-Chablais, St Jean d'Aulps, Chapelle d'Abondance), 1569

– SA2029 *Gabelle du sel* (Ambilly, Laconnex), août 1576

– SA2090 *Roolle des personnes défaillans à prendre le sel ensuite de la
description faitte par l'ordre de S.A. au grenier de Chambéry*, 1562

– SA2091 *Contrerolle des amendes et peines exigées par le commissaire
Yves des défaillans d'avoir payé leur quartier du sel chez le dernier
quartier 1562 pour le premier 1562*

– SA2105 *Roolle de ceux qui n'ont pris leur quartier du sel pour les mois
d'avril may et juin des paroisses remortissantes au grenier d Annessy,
signé Decouz controlleur*, 1562

– SA3158-3160 *Contrerolle des albergements, investitures, infeudations, capacités et autres provisions*, 1560-1572, 1581-1583, 1584-
1592

– SA3980 *Protocolle des contrats reçeus par le notaire François Tonduti
des Échelles habitant à Chambéry*, 1540-1542

- SA3982 *Minutaire des contrats stipulés par maître De Bons, notaire du lieu de Bons en Chablais*, 1562-1567
- SA3985 *Minutaire des contrats stipulés par feu maître Claude Le Noir, notaire ducale et bourgeois de Chambéry*, 1577-1589
- SA4019-4047 *Mariages et dots*
- SA4108-4137 *Testaments*, 1329-1597
- SA4138-4167 *Donations et cessions*, 1258-1583
- SA4168-4209 *Acquis, ventes et rachats*, 1257-1644
- SA4261-4346 *Quittances et acquittements*, 1296-1690
- SA4609-4615, 4619, 4620, 4622 *Requêtes, lettres de contrainte, plaidés au sujet de procès devant la Chambre des comptes*, 1518-1590
- SA4607-4622 *Sentences et arrêts*, 1344-1599

(ii) *Série B : Cours et Juridictions avant 1973*

(a) Archives du Parlement de Chambéry
- SA3555 *Registre des mandats de paiement*, 1552-1559
- SA1422 *Édits, lettres patentes, lettres de grâce*, 1554-1558
- SA1423 *Édits, lettres patentes, lettres de grâce*, 1554-1559

Registre des édits-bulles (et les documents suivants dans cette catégorie):
- B1412
- B1414
- B1418 *Registre Basane*
- B1436
- B1437
- B1441
- B1442
- B1444
- B1470

Répertoire des registres des arrêts civils et criminels rendus en audience et sur pièces vues

Arrêts civils et criminels rendus en audience et sur pièces vues 1540-1559 (B31-B60)

Greffes civils et criminels :
- B28 26 juillet 1549-21 décembre 1551
  15 novembre 1553-23 septembre 1556
- B30 *Registre des requêtes présentées au greffe par les condamnés à la prison préventive*, 9 janvier 1554-6 novembre 1556
- B1411 *Registre des soumissions, cautionnements et autres actes enregistrés au greffe*, 1547-1553

– B3140 *Registre des appointements*, 13 novembre 1545-8 novembre 1546

(b) Archives propres du Sénat de Savoie
Archives du Secrétariat du Sénat et du personnel judiciaire :
– B1201-1205 *Registres des entrées du personnel du Sénat*, 1559-1585
– B1789 *Lettres reçues du duc Emmanuel-Philibert et de Marguerite de France*
– B1805 *Lettres diverses reçues par les Premiers Présidents, divers membres du Sénat et d'autres personnages*
– B1807 *Lettres adressées aux princes et à divers autres personnages, minutes et enregistrements*, XVIe-XVIIIe siècles
– B4490 *Minutes de lettres adressées [par le Sénat] aux ducs de Savoie*, 1562-1682
– B4580 *Minutes et copies de lettres adressées [par le Sénat] aux ducs de Savoie et autres personnage*, XVIe-XVIIe siècles
– B5170 *Ordres des Chambres, personnel, prestation de serments, etc.*, XVIe-XVIIIe siècles
– B6593 *Lettres reçues par le Premier Président et divers membres du Sénat*
– *Répertoire d'arrêts au civil et au criminel en audience et sur pièces vues*, 4 tomes, 1559-1586
Arrêts civils et criminels rendus en audience et sur pièces vues, 1559-1586 (B63-B190)
Arrêts sur requêtes et remonstrances :
– B1055 1564-1599
Actes judiciaires et procédures :
– B1424 1559-1561
– B1409 1563-1565
– B1412 1580-1582
– B1413 1582-1583
– B1414 1584-1586
Greffes :
– B2051 *Registre des actes et contrats faits et passés au greffe*, 1559-1561
– B2054 *Répertoires et notes diverses*, XVIe-XVIIIe siècles
– B2670 *Registre des présentations*, 14 août 1559-4 novembre 1559
– B2716 *Registre des soumissions et cautions*, 1575-1582
– B3277 *Registre des présentations*, 6 novembre 1559-30 décembre 1560
– B3278 *Registre des présentations,* 8 janvier 1560-21 mars 1560
– B3279-3462 *Registre des présentations*, 8 janvier 1561-30 décembre 1586

– B4586 *Répertoire du registre des actes faits au greffe civil du souverain Sénat de Savoye*, 1559-1560
– B4615 *Registre des présentations*, avril 1560-13 juillet 1560
– B5035 *Registre des présentations*, (fragment) 1560

(c) Archives saisies ou recueillies par le Sénat de Savoie
Hautes juridictions :
– B5216 *Lettres reçues des ducs de Savoie et d'autres personnages*
Noblesse et fiefs :
– B5343 *Notte des infeudations, soit ventes passées par les ducs de Savoye en faveur de divers particuliers, des terres et seigneuries deçà les monts qui se sont trouvées dans les registres aux archives du Sénat,* 1561-1590
Archives familiales et notariales :
– B6807 Buttet

(d) Procédures du Sénat de Savoie
– B01138
– B01655

(iii) *Série C : Administration générale et cadastre avant 1973*
1C : Administration générale et cadastre de 1728-1738

(a) Commissaires d'extentes :
– 1C1757 *Législation et personnel, inventaire après décès, notes d'un commissaire d'extentes*, 1435-1779
– 1C1794-1817 *Affaires générales : indice des nouvelles investitures, manifestes, notes, requêtes etc.*, 1559-1791
– *1C1818 Titres féodaux*, 1319-1709
– 1C1819 *Titres féodaux*, 1486-1776
– 1C1835-1841 *Tributs et devoirs féodaux*, 1542-1782

(b) Délégation générale pour les biens féodaux et la péréquation :
– 1C4843-4856 *Instruction des demandes*, 1459-1763
– 1C4890-4900 *Nouvelle répartition des tailles*, 1551-1790

(c) Délégation générale pour les affranchissements des droits féodaux :
– 1C4913-4932 *Instruction des demandes, pièces produites par des seigneurs et des ecclésiastiques*, 1501-1792
– 1C4964-4971 *Résultats des opérations de la Délégation*, 1551-1793

(iv) *Série E : Familles, notaires, communes, fiefs, corporations, état civil*

(a) 1E : Titres de familles, 1329-1809
   1E1-53

Minutes notariales (des notaires exerçant leur métier à Chambéry au XVIᵉ siècle) :
- E73-74 *Minutes du notaire Rochet*, 1562, 1571
- E75-77 *Minutes du notaire Rosset*, 1540-1590
- E91-101 *Minutes du notaire Jantier*, 1553-1558
- E102-114 *Minutes du notaire Miguet*, 1549-1580
- E116-169 *Minutes du notaire Rochet*, 1550-1600
- E170-196 *Minutes du notaire Rosset*, 1540-1579

(b) 2E : Additions
- 2E111 Buttet (de), XVIᵉ-XVIIIᵉ siècles

(c) 4E : Registres de Catholicité déposés par les paroisses
- 4E146 *Baptême* (Chambéry : cathédrale, St François de Sales, St Léger) 1561-1564 (il n'existe plus de registre de baptême pour la Savoie au XVIᵉ siècle antérieur à celui-ci)

(v) *Série F : Fonds de familles, d'érudits, de sociétés, d'institutions et de personnalités entrés par voies extraordinaires depuis 1893*
- 8F *Fonds Claudius Bouvier*
- 10F (art. 157) *Fonds du maréchal de Luciane : livre de comptes, 1568,* appartenant à Jehan de Piochet
- 19F *Fonds Gabriel Loridon*
- 45F *Fonds Poussielgue*
- 62F *Fonds Fourest*

(vi) *Série J : Documents divers entrés par voies extraordinaires*
- J84 *Collection de documents sur papier timbré du XVIᵉ au début du XIXᵉ siècles,*
- J242 *Archives de famille concernant la Savoie et des particuliers de 1251 à 1860 en possession de M. le marquis de Faverges*
- J537 *Édits, lettres patentes, manifestes des ducs et du Sénat de Savoie,* 1560-1791
- 1J279 Jehan de Piochet de Salins : *Livres de raison*, 10 vols :
1J279/1 Vol. A *Livre de raison des lodz de Sieur de Sallin de 1597 à 1603* *[1568-1609]*

1J279/2 Vol. B *1572 [1573-]*

1J279/3 Vol. C *Livre de raison de mes affaires despuis l'année 1580*

1J279/4 Vol. D *MDLXXXXII [1592-]*

1J279/5 Vol. E *1597 -*

1J279/6 Vol. F *1603-*

1J279/7 Vol. G *1608-*

1J279/8 *Inventaire des droits de la maison des Piochet d'après le testament de Galvand de Piochet [1555-1609]*

1J279/9 *Inventaire des biens de noble Gaspard Dieulefist [titre, fol. 1 r°] : C'est l'inventayre solemnel fait avec bénéfice de la laj [?] de feu noble Gaspard Dieulefit, fait en faveur de nobles Lourent, Amed, Jehan et Pierre de Piochet frères, héritiers dudit feu Dieulefit, commencé le jeudi quatorziesme de mars mil cinq centz cinquante et cinq, et parachevé le vint et cinquiesme d'avril, l'an susdit 1555 [1555-]*

1J279/10 *Inventaire de mes titres tant à cause de ma maison forte de Sallin reue de Puynet que Villeneufve, que aussi des titres généraux et commungs entre mon frère et moy, touchant tant nostre bien paternel que de l'hoerie de feuz Dieullefitz, aieul maternel et oncle, ensemble des rentes procedéez d'iceux MDLXXXIIII [1568-1599]*

(vii) *Archives communales de Chambéry 189 E dépôt*

AA : Titre I : Actes constitutifs et politiques de la commune ; lettres de rois et princes adressées aux syndics de Chambéry, 1431-1846

– EE40 (art. 1) 5 lettres de la part d'Emmanuel-Philibert, 1565-1579

BB : titre II : Administration communale

CC : titre III : Impôts et comptabilité

– Carton 225 (art. 8) *Compte de nobles Claude Oddinet, Claude Buttet, etc.,* 23 novembre 1527-23 novembre 1528

Carton 255 *Compte de 1594 rendu à MM les syndics par M. Jean Baptiste Riondet, trésorier des recettes et dépenses faites devant le syndicat de MM. François de Buttet etc.*

F. Archives départementales de la Haute-Savoie (Annecy)

(i) *Série SA : Archives de l'ancien duché de Savoie, XIe-XVIIIe siècles*

(a) Archives camérales

Anc. Inv. 194 : *Registres des contrats et des livres de constitutions d'offices, de dons, et d'autres concessions, d'abbergements, affranchissements, actes de caution et autres expéditions des ducs et de la Chambre des comptes du Genevois :*
- reg. 4 1526-1527
- reg. 8-10 1543-1547
- reg. 11-13 1549-1562
- reg. 15-18 1562-1582

Anc. Inv. 195 : *Registres d'abbergements, affranchissements, laods, suffertes, concessions et autres expéditions de la Chambre des comptes du Genevois :*
- reg. 30-55 1457-1588
- reg. 58-62 1559-1641

Anc. Inv. 196 : *Reconnaissance des châteaux et lieux des biens féodaux au duché du Genevois at aux baronnies de Faucigny et de Beaufort :*
- reg. 17 1533
- reg. 89-130, 133 1424-1586

Anc. Inv. 197 : *Registres des baux à ferme, de lettres de constitution d'office, actes de caution et d'expedition des fermes du domaine du Genevois :*
- reg. 135-147 1546-1655
- SA8009-8045 *Comptes des émoluments du sceau, peines et multes,* 1440-1785

(ii) *Série B : Cours et juridictions 1368-1792*
- B8 (art. 4) *Approbation des emprunts faits au nom du duc de Nemours par Jacques de Genève, sire de Boringe, auprès de Jacquemine Chapuis d'Ugine, et de François de Baillant, sire de Verbouz,* 2 juin 1559
- B22 *Documents relatifs au domaine du Genevois,* 1338-1656
- B23 *Inventaire des protocoles de divers notaires du Genevois et de Faucigny,* 1537-1545
- B28 *Pièces diverses* (concernant le Sénat de Savoie)
- B31 *Pièces diverses* (concernant les judicatures mages)

(iii) *Série 1E : Familles, 1228-XVIIIe siècle*
- 1E63 fol. 21 *Spolie des livres et mises faictes par Jehan François de Buttet*, 1603

(iv) *Série 2E : Minutaires de notaires, 1404-1900* (concernent les notaires exerçant leur métier à Annecy au XVIe siècle)
- 2E418-484 *Minutes du notaire Deserveta*, 1536-1573
- 2E555-556 *Minutes du notaire Farnex*, 1579-1585
- 2E561-563 *Minutes du notaire Gautier*, 1575-1586
- 2E565-566 *Minutes du notaire Georges*, 1506-1517
- 2E578-582 *Minutes du notaire Jon (Louis)*, 1543-1560
- 2E583-587 *Minutes du notaire Jon (Claude)*, 1560-1570
- 2E592 *Minutes du notaire Mermier*, 1529-1537
- 2E593-596 *Minutes du notaire Mignon*, 1571-1585
- 2E602 *Minutes du notaire Paturel*, 1572
- 2E605-637 *Minutes du notaire*, 1565-1606
- 2E643-648 *Minutes du notaire Portier*, 1556-1562
- 2E649 *Minutes du notaire Rosset*, 1590
- 2E681-683 *Minutes du notaire Viger*, 1501-1534

(v) *Série F : Manuscrits divers et varia*
- F173 *Notes prises par un Savoyard, étudiant en droit en Italie, avec des vers, etc.*, (vers 1585)
- F232 *Claude Faure. Notes diverses, 1920-1926. Communes de Cruseilles et Cluses, Brison ; familles Buttet, Rocye, Deronzien, Château de Clermont, Bernardines de Rumilly ; diverses notes d'état civil*

(vi) *Série J : Documents entrés par voie extraordinaire*
- 1J41 *Papiers concernant les Lambert de Chambéry et d'Annecy*, XVe-XVIe siècles
- 1J1169 *Extrait du registre des délibérations de la ville d'Annecy, élections des syndics, etc.*, 1564
- 1J240 *Familles Joly de Vallan, de Brotty et Buttet, le 4 octobre 1644, Thonon (couvent des Capucins). Vente par Noble Maurice, fils de feu noble Ferdinand Joly, de Chignes, autorisé par Buttet, avocat au Sénat, d'une rente annuelle et perpétuelle de 87 florins 6 solz*
- 1J582 *Actes et pièces divers intéressants des familles de Chavanod, Annecy, St Jorioz etc.*, XVIe-XIXe siècles

- 1J807-808 *Annecy (familles d') : titres de diverses familles d'Annecy et de la région provenant des archives de la ville d'Annecy*, XVᵉ-XVIIIᵉ siècles.

4J : Fonds Mugnier :

- dossier 6 *Marc-Claude de Buttet, poète savoisien ; manuscrit complet de cet ouvrage du Président Mugnier*
- dossier 25 *Notes sur Buttet et Pingon*
- dossier 38 *Trois petites chemises contenant brèves notes dont beaucoup au crayon, sur les familles Chamossy, Buttet et Lucrèce Borgia*
- dossier 93 *Documents divers. Vers de Constant Berlioz à F. Mugnier, historien de Marc-Claude de Buttet* (coupure de journal)

7J : Fonds du château de Marlioz :

- 7J65 *Copies de lettres patentes d'Emmanuel-Philibert, duc de Savoie, faisant don à monsieur Prosper de Genève*, 16 mai 1569 ; *lettre de jussion*, 21 octobre 1579
- 7J71 *Lettres de fidélité et hommages rendues au duc de Savoie, Emmanuel-Philibert, pour la baronnie de Cusy et le château de Pingon par Philibert de Pingon*, XVIIᵉ-XVIIIᵉ siècles (copie)
- 7J74 1412-1413 *Testament et codicille d'Emmanuel-Philibert de Pingon*, XVIIᵉ-XVIIIᵉ siècles (copie)
- 7J212 *Copie d'un livre de raison de Louis de Pingon*, XVIᵉ siècle
- 7J378-379 *Généalogies de la famille Pingon*, XVIIᵉ-XVIIIᵉ siècles
- 7J387 *Notes concernant la maison forte de Pingon. Inventaire détaillé. Extraits des archives de la Cour de Turin au XVIIIᵉ siècle*
- 7J1298 *Inventaire d'archives de la famille de Pingon*, XVIIIᵉ siècle
- 7J1411 *Contrat de mariage d'Emmanuel-Philibert de Pingon*, 23 avril 1560

G. Bibliothèque municipale de Toulouse

MS 834 : CCXLIV

II. ITALIE

A. Archivio di stato, Sezione Riunite, Turin
B. Archivio di stato, Prima Sezione, Turin
C. Archivio di città, Turin
D. Archivio dell'arcivescovado, Turin
E. Biblioteca reale, Turin

A. Archivio di stato, Sezione Riunite, Turin

(i) *Camera dei conti di Savoia*
- Inv. 1 fol. 1 (art. 11) *Registre appellé le petit livre rouge*, 4 août 1559-4 août 1593
- Inv. 1, fol. 6 *États des gages des Messrs du Sénat, Chambre des comptes de Savoie, et officiers et dependans comme cy après*, 1560, 1561 (ces documents n'existent plus)
- Inv. 3 *Registres des lettres de la Cour écrites à la Chambre des comptes de Savoye sur différentes matières*

(a) Matières féodales : reg. 1 1411-1561
- reg. 2 1561-1583
- reg. 3 1584-1599

(b) Matières diverses : reg. 7-8 1561-1568
- reg. 9-13 1570-1587
- reg. 59 1561-1699
Inv. 4 (3 mazzi) *Édicts et jussions pour l'intérinement d'iceux avec diverses patentes, lettres et ordres émanes des souverains, portant mandement aux Sénat, Chambre des comptes, présidents, sénateurs, auditeurs et autres pour l'exécution de leur contenu*, 1386-1701
Inv. 5, fol. 1 *Registres des patentes, ordres, mandats et autres provisions*, 1560-1801 :
- reg. 1-17 1560-1589
Inv. 6 *Arrêts et intérinations de la Chambre des comptes de Savoye*, 1559-1720 :
- reg. 1-22 1559-1587
Inv. 10 *Mandats de la Chambre des comptes de Savoie*, 1562-1576 :
- reg. 1-2 1562-1576

Inv. 13 *Contrats, prix faits et baux à ferme*, 1559-1579, 1659-1792 :
- reg. 1-2 1559-1562
- reg. 3 1565-1566
- reg. 4-6 1568-1579

Inv. 16 *Comptes des receveurs et trésoriers généraux de Savoie*, 1297-1799 :
- reg. 208-250 1548-1586

Inv. 22, fol. 14 *Registres contrerôlles des trésoriers de Savoie*, 1560-1650 :
- reg. 1 1560-1565
- reg. 2-3 1567-1568
- reg. 4-6 1574-1609
- Inv. 38, fol. 1, mazzo 11 (art. 71) *Pensions payées tant aux ministres de la terre et baronnie de Gex qu'aux autres pensionnaires*, 1567-1568

Inv. 38, fol. 21 *Comptes de la dépense de l'hôtel des comtes et ducs de Savoye*, 1269-1643 :
- mazzo 22 (art.106) 1er octobre 1520-1er octobre 1524

(art. 107) 1523

(art. 108) 1540-1545

(art. 109) 1548-1549
- mazzo 23 (art. 110) 25 février 1556-25 février 1557

(art. 111) 3 août 1556-2 mars 1558

(art. 112) 12 août 1556-15 mai 1557

(art. 113) 1555-1559

(art. 114) 25 février 1557-25 février 1558

(art. 115) 1557-1559
- mazzo 24 (art. 116) 1558
- mazzo 25 (art. 117) 25 février 1558-25 avril 1559
- mazzo 26 (art. 118) 1558-1559

(art. 119) 25 février 1559-25 août 1559

Inv. 39, fol. 9 *Comptes des trésoriers et receveurs des pensions et assignations pour les princes et princesses de Savoye*, 1401-1575 :
- mazzo 14 (art. 47) 1565-1574

(art. 48) 1560-1563

(art. 49) 1560-1571

Inv. 39, fol. 18 *Comptes journaliers de l'hôtel de la maison de Savoie*, 1366-XVIe siècle :
- mazzo 86 (reg. 1) 1544

(reg. 2) 1553

(reg. 3) 1557

(reg. 4) 1558

Inv. 53, fol. 1 *Compte des receveurs soit trésoriers généraux pour les comtes du Genevois, des receveurs des bleds et des dépenses extraordinaires pour la maison des dits comtes*, 1440-1658 :

– mazzo 25 (reg.1) 1550

(reg. 2) 1553

(reg. 3) 1554

(reg. 4) 1555

(reg. 5) 1556

(reg. 6) 1557-1559

(reg. 7) 1562-1563

(reg. 8) 1571-1572

– mazzo 26 (reg. 1) 1579-1580

(reg. 2) 1580

(reg. 4) 1582

(reg. 6) 1584

(reg. 7) 1586

Inv. 74, fol. 1 *Requêtes présentées en Chambre par divers seigneurs et autres y nommés pour l'intérinement et vérification de lettres patentes, infeudations, dons, mandats, décharges, constitution d'offices, établissements de gages, assignations, pensions, exemptions de tailles, homologations et enregistrements de divers contrats*, 1557-1580 :

– reg. 1 1557-1567

– reg. 2 1568-1572

– reg. 3 1573-1580

Inv. 74, fol. 3 *Requêtes pour intérinement des lettres de noblesse avec les sommaires apprises et procédures faittes pour la preuve de noblesse et pour exemptions de tailles et autres impositions, occasion des privilèges de laditte noblesse*, 1558-1563 :

– reg. 1 1558, 1562-1563

Inv. 74, fol. 3 bis *Requêtes pour intérinement de lettres patentes de déclaration et permission d'affranchir et omologation des contrats d'affranchissement*, 1472-1569 :

– paquet 1 1472-1569

Inv. 74, fol. 4 *Requêtes, procès verbaux et informations au sujet des abbergements des terres, édifices, cours d'eau et autres en faveur des particuliers y nommés*, 1547-1599 :

- mazzo 1 1547-1565
- mazzo 3 1575-1599

Inv. 84 *Requêtes de divers particuliers au sujet des investitures, fidélités et hommages*, 1439-1602 :
- mazzo 1 1439-1602

Inv. 129, fol. 1 *Comptes des droits de péage, leyde, gabelle et mesurage du sel de Chambéry, Traverse, La Bridoire et de Pontbeauvoisin*, 1306-1563 :
- mazzo 8 1454-1563

Inv. 166 *Patentes de noblesse, constitution d'offices, permissions et autres accordées par les comtes et ducs de Savoie aux particuliers y nommés*, 1297-1683 :
- mazzi 2-4 (XVIᵉ siècle)

Inv. 170, fol. 11 *Lettres écrittes aux gouverneurs de Savoye et du château de Montmeillan et au comte Tarin, intendant général en Savoye, par divers particuliers*, 1569-1690 :
- mazzo 108 1569-1573
- mazzo 109 1561-1613

Inv. 170, fol. 12 *Lettres de divers particuliers aux présidents des Sénat et Chambre des comptes de Savoye et aux maîtres auditeurs de laditte Chambre*, 1560-1683 :
- mazzo 126 1576-1656
- mazzo 127 1582-1621
- mazzo 128 1580-1596
- mazzo 129 1560-1613
- mazzo 132 1566-1586
- mazzo 134 1566-1572
- mazzo 137 1543-1594
- mazzo 139 1580-1646

Inv. 170, fol. 12 v° *Lettres de divers particuliers aux patrimoniaux de la Chambre et autres*, 1506-1686 :
- mazzo 141 1565-1592
- mazzo 142 1562-1585
- mazzo 143 1561-1610

Inv. 170, fol. 13 *Lettres écrittes aux cardinaux, archevêques, évêques, doyens, abbés et protonottaires apostoliques par divers seigneurs et autres particuliers. Lettres à messieurs les chancelliers, chambellans, grandmaîtres, grandécuyers, maréchaux et généraux par divers seigneurs et autres particuliers. Lettres écrittes par divers particuliers à*

autres particuliers sur divers sujets. Lettres écrittes par divers particu-
liers aux trésoriers généraux et receveurs, 1440-1703 :
- mazzo 151 1440-1595
- mazzo 155 1426-1703
- mazzo 156 1457-1620

Inv. 188, fol. 1 *Registre des lettres originales des particuliers à la*
Chambre des comptes, 1435-1577 :
- reg. 1 1435-1561
- reg. 2 1562-1570
- reg. 3 1571-1577

Inv. 211 *Index patentes*, 1560-1582

Inv. 280 *Index du présent répertoire général des lettres des particuliers à*
la Chambre des comptes de Savoie, 1435-1727

Inv. 282 *Index du présent répertoire général des lettres de la Cour à la*
Chambre des comptes, 1411-1719

Inv. 282 *Index du présent répertoire des baux à ferme, prix faits et autres*
contrats faits par la Chambre des comptes de Savoye, 1559-1718

(ii) *Série : Camera dei conti di Piemonte*

Art. 86 *Tesorieri generali Fauzone e Solarino*, 1364-1801 :
- reg. 1559-1561

Art. 217, par. 1 *Real casa tesoreria generale : conti*, 1565-1786 :
- reg. 1 1565
- reg. 2-3 1566
- reg. 4-27 1568-1587

Art. 223, par. 2 *Conto dell'ammontare dei dazi di Vercelli assegnati a S.A.*
la duchessa di Savoia, Margherita di Francia, 1574

Art. 225 *Margherita di Francia, duchessa di Savoia : conti delle spese*
pe'funerali di detta S.A., 1575

Art. 232 *Conti approvati : lettere A in Z per stipendi, ambasciate, viaggi,*
imprese, bastimenti, galere, crediti verso il seren. R., 1559-1663

Art. 237 *Camerali emolumenti : conti :*
- mazzo 1 1560-1584
- mazzo 2 1596-1632

Art. 246, par. 1 *Accensatore generale di tutte le segretarie de'senati e tri-*
bunali dello stato, 1561-1562

Art. 256, par.1 *Conti spese pel contino de la Chambre*, 1564-1567

Art. 256, par. 2 *Conto Balestri di denari avuti dalli tesorieri Faurone e*
d'Avignone e spese d'ordine di Sua Altesse, 1574

Art. 256, par. 3 *Conto spese in Lione e Parigi d'ordine di S.A.*, 1575
Art. 259, par. 2 *Redditie e spese dello stato, entrate e spese per la real casa, tesoreria e milizia tanto per Piemonte che per la Savoia*, 1562-1689:
- reg. 1-6 1562-1563
- reg. 6 1563
- reg. 7-8 1567-1568
- reg. 9-10 1570
- reg. 11-12 1572-1573
- reg. 13-15 1575-1576
- reg. 16 1578
- reg. 17-23 1580-1582
- reg. 24-25 1584
- reg. 26-27 1586-1587

Art. 261, par. 1 *Entrate dello stato*, 1561-1579:
- reg. 1 1561-1563
- reg. 2 1562-1563
- reg. 3 1576-1579

Art. 267 *Controllo cassa*, 1563-1564
Art. 268, par. 1 *Assegni, ordini di pagamento, mandati*:
- reg. 1 1563
- reg. 2 1565

Art. 268, par. 4 *Inventario de'nomi rapportati ne'conti*, 1561-1564
Art. 269 *Registri, quittanze, assenti ed ordini*:
- reg. 1 1563-1564
- reg. 2 1575-1578
- reg. 3 1577-1585

Art. 272, par. 1 *Obblighi diversi pel pagamento del tasso*, 1561-1569:
- reg. 1 1561-1562
- reg. 2 1567-1569
- Art. 282 *Discarichi, ordini di pagamento, diffabili, assenti ossia stabilimento di stipendi*, 1562-1571

Art. 373, par.1 *Real casa: registri de'mandati, delle assegnazioni e degli ordini di pagamento del Consiglio della medesima*:
- reg. 1-3 1562-1563
- reg. 4 1565-1566
- reg. 5-7 1568-1570
- reg. 8 1572
- reg. 9 1576

- reg. 10 1582

Art. 373, par. 2 *Controllo de'mandati del consiglio della real casa*, 1571-1785:
- reg. 1 1571-1574
- reg. 2 1575
- reg. 3 1579
- reg. 4 1580
- reg. 5 1585

Art. 383 *Spese fatte per S.A. la duchessa di Savoia e di Berry*, 1574

Art. 392, par. 1 *Casa, cucina, cantinae e simili degli augusti duchi, principi e principesse di Savoia*, 1525-1657:
- 2 reg. 1571
- 4 reg. 1574
- 2 reg. 1575

Art. 408 *Emolumenti senatori*:
- reg. 1 1558
- reg. 2 1585
- reg. 3 1586

Art. 439, par. 18 *Quinternetto del maneggio del fattore di S.A. alla Margarita*, 1564-1569

Art. 439, par. 28 *Conto di diverse spese fatte per S.A.*, 1575-1582

Art. 496 *Atti regio patrimonio contro particolari colle lettere A in Z*, 1500-1790

Art. 501 *Atti civili di communità contro particolari e vassali colle lettere A in Z*, 1479-1744

Art. 503, par. 1 *Atti civili tra particolari ventilati avanti la regia Camera ed il conservatore generale delle regie. Gabelle colle lettere A in Z*, 1528-1778

Art. 511 *Accensamenti di diversi redditi, beni ed effetti*, 1505-1770:
- mazzi 1-2

Art. 532 *Consegne di pensioni e vellovaglie di vari luoghi, visite, informazioni e carte diverse relative alle dette consegne*, 1560-1700:
- reg. 1 1560
- reg. 2 1571

Art. 540 *Titoli e scritture diverse per erediti ed acquisti di particolari*, 1494-1747 (voir l'inventaire 672)

Art. 555 *Lettere di delegazioni e commissioni diverse*, 1504-1704:
- mazzi 1-2

Art. 614 *Sessioni della Camera di Piemonte*, 1560-1801:

- reg. 1 1560-1563
- reg. 2 1565-1569
- reg. 3 1570-1581

Art. 621 *Registri delle cause vententi avanti la Camera in registri d'allea-nia camerale*, 1560-1763 :

- reg. 1 1560-1564
- reg. 2 1566

Art. 687 *Patenti ducali o patenti Piemonte, concessioni sovrane e came-rali di ogni genere colle rispettive interinazione in quanto o quelle sovrane sino al 1564*

Art. 688, par. 1 *Interinazioni di patenti*, 1564-1801 :

- reg. 3 1564-1601

Art. 689 *Controllo di finanze cioè registri di provvidenze e concessioni sovrane*, 1300-1717 (voir *Indice delle providenze e delle concessioni sovrane contenute nei registri del controllo di finanze descritti in inventario generale all'articolo 689*)

Art. 806, par.1 *Titoli e carte riflettenti i duchi di Nemours*, 1514-1661

Inv. 806, par. 2 *Conti e ricapiti delle case de'signori duchi di Genevois, Nemours, Chartres et Gisors*, 1397-1686 :

- mazzo 4 (fasc. 21) 1567-1568

(fasc. 154) 1569-1610

(fasc. 211) 1571-1591

(fasc. 212) 1568-1573

(fasc. 216) 1570-1580

Art. 852, par. 2 *Patenti di concessioni di nobilità e di armi gentilizie*, 1572-1595 (voir l'inventaire 131 « nuovo »)

Art. 853, par. 2 *Concessioni diverse disposte per ordine alfabetico*, 1424-1691 :

- mazzi 1-2

Art. 854 *Patenti ed ordini originali di stabilimento di uffizi, impieghi, pen-sioni, livranze*, 1395-1798 (voir l'inventaire 697)

B : *Archivio di stato, Prima Sezione, Turin*

(i) *Série : Casa reale*

(a) Lettere principi, duchi e sovrani :
-mazzi 8-11 *Duca Emanuele Filiberto e Margherita di Francia sua moglie,* 1556-1580

(b) Lettere principi diversi :
– mazzo 77 *Lettere principi diversi*
– mazzo 78 *Lettere di Anne d'Este,* 1550-1589
– mazzo 79 *Lettere di Carlo Emmanuele,* 1576-1595

(c) Lettere cardinali :
– mazzo 3 *Lettre adressée au duc Emmanuel-Philibert par Odet de Coligny,* 3 mars 1560

(d) Matrimoni :
– mazzo 19 (art. 10) *Dichiarazione fatta da Marguerite di Francia, duchessa di Berry, moglie del duca Emanuel Filibertzo, in occasione che la medesima si trovava gravamente amalata et alla presenza del Gran Cancellerie e di varii altri suoi uffiziali della case, per cui incarica li medesimi di domandare al re di Francia, passando per Torino, la continuazione della percezione de redditi di Berry per sodisfare con essi li debiti e rimunerare detti suoi uffiziali* [sans date]

(e) Obblighi e quietanze, 1248-1852 :
(voir l'inventaire 108)

(f) Scritture relative alle corti straniere :
(voir l'inventaire *100)*

(g) Cerimoniale : Corte di Francia :
– mazzo 1 1577-1579

(h) Cerimoniale : Funerali :
– art. 3 *Orazione funebre della duchessa Margarita di Sayoia, con una relazione delle ceremonie fatte all'occasione delle sue esequie,* 20 décembre 1574

(i) Cerimoniale : Cariche di Corte :
– mazzo 1 *Raccolto di estratti dai rotoli dei tesorieri e castellani della r. casa di Savoia, relativi alle spese e agli stipendi pagati ai precettori dei principi della medesima, fatta dal barone Giuseppe Vernazza*, 1298-1595
Patenti diversi, 1562, 1564, 1565, 1577, 1580, 1585, 1592 et *passim*

(j) Miscellanea A :
– scatola 1 *Pergamene (bolle, diplomi vescovili, atti privati)*, XVIe-XVIIIe siècles
– scatola 2 *Pergamene varie (procure, atti di rinuncia, atti contrattuali privati relativi a paesi diversi)*, XVIe siècle
– scatola 4 (art. 5) *Lettere varie in francese*, XVIe siècle
– scatola 9 (art. 8) *Carte varie ; corrispondenza, memorie, atti privati, concernenti per lo più questioni militari e finanzarie*, XVIe-XIXe siècles (copies et documents originaux)

(k) Miscellanea B :
– mazzo 13 *Lettere di principi, capi di stato, ministri ed altri personaggi italiani e stranieri*, XVIe siècle (copies et documents originaux)

(ii) *Série : Materie politiche* :
Lettere ministri-Francia :
– mazzi 1-6 149 ?-1583

(iii) *Série : Nobilità*
– mazzo 7 XVIIIe siècle

(iv) *Série : Protocolli dei notai ducali e omerali*

reg. 1 *Concessioni del duco Emanuel Filiberto a favore di vassali e particolari cioè di nobilità, d'armi, di legitimazioni d'impieghi, di donazioni, di pensioni, di confermazione di privilegi e d'altre grazie*, 1560-1568

(v) *Série : Lettere particolari*

(vi) *Série : Raccolto Balbo « senior »*
– mazzo 18 *Lettere di re, principi e cardinali*, 1560-1604 (copies)
– mazzi 45-47 *Lettere di re, regine e diversi signori francesi*, 1553-1581 (copies)
– mazzo 48 *Lettere e dispacci diversi per la maggior parte riguardanti materie finanzarie, nomine a cariche ecc.*, 1554-1616 (copies)

- mazzi 49-72 *Lettere di re, principi a grandi signori di Francia e dell'estero*, 1557-1639 (copies)
- mazzo 84 *Dispacci*, 1557-1567 (copies)
- mazzi 85-104 *Lettere e memorie*, 1562-1649 (copies)

(vii) *Série : Inventaire des écritures concernant le duché et province de Savoie*
(a) Province de Savoie (additions) :
- paquet 1 (art. 2) *Copie de mémorial de lettres patentes et d'autres écritures relatives aux privilèges accordés aux chevalieurs tireurs de l'arquebuse de Chambéry*, 1509-1626

(b) Duché de Savoie :
- paquet 1 (art. 18) *Notes des aliénations faites par le duc Emmanuel-Philibert de divers fiefs et revenus en Savoye et dans la vallée d'Aoste*, 1559-1598

(c) Duché de Savoie (additions) :
- paquet 1 (art. 2) *Recueil de lettres*, XVᵉ-XVIIᵉ siècles (copies)

(viii) *Série : Inventaire des écritures concernant la ville de Genève*
(a) Categoria 12 :
- paquet 2 (art. 3) *Lettres, mémoires et autres touchant les négociations des députés de la royale maison de Savoye avec ceux de Genève et des cantons de Suisse pour les différends avec la ville de Genève*, 1521-1598
- paquet 4 (art. 2*) Lettres écrites à S.A. sur les affaires de Genève*, 1560-1623
(art. 3) *Autres [lettres] écrites par la Chambre des comptes de Savoie à S.A. au Conseil de Genève, touchant les affaires de Genève*, 1570-1687
- paquet 3 (art. 2) *Autres lettres écrites à Messieurs de la Chambre, présidents etc. par le Conseil de Genève etc. touchant les affaires de Genève*, 1526-1672

(ix) *Série : Inventaire du duché et de la province du Genevois*

(x) *Série : Storia della real casa :*
(a) Categoria 1 : Documenti
- mazzo 9 (art. 7) *Inventario di documenti concernenti la real casa di Savoia che si trovano stampate nelle diverse opere di esso citate*

196

(art. 10) *Nota di documenti concernenti la real casa di Savoia i quali si trovano registrati nei varii codici diplomatici della biblioteca Vaticana*
- mazzo 10 (art. 1) *Ristretto di alcuni documenti relativi alla storia della real casa di Savoia esistenti nella biblioteca e negli archivi della città di Borgo in Bressa*
(art. 2) *Relevé des pièces concernant la Savoye contenues dans un volume in fol. de la Bibliothèque royale de Paris*
(art. 3) *Relevé des pièces historiques relatives à la Savoie qui se trouvent dans des volumes nouvellement acquis par la Bibliothèque royale de Paris*
(art. 4) *Dépouillement de plusieurs cartons renfermants diverses pièces concernant la maison de Savoie qui se trouvent dans la Bibliothèque royale de Paris*
(art. 6) *Ristretto di alcun titoli concernenti la storia della real casa di Savoia, estratto da un manuscritto della Biblioteca di Dijon, intitolato « Affaires de Savoie »*

(b) Documenti (addizioni):
- mazzo 2 (art. 4) *Elenco di documenti concernanti la real casa di Savoia, estrato dagli archivi di Dijon, Bourg, Lyon, Grenoble, Gap e Paris* (ms. sans date)

(c) Categoria 2: Storia generale:
- mazzo 1 (art. 8) *Memorie cronologiche per servire alla compilazione della storia della real casa di Savoia*, 1230-1669 (ms. sans date):
(art. 13) *Notizie riguardanti principi, principesse di Casa Savoia da Emanuel Filiberto a Vittorio Amedeo II* (ms. sans date)
(art. 14) *Storia segreta di Savoia dal 1580 al 1663 estratta da manoscritto esistente negli archivi del Dipartimento degli affari esteri a Parigi* (ms. sans date)
- mazzo 5 (art. 1) *Inventari delle croniche ed altre scritture ritrovate nella casa del fu Filiberto Pingon, e dal suo figliolo d'ordine di S.A. il duca di Savoia rimesse alli Antonio e Ludovico Bagnasacco, vice chiavario ducale*, 1582
- mazzo 6 (art. 3) *Cronaco di Savoia*, (ms. sans date)

(d) Storie particolari (addizioni): Emmanuel-Philibert:
- mazzo 1 (art. 2) *Pezze (38) riguardanti conti di Osti e fornitori crediti di vario genere, inventari di'argenteria del castello di Nizza ecc.*, 1564-1565

(art. 5) *Lettera con la quale Francesco Ziletti dedica ad Emanuele Fili-berto il libro secondo delle lettere de principi*, 22 novembre 1575

(xi) *Série : Biblioteca antica :*
Mss. :
H. IV.38 *Memorie di Torino e contorni ricavate da ordinati di essa città da vari altri documenti autentici, da storie di essa città e del paese, manoscritte e stampate*
Ja.l.X.3 *Inventaire des livres de S.A. qui estoient à Rivoles le vii jour d'aoust 1561*
Jb. II.6 bis *Miscellanea Sabaudiae et diversum*
Jb. VII.9 *Notizie di Bartolomeo Cristini, scrittore e leggitore di Emanuel-Filiberto bibliotecario e matematico di Carlo Emanuelle I*
K. IX.24 *Catalogo di parecchie opere tanto edite quanto inedite concer-nenti alla storia della real casa di Savoia ed ai dominii della medesima*

C. Archivio di città, Turin

(i) *Série : Catasti, consegnamenti di case e beni situati nel territorio di Torino fidesommessi*
– Doranea reg. 1558
– Marmorea reg. 1558
– Porta Nuova reg. 1558-1559
– De Forensi reg. 1558

(ii) *Série : Privilegi*
– art. 84 *Memoriale a capi col quale il duca Emanuele Filiberto stabi-lisce che nessuno fosse esente dagli alloggiamenti, che gli ufficiali della corte fossero alloggiati presso gli abitanti a pagamento e le gardie a gratis ecc.*, 6 mai 1564

(iii) *Série : Statuti*

(iv) *Série : Donativi*

(v) *Série : Scuole*

(vi) *Série : Cerimoniale*

(vii) *Série : Casa ed edifici*

(viii) *Série : Patenti*

(ix) *Série : Protocolli e minutari*

D. Archivio dell'arcivescovado, Turin

(i) *Série : Manoscritti-Miscellanea del Torelli*
- 17.7.1. *Miscellanea I*
- 17.7.2. *Miscellanea II*

E. Biblioteca reale, Turin

(i) *Série : Manoscritti Storia patria*
1093 *Maison royale de Savoie : Lettres historiques*, XVᵉ-XVIIIᵉ siècles

III. SUISSE

A. Archives d'État, Genève

(i) *Série : Conseils*
Registres du Conseil de Genève, 1409-1792 :
- R.C. 78-81 6 janvier 1583-28 décembre 1586

(ii) *Série : Portefeuille historique/pièces historiques*
P.H.1680 *Lettre de Marguerite de France au Conseil de Genève concernant le ministre Enoël*, 1566
P.H.1787 *Diverses propositions de Marguerite de France*, 1565
P.H.1823 *Lettre de Marguerite de France en faveur de Charles Pascal*, 1567

(iii) *Série : Manuscrits historiques*
Ms. Hist. 10 (ancien 233) *Chroniques du Pays de Vaud, chroniques de Genève, par Michel Roset* (ms. sans date)
Ms. Hist. 10 (ancien 233) fol. 705 *Rôle des syndics de Genève, 1503-1617, continué de diverses écritures jusqu'en 1713*

Ms. Hist. 20 (ancien 240) *Anecdotes curieuses et intéressantes touchant la République de Genève, avec le rolle des syndics qui l'ont gouvernée depuis l'an 1000 jusqu'à l'année 1768*

Ms. Hist. 134 (ancien 127) *Registre des bourgeois de Genève : répertoire alphabétique* (copie faite au XVIIIᵉ siècle)

Ms. Hist. 135 (ancien 130), fol. 14 *Notes sur les registres mortuaires [de Genève]*, 1550-1615

Ms. Hist. 141 *Alfred Covelle. Copie des registres d'habitants (réceptions à l'habitation genevoise) :*
– vol. 1 1549-1560
– vol. 2 1572-1574
– vol. 3 1585-1587

Ms. Hist. 142 *Alfred Covelle. Catalogue chronologique des réceptions à l'habitation genevoise :*
– vol. 1 1549-1560
– vol. 2 1572-1574
– vol. 3 1585-1587

Ms. Hist. 143 *Alfred Covelle. Noms des bourgeois reçus, classés par lieux d'origine*

Ms. Hist. 143 bis, fol. 6 *Alfred Covelle. Dénombrement des bourgeois de Genève réfugiés de France soit les noms des bourgeois reçus jusqu'en 1792, classés par provinces (incomplet) à partir de fol. 43 par localités, avec des noms d'habitants du XVIᵉ siècle*

Ms. Hist. 143 fol. 147 *Alfred Covelle. Habitants du XVIᵉ siècle classés par profession*

Généalogies genevoises :
– Mss. Hist. 271/6
– Mss. Hist. 335/4
– Mss. Hist. 335/16

(iv) *Série : Administrations publiques :*
Bourgeoisie :
Registres des réceptions à la bourgeoisie, 1445-1779 :
– Bourgeoisie Al 1445-1518
– Bourgeoisie A2 1519-1525
– Bourgeoisie A3 1555-1563
– Bourgeoisie A6 1442-1779
– Bourgeoisie A7 *Répertoire alphabétique des bourgeois*, 1409-1779
Lettres de bourgeoisie, 1339-1769

(b) État civil :
E-C Morts 150 1 suppl. *Carnet d'aucuns morts de peste,* 1545
E-C Morts 150 17 *Registre des morts,* 1er janvier-31 décembre 1586
E-C Morts 152 18 *Registre des morts,* 1er janvier-31 décembre 1587

(c) Fiefs :
Actes féodaux de la seigneurerie :
– Fiefs Cl 1489-1748
– Fiefs Cl 18 1562-1573
– Fiefs Cl 19 1571-1616
– Fiefs Cl 20 1581-1588

(d) Habitation :
Registres des réceptions à l'habitation :
Habitation Al 30 janvier 1549-29 janvier 1560
Habitation A2 2 septembre 1572-24 août 1574
Habitation A3 18 janvier 1585-1er octobre 1587

(e) Recensement :
Recensement Al (art. 1) 1520-1600
Recensement Al (art. 2) *Extraict des maisons des estrangers,* 1537-1538
Recensement Al (art. 3) *Extraict des maisons et biens estans dedans Genève, appartenans aux estrangers,* 1537
Recensement A1 (art. 4) *S'ensuyt la dizenne de honorable [...] Rigot,* 1547
Recensement Al (art. 5) *Rolle de ceux qui ont des chevaux,* 1562
Recensement Al (art. 6) *Rolle des arquebusiers,* juillet 1565
Recensement Al (art. 7) *Les noms de ceux de la nation francoyse bourgeois et habitans à Genève,* c.1575
Recensement A1 (art. 8) *Visite des dizains, recensement des hommes valides et des armes possédées par les particuliers,* 1571
Recensement Al (art. 10-11) *Listes de noms, rôles de dizaines,* xvie siècle
Recensement A2 *Description générale de toutes les maisons de la ville,* 1537

(v) Série : Archives notariales
Minutes du notaire Jehan Jovenon, vol. 6 1586-1590
Minutes du notaire Hugues Paquet, vol. 2 1582
vol. 8 1581-1582
vol. 9 1583

vol. 12 1586
vol. 12 1586
Minutes du notaire Claude François Pasteur, vol. 11 1587-1588
Actes privés divers 12

(vi) *Série : Archives judiciaires* :

(a) Juridictions pénales :
Livres d'enquêtes criminelles :
Inv. Pén. Al 6-9 janvier 1555-8 janvier 1572

(vii) *Série : Archives de familles* :
3ᵉ série :
De la Mare : Lettres de noblesse du duc Charles II (III) de Savoie, en faveur d'Étienne, Jean et les autres enfants de Perrin de la Mare, données à Genève le 26 juin 1513

(viii) *Série : Archives hospitalières :*
DdI *Registre des legats faicts tant aux pauvres de l'hospital général de Genève, collège, qu'aux pauvres estrangers dès le premier janvier 1580 jusques en 1637*

III. Bibliographie générale

I. Études biographiques et critiques sur Buttet

ALLEN, M., «Claude de Buttet» in *Anthologie poétique française: xvf siècle*, éd. M. Allen, 2 vols (Paris, Garnier Flammarion, 1965), pp. 307-312 (p. 307)

ALYN STACEY, S., « Marc-Claude de Buttet: a Biography and a Critical Edition of 'L'Amalthée' (1575) » (thèse de doctorat, Université de Hull, 1992)

– « Marguerite de France and Marc-Claude de Buttet: an unpublished letter », *BHR*, 50 (1988), 367- 372

– « Deux œuvres retrouvées de Marc-Claude de Buttet : 'Chant de Liesse' et 'Sur la venue [… d'] Anne d'Este' », *BHR*, 51 (1994), 405-417

– « A la recherche d'un style poétique : quelques résonances de Ronsard dans la poésie de Marc-Claude de Buttet », *in Mélanges de poétique et d'histoire littéraire du xvf siècle offerts à Louis Terreaux*, éd. J. Balsamo (Paris, Slatkine-Champion, 1994), pp. 133-150

– « Mythologie intertextuelle : érosion et interprétants », *in (Ré)interprétations: études sur le seizième siècle*, éd. J. O 'Brien, Michigan Romance Studies 15 (Ann Arbor, University of Michigan, 1995), pp. 55-75

– « Marc-Claude de Buttet et sa 'trouppe fidelle savoisienne' » *in Claude Le Jeune et son temps en France et dans les états de Savoie 1530-1600,* éd. M.-T. Bouquet-Boyer et P. Bonniffet (Berne, Peter Lang, 1996), pp. 312-325

- « L'Intertextualité translinguistique : réécritures francophones de sources italiennes à la Renaissance », *in Texte (s) et Intertexte (s)*, éd. E. Le Calvez, S. Alyn Stacey, M.-C. Canova-Green (Amsteram, Atlanta : Rodopi, 1997), pp. 97-112

- « 'Quand plein d'ennui estrange/Buttet traçoit cette euvre' : Marc-Claude de Butttet et la publication du 'Premier Livre des vers' », *Nouvelle revue du seizième siècle*, 2002, n° 20 février, 25-35

ANONYME- « Buttet (Marcos Antonio de) *in Enciclopedia universal ilustrada europeo-americana* (Barcelone, J. Espasa, 1907-1930), 70 vols, IX, 1570

ARMINJON, H., « Marc-Claude de Buttet en son temps » (communication inédite faite à l'Académie de Savoie, sciences, belles-lettres et arts le 19 novembre 1986)

AUGUIS, P.R., « Marc Claude de Buttet » *in Les Poètes françois depuis le XIIe siècle jusqu'à Malherbe*, 6 vols (Paris, Crapelet, 1824), V, 154-155

BALMAIN, J., *Un oublié : Marc-Claude de Buttet* (Paris, Editions du Savoyard, 1912)

BARBIER, J.-P., *Ma bibliothèque poétique : quatrème partie*, tome I (Genève, Droz, 1998), pp. 341-363

- *Ma bibliothèque poétique : deuxième partie* (Genève, Droz, 1990), pp. 322-363

BORSON, « Séance publique du 19 juillet 1897 : allocution prononcée par M. le général Borson, président », *MASBLAS*, 9, 4e série (1902), 127-137 (pp. 131-134)

BOUVIER, C., « L'Hoirie de Marc-Claude de Buttet » *in Notes savoyardes* (Chambéry, Imprimerie générale savoisienne, 1918), pp. 2-9

BRERETON, G., « Buttet » *in Cassell's Encyclopedia of World Literature*, éd. S.H. Steinberg, 3 vols (Londres, Cassell, 1973), II, 239

BURDIN, C., *Notice sur la vie et les œuvres du poète Marc-Claude de Buttet, gentilhomme savoisien* (Chambéry, Albane, 1872)

CHAMPION, H., « Buttet (Marc-Claude de) » *in Dictionnaire des lettres françaises : XVIe siècle*, éd. G. Grente *et al.* (Paris, Arthème Fayard, 1951), pp. 145-146 ; nlle édition (*ibid.*, 2001), pp. 212-213

COURTHION, P., « Un poète méconnu : Marc-Claude de Buttet, ami de Ronsard », *Éclair*, 5-6

DARMESTETER, A., et HATZFELD, A., *Le Seizième Siècle en France*, 16e édition (Paris, Delagrave, 1934), p. 129

DELLA CHIESA, A., *Catalogo de'scrittori piemontesi, savoiardi, e niz-zardi* (Carmagnola, B. Colonna, 1660), p. 244

DEMERSON, G., « Des 'éléphants mitrés' : remarques sur l'esprit sati-rique de M.-Cl. De Buttet », *in Mélanges de poétique et d'histoire litté-raire du* XVIe *siècle offerts à Louis Terreaux*, éd. J. Balsamo (Paris, Slat-kine-Champion, 1994), pp. 241-261

DÉSORMAUX, J., et FAURE, C., « Sur la généalogie du poète Marc-Claude de Buttet », *Revue savoisienne*, 65 (1924), 81-92

DUFOUR, T., « Notice bibliographique sur le 'Cavalier de Savoie', 'Le Citadin de Genève' et 'Le Fleau de l'Aristocratie Genevoise' », *Mémoires de la Société d'histoire et d'archéologie de Genève*, 19 (1877), 3-28

DU VERDIER, A., *La Bibliothèque* (Lyon, B. Honorat, 1585), p. 840 ; *Les Bibliothèques françoises de La Croix du Maine et de Du Verdier*, nou-velle edition augmentée par La Monnoye *et al.*, 6 vols (Paris, Saillant & Nyon, 1772-1773), III, 10-12

FOLLIET, A., « Un poète du XVIe siècle : Marc-Claude de Buttet », *Investi-gateur*, 9, 4e série (1869), 161-175

FORAS, A. de, « Buttet » *in Armorial et nobiliaire de l'ancien duché de Savoie*, 5 vols (Grenoble, Allier Frères, 1863-1900), I, 287-294

GOUJET, C.P., *Bibliothèque françoise*, 18 vols (Paris, P-J Mariette *et al.*, 1741-1756), XII, 353-358

GRILLET, J-L, « De Buttet (Marc-Claude) » *in Dictionnaire historique, littéraire et statistique des départements du Mont-Blanc et du Léman*, 3 vols (Chambéry, J.-F. Puthod, 1807), II, 91-93

HAAG, E. & E., *La France protestante*, 9 vols (Paris, Bureaux de la publi-cation, 1846-1859), III, 415-416

LA CROIX DU MAINE, G. de, *Premier Volume de la bibliothèque* (Paris, A. L'Angelier, 1584), p. 306 ; *Les Bibliothèques françoises de La Croix du Maine et de Du Verdier*, nouvelle édition augmentée par La Monnoye *et al.*, 6 vols (Paris, Saillant & Nyon, 1772-1773), II, 78-79

LA PORTE, M. de, *Les Epithètes de M. de La Porte Parisien* (Paris, G. Buon, 1571), p. 43

MANSAU, R., « Buttet, le poinçon au cœur » (communication inédite faite à l'Académie de Savoie, sciences, belles-lettres et arts le 19 novembre 1986)

MORAND, l'abbé « La Savoie et les Savoyards au XVIe siècle : discours de réception prononcé à l'Académie des sciences, belles-lettres et arts de Savoie », *MASBLAS*, 9, 3e série (1883), 360-368

MUGNIER, F., « Marc-Claude de Buttet, poète savoisien (XVIᵉ siècle) : notice sur sa vie, ses œuvres poétiques et en prose et sur ses amis : l'‘Apologie’ pour la Savoie : le testament de M.-C. de Buttet », *MDSS*, 35 (1896), 5-227 ; Genève, Slatkine Reprints, 1971

NERI, F., « Buttet, Marc-Claude de » in *Encyclopedia italiana di scienze, lettere ed arti*, 36 vols (Milan, Rizzoli, 1929-1939)

ONCIEU DE LA BATIE, E. d', « Note sur les derniers moments du poète Marc-Claude de Buttet : extrait d'un livre de raison du XVIᵉ siècle », *MASBLAS*, 10 (1884), 347-363

PÉROUSE, G., « Marc-Claude de Buttet » in *Causeries sur l'histoire littéraire de la Savoie*, 2 vols (Chambéry, Dardel, 1934), I, 109-146

PHILIPPE, J., « Marc-Claude de Buttet » in *Les Gloires de la Savoie* (Paris, Clarcy ; Annecy, Monnet ; Chambéry, Baudet, 1863), pp. 198-199

– *Les Poètes de la Savoie* (Annecy, J.-P. libraire-éditeur, 1865), pp. 21-32

– « Buttet (Marc-Claude de) » in *Manuel biographique de la Haute-Savoie et de la Savoie* (Annecy, J. Dépollier, 1883), p. 71

PILLET, C.M., « Buttet (Marc-Claude de) » in *Bibliographie universelle, ancienne et moderne* (Paris, Michaud, 1812), VI, 396-397

RABUT, F., « De quelle couleur étaient les yeux de la dame du poète M-C de Buttet », *Revue savoisienne*, 9 (1868), 15

RAYMOND, M., *L'Influence de Ronsard sur la poésie française (1550-1585)*, 2 vols (Paris, Champion, 1927), I, 239-249

REYNAUD, *Courrier des Alpes*, 89 (1845) ; cet article est aujourd'hui introuvable, mais il est cité par Philippe (voir *supra*, PHILIPPE, J., *Les Poètes de la Savoie*, pp. 24-32)

RITTER, E., « Recherches sur le poète Claude de Buttet et son Amalthée » in *Compte rendu du Congrès des sociétés savantes de la Savoie tenu à Thonon les 20, 21 et 22 août 1886* (Thonon, Dubouioz, 1866), pp. 133-160 ; Genève, H. Georg, 1887

– « Le Poète Claude de Buttet », *Revue savoisienne*, 36 (1895), 190-193

ROSSOTTI, A., *Syllabus scriptorum pedemontii* (Monteragali, M. Gislandi, 1667), p. 432

SAINT-GENIS, V. de, *Histoire de Savoie d'après les documents originaux depuis les origines les plus reculées jusqu'à l'annexion*, 3 vols (Chambéry, Bonne, Conte-Grand & Cie, 1868-1869), II, 50-53

TAMIZEY DE LARROQUE, P., « Œuvres poétiques de M.C. de Buttet », *Revue critique d'histoire et de littérature*, 2 (1881), 189-194

– « Recherches sur le poète Claude de Buttet et son Amalthée », *Revue critique d'histoire et de littérature*, 2 (1887), 297-299

TERREAUX, L., « Marc-Claude de Buttet et la langue poétique » *in La Littérature de la Renaissance : mélanges offerts à Henri Weber* (Genève, Slatkine, 1984), pp. 183-196

– « Marc-Claude de Buttet : 'L'Amalthée'. Du recueil de 1561 à celui de 1575 » *in Mélanges sur la littérature de la Renaissance à la mémoire de V-L Saulnier* (Genève, Droz, 1984), pp. 641-649

– « Marc-Claude de Buttet entre la Savoie et la France » *in Chemins d'histoire alpine : mélanges dédiés à la mémoire de Roger Devos*, éd. M. Fol, C. Sorrel, H. Viallet (Annecy, Association des amis de Roger Devos, 1997), pp. 457-465

VAN BEVER, A., « Marc-Claude de Buttet (1529 ?-1586) » *in Les Poètes du terroir du XVᵉ siècle au XXᵉ siècle*, 4 vols (Paris, C. Delagrave, 1914), IV, p. 507

ZIEGLER, H. de, *La Corne d'Amalthée : à propos du quatrième centenaire de la naissance de Ronsard* (Lausanne, La Concorde, 1924)

II. Prédécesseurs et contemporains de Buttet

ANEAU, B., *Stile et reiglement sur le faict de la justice* (Lyon, P. de Portonaris, 1553)

– *Juris prudentia* (Lyon, Ad Sagittarii, 1554)

– *Alector ou le coq : histoire fabuleuse*, éd. M.M. Fontaine, 2 vols (Genève, Droz, 1996)

AUBIGNÉ, A. d', *Œuvres complètes*, éd. E. Réaume et F. de Caussade (Paris, A. Lemerre, 1873), 6 vols

BANDELLO, M., *La prima (seconda, terza) parte de le novelle del Bandello* (Lucca, Il Busdrago, 1554)

– *La Quarta parte de le novelle del Bandello, nuovamente composte : ne per l'adietro date in luce* (Lyon, A. Marsili, pour P. Roussino, 1573)

BELLEFOREST, F. de, voir *infra*, BOAISTUAU

BERTRAND, A. de, *Contra. Troisième livre de chansons mis en musique à IIII parties* (Paris, Adrian le Roy & Robert Ballard, 1578)

BÈZE, Th. de, *Correspondance de Théodore de Bèze*, recueillie par H. Aubert, publiée par F. Aubert, H. Meylan, A. Dufour *et al.*, THR (numéros divers) (Genève, Droz, 1960-)

BOAISTUAU, P., *Histoires tragiques extraictes des œuvres italiennes de Bandel & mises en nostre langue françoise par Pierre Boaistuau surnommé Launay : continuation des histoires, mises en langue françoise par François de Belleforest* (Paris, V. Sertenas, 1559)

BOYSSONNÉ, J. de, *Correspondance* (BMTo, ms. 834) ; voir *infra*, BUCHE, J., *Lettres inédites de Jean de Boyssonné et de ses amis*
- *Carmina* (BMTo, ms. 835) ; voir *infra*, MUGNIER, F., *La Vie et les poésies de Jean de Boyssonné*
- *Les Trois Centuries* (BMTo, ms. 836)
- *Les Trois Centuries de maistre Jehan de Boyssoné*, éd. H. Jacoubet (thèse complémentaire présentée à la Faculté des Lettres de Paris ; Toulouse, E. Privat, 1923)
BRANTÔME, P. de Bourdeilles, seigneur de, *Œuvres*, 13 vols (La Haye, 1740)
CHAPPUYS, G., *Harangue de Charles Paschal, sur la mort de tres-vertueuse Princesse Marguerite de Valois [...] traduicte de latin en François* (Paris, J. Poupy, 1574)
- *Commentaires hieroglyphiques ou images des choses de Ian Pierius valerian* (Lyon, Barthelemy Honorat, 1576)
- *Les Facétieuses Journées*, éd. Michel Bideaux (Paris, Champion, 2003)
COLIGNY, Odet de, *Correspondance 1537-1568*, éd. L. Marlet (Orléans, Paris, Société historique et archéologique du Gatinais, 1885)
COLLETET, G., Histoire générale et particulière des poètes anciens et modernes contenant leur vie selon l'ordre chronologique, le jugement de leurs écrits imprimés, et quelques particularités des cours, des rois et des reines, des princes et des princesses sous le règne desquels ils ont fleuri, et qui ont eux-mêmes cultivé la poésie, avec quelques autres recherches curieuses qui peuvent servir à l'histoire, 5 vols (BNF, mss. N.A.F. 3073-3074)
- *L'Art poétique. I. Traitté de l'épigramme et traitté du sonnet*, éd. P.A. Jannini (Genève, Droz, 1965)
- *Vie des poètes gascons*, éd. P. Tamizey de Larroque (Paris, 1866 ; Genève, Slatkine, 1970)
- *Jacques Grévin*, éd. F. Bevilacqua Caldari (Fasano, Schena, 1988)
DAURAT, J., *Ioanni Aurati Lemovicis poetae et interpretis regii poëmatia. Hoc est poëmatum lib. V, epigrammatum lib. III, anagrammatum lib. I, funerum lib. I, odarum lib. II, epithalamiorum lib. I, eclogarum lib. II, varium rerum lib. I ; cum indicibus rerum et verborum locupletissimis* (Paris, G. Linocier, 1586)
- *Œuvres poétiques*, éd. C. Marty-Laveaux (Paris, A. Lemerre, 1875)
- *Jean Dorat : les Odes latines*, éd. Geneviève Demerson (Clermont-Ferrand, Publications de la Faculté des lettres et sciences humaines, 1979)

DU BELLAY, J., *Œuvres de l'invention de l'auteur*, éd. H. Chamard, STFM, 5 vols (vols 1-2, Paris, E. Cornely ; vols 3-5, Paris, Hachette, 1908-1923)

DU CHESNE, J., *La Morocosmie ou de la folie, vanité, et inconstance du monde* (Lyon, Jean de Tournes, 1583)

– *Le Grand Miroir du monde* (Lyon, Les Héritiers d'E. Vignon, 1593)

DU VERDIER, A., *La Bibliothèque* (Lyon, B. Honorat, 1585), p. 840 ; *Les Bibliothèques françoises de La Croix du Maine et de Du Verdier*, nouvelle édition augmentée par La Monnoye *et al.*, 6 vols (Paris, Saillant & Nyon, 1772-1773)

ENOCH, P., voir *infra*, LA MESCHINIÈRE

ÉRASME, D., *Institutio principis christiani* (Bâle, Froben, 1516)

ESPINAY, C. d', *Sonets amoureux* (Paris, Guillaume Barbé, 1559)

– *Les Sonets de Charles d'Espinay Breton* (Paris, Robert Estienne, 1560)

GRÉVIN, J., *Le Théatre [...] Ensemble la seconde partie de l'Olimpe et de la Gelodacrye* (Paris, V. Sertenas & G. Barbé, 1561)

LA CROIX DU MAINE, G. de, *Premier Volume de la bibliothèque* (Paris, A. L'Angelier, 1584), p. 306 ; *Les Bibliothèques françoises de La Croix du Maine et de Du Verdier*, nouvelle edition augmentée par La Monnoye *et al.*, 6 vols (Paris, Saillant & Nyon, 1772-1773)

LA GESSÉE, J. de, voir LA JESSÉE

LA JESSÉE, J. de, *Les Premieres Œuvres françoyses* (Anvers, C. Plantin, 1583)

– *Les Jeunesses*, éd. G. Demerson, avec une biographie et une bibliographie par J.-Ph. Labrousse, STFM (Paris, STFM, 1991)

LAMBERT, J.-G. de, *Les Faits merveilleux, ensemble la vie du gentil Lazare de Tormes et les avantures à luy advenues en divers lieux : livre fort plaisant et fececieux, au plaisir et contentement d'un chacun, traduit nouvellement d'espagnol en françois* (Lyon, 1560)

LA MESCHINIÈRE, P. de, *La Ceocyre* (Lyon, Barthelemy Honorat, 1578)

LA POMARANCIE, A., Stanze al duca di Savoia (ms. daté 1585, AST, Prima Sez., série : *Storia della real casa : storia generale*, mazzo 6, art. 2)

LA POPELINIÈRE, Lancelot du Voisin de, *La Vraye et Entiere Histoire des troubles et choses memorables advenues tant en France qu'en Flandres et pays circonvoisins, depuis l'an 1562, comprinse en quatorze livres* (Cologne, 1571)

LA PORTE, M. de, *Les Épithètes* (Paris, G. Buon, 1571)

MAROT, C., *Œuvres complètes*, éd. C.A. Mayer, 6 vols (vols 1-5 : Londres, Athlone Press, 1958-1970 ; vol. 6 : Genève, Slatkine, 1980)

MURET, M.-A. de, *Commentaires au premier livre des Amours de Ronsard*, éd. J. Chomarat, M.-M. Fragonard, G. Mathieu-Castellani (Genève, Droz, 1985)

PARADIN, G., *Chronique de Savoye* (Lyon, Jean de Tournes, 1561)

PASQUIER, E., *Les Œuvres*, 2 vols (Amsterdam, La Compagnie des Libraires Associez, 1723)

PELETIER DU MANS, J., *La Savoye de Iaques Peletier du Mans, à tresillustre Princesse Marguerite de France, duchesse de Savoye & de Berry* (Annecy, J. Bertrand, 1572)

PINGON, E.-P. de, ms. sans date, AST, Prima Sez., série : *Storia della real casa : stemmi et monnete (addizioni)*, mazzo 1

– Epithalamium Margaritae (ms. sans date, AST, Prima Sez., série : *Storia della real casa : storie particolari (addizioni) : Emmanuel-Philibert*, mazzo 1, art. 12)

– Ode à Madame Marguerite de France, duchesse de Savoye (ms. sans date, AST, Prima Sez., série : *Storia della real casa : storie particolari (addizioni) : Emmanuel-Philibert*, mazzo 1, art. 13)

– Caroli Emanuelis Pedemontium principis amabula (ms. sans date, AST, Prima Sez., série : *Storia della real casa : storie particolari (addizioni) : Emmanuel-Philibert*, mazzo 11, art. 1)

– Descrizione delle aurii gentilizia della r. casa di Savoia e dei patenti di Europa, dedicata da Filiberto Pingon, istorigrafo della r. casa di Savoia, a S.A. il principe di Piemonte (AST, Prima Sez., série : *Storia della real casa : documenti*, mazzo 2)

– Chronique de Savoie (ms. sans date, AST, Prima Sez., série : *Storia della real casa : storia generale*, mazzo 2, art. 1)

– De regno gestis ac situ Allobrogum (ms. sans date, AST, Prima Sez., série : *Storia della real casa : storia generale*, mazzo 4, art. 1)

– Pingonii Philiberti Sabaudae historiae libri XIII (ms. sans date, AST, Prima Sez., série : *Storia della real casa : storia generale*, mazzo 4, art. 2)

– Brogliasso della storia di Savoia compilato dal barone Filiberto Pingone (ms. sans date, AST, Prima Sez., série : *Storia della real casa : storia generale*, mazzo 4, art. 3)

– Copie de divers actes, orders, titres et documents pour l'histoire de la royale maison de Savoye (ms. sans date, AST, Prima Sez., série : *Storia della real casa : storia generale*, mazzo 5, art. 2)

– Raccolta di alcune scrizoni ritrovate nelle antiche rovine presso la città d'Arles nella Pallia narbonese (ms. sans date, AST, Prima Sez., série : *Storia della real casa : storia generale*, mazzo 5, art. 2)

- Antiquatatum Romanarum aliarumque congeries (ms. sans date, AST, Prima Sez., série *Storia della real casa : storia generale*, mazzo 6, art. 1)
- Emmanuelis Philiberti Pingonii [...] vita, BRT, *Miscellanea Vernazza*, ms. 92, art 1
- Emmanuelis Philiberti Pingonii [...] vita, BRT, *Miscellanea Vernazza*, ms. 95, art. 26
- Famiglia, BRT, *Miscellanea Vernazza*, ms. 97, art. 39 bis
- Regalis Sabaudiae domus, BRT, *Miscellanea Vernazza*, ms. 105, art. 87
- Praeminentia Sabaudiae domus, BRT, *Miscellanea Vernazza*, ms. 128, art. 14
- Brevi memoriae, BRT, *Miscellanea Vernazza*, ms. 171, art. 8 bis
- Vers en latin sur la mort de Marguerite de France, duchesse de Savoie, BNT, ms. X9 (fols [2 r°-v°])
- *Inclytorum Saxoniae Sabaudiaeque principium arbor gentilitia* (Turin, N. Bevilaqua, 1581)
- *Emmanuelis Philiberti Pingonii [...] vita in Arrêt de la royale Chambre des comptes concernant les armoires de la maison de Pingon originaire de la ville d'Aix en Provence* (Turin, F.A. Mairesse, 1779)

RONSARD, P. de., *Les Amours de P. de Ronsard vandomoys : ensemble le cinquiesme de ses odes* (Paris, M. de la Porte, 1552)
- *Les Œuvres de Pierre de Ronsard [...] tome premier* (Paris, Gabriel Buon, 1560)
- *Œuvres complètes*, éd. P. Laumonier, révisées et complétées par I. Silver et R. Lebègue, STFM, 20 vols (Paris, Champion, 1914-1975)

SORBIN, A., *Oraison funèbre de tres-chrestienne & vertueuse princesse, Henriette de Clèves, duchesse de Nyvernois, & Rethelois, princesse de Manthoue, marquise d'Isle, etc. pair de France* (Nevers, Pierre Roussin, 1601)

THOU, J.-A. de, *Histoire universelle*, éd. Casambon etc., 43 vols (La Haye, H. Scheurleer, 1740)

ULLOA, A. de, *La vita dell'invitissimo imperator Carlo Quinto* (Venise, V. Valgrisi, 1560)

ANTHOLOGIES :

Album (1572-1584) : un brogliaccio scritto con grafie e forse da mani diverse, contenente poesie, anagrammi, motti, scritti negli ultimi lustri del sec. XVI, in francese, tedesco, italiano, olandese e latino, ad una damigella Quintine Alaerts (BRT, *mss. Varia*, art. 38)

Poesie misc. sec. XVI e XVII (BRT, *mss. Varia*, art. 286)

Poesie misc. sec. XVI (BRT, *mss. Varia*, art. 297 (8))

Harangues et discours à la louange des ducs de Savoye, XVIᵉ-XVIIᵉ siècles (BRT, *mss. Varia*, art. 469)

III. Ouvrages généraux

ALLEN, M.J.B., *Marsilio Ficino and the Phaedran Charioteer*, Centre for Medieval and Renaissance Studies UCLA (Berkley, Los Angeles, Londres: University of California Press, 1981)

AVEZOU, R., « Le Rôle d'Annecy aux XVᵉ-XVIᵉ siècles. Les apanages : comté de Genevois et duché de Genevois-Nemours », *Annesci*, 12 (1965), 9-27

BAIRD, H.M., *Theodore Beza: the Counsellor of the French Reformation 1519-1605* (New York, G.P. Putnam, 1899)

BALMAS, E., *Un poeta del rinascimento francese: Étienne Jodelle: la sua vita: il suo tempo: con une premesse di Marcel Raymond*, Biblioteca dell'archivium romanicum, 66 (Florence, L.S. Olschki, 1962)

BERTHÉ DE BESAUCÈLE, L., *J.-B. Giraldi 1504-1573: étude sur l'évolution des théories littéraires en Italie au XVIᵉ siècle, suivie d'une notice sur G. Chappuys, traducteur français de Giraldi* (Paris, 1920 ; Genève, Slatkine Reprints, 1969)

BIENAIMÉ, D.R., *Grévin poeta satirico* (Pise, Giardini, 1967)

BIOT, B., *Barthélemy Aneau, régent de la Renaissance lyonnaise* (Paris, Champion, 1996)

BOCCAZZI, G., « I traduttori francesi de Stefano Guazzo. I. Gabriel Chappuys », *Bulletin du Centre d'études franco-italien*, 3 (1978), pp. 43-56

BONNIFET, P., « La Poésie vocale de Jean-Antoine de Baïf » in *La Notion de genre à la Renaissance*, éd. G. Demerson (Genève, Slatkine, 1984), pp. 263-277

BORN, L.K., *The Education of a Christian Prince*, Records of Civilization 27 (New York, Octagon Books, 1973)

BOYSSON, R. de, *Un humaniste toulousain, Jehan de Boysson (1505-1559)* (Paris, A. Picard, 1913)

BRUCHET, M., *Étude biographique sur Jacques de Savoie, duc de Genevois-Nemours, suivie de son « Instruction sur le faict du gouvernement »* (Annecy, Abry, 1898)

BUCHE, J., *Lettres inédites de Jean de Boyssonné et de ses amis* (Montpellier, 1895)

BUSSON, H., *Charles d'Espinay évêque de Dol et son œuvre poétique (1531 ?-1591)* (Paris, Champion, 1923)

CAPRÉ, F., *Catalogue des chevaliers de l'Ordre du Collier de Savoye, dict de l'Annonciade, avec leurs noms, surnoms, qualitez, armes, et blasons etc.* (Turin, B. Zavatte, 1654)

CASTOR, G., *Pléiade poetics : a Study in Sixteenth-Century Thought and Terminology* (Cambridge, CUP, 1964)

CÉNAC-MONCAUT, M., « Les Gascons célèbres : poètes : Jean de la Jessée », *Revue d'Aquitaine*, 6 (1862), 365-375, 442-449, 490-496, 549-553, 584-589

CHAMARD, H., *Joachim du Bellay 1525-1560* (Lille, Le Bigot, 1900)
– *Histoire de la Pléiade*, 4 vols (Paris, Didier, 1939-1940)

CHAMPION, P., *Ronsard et son temps* (Paris, Champion, 1925)
– *Henri III : roi de Pologne*, 2 vols (Paris, B. Grasset, 1943-1951)

COSTA DE BEAUREGARD, Ch.-A., *Mémoires historiques sur la royale maison de Savoie et sur les pays soumis à sa domination depuis le commencement du onzième siècle jusqu'à l'année 1796 inclusivement*, 4 vols (vols 1-3 : Turin, P. Joseph ; vol. 4 : Chambéry, A. Perrin, 1888)

CRAMER, L., *La Seigneurie de Genève et la maison de Savoie de 1559 à 1603*, 4 vols (Genève, A. Köndig ; Paris, A. Julien, 1912-1958 ; vol. 4 par A. Dufour)

DELLA CHIESA, A., *Catalogo de'scrittori piemontesi, savoiardi, e nizzardi* (Carmagnola, B. Colonna, 1660)

DEMERSON, G., *Dorat en son temps : culture classique et présence au monde* (Clermont-Ferrand, ADOSA, 1983)

DEVOS, R., et LE BLANC DE CERNEX, P., « Un 'humaniste' chambérien au XVIᵉ siècle : Jehan Piochet de Salins d'après ses livres de raison » in *Actes du VIIᵉ Congrès des Sociétés savantes de la Savoie* (Conflans, Sociétés savantes de la Savoie, 1976), pp. 209-230

DOBBINS, F., « Bertrand, Antoine de » in *New Grove Dictionary of Music and Musicians*, éd. S. Sadie, 20 vols (Londres, Macmillan, 1981), II, 649-650

DUCIS, C.-A., « Entrée de Jacques de Savoie et Anne d'Este à Annecy », *Revue savoisienne*, 24 (1883), 16-17
– « Anne d'Este duchesse de Genevois et de Nemours », *Revue savoisienne*, 32 (1891), 6-33

DUFOUR, A., *La Guerre de 1589-1593* (vol. 4 de *La Seigneurie de Genève et la maison de Savoie de 1559 à 1603* ; voir supra, CRAMER, L.)
– « Théodore de Bèze », *Histoire littéraire de la France*, 42 nᵒ. 2 (1995-2002), 315-470

DUROSOIR, G., « Les Genres de la musique vocale » *in La Notion de genre à la Renaissance*, éd. G. Demerson (Genève, Slatkine, 1984), pp. 245-261

— « Forme et expression dans les sonnets mis en chansons » *in Le Sonnet à la Renaissance des origines au XVII* siècle : actes des troisièmes journées rémoises 17-19 janvier 1986* (Paris, Aux amateurs de livres, 1988), pp. 91-102

ECKHARDT, A., *Rémy Belleau : sa vie : sa « Bergerie » : étude historique et critique* (Budapest, J. Nemeth, 1917 ; Genève, Slatkine Reprints, 1969)

EVANS, K., 'A Study of the Life and Literary Works of Jacques Grévin with special reference to his relationship with the Pléiade poets (thèse de doctorat, Bedford College, Université de Londres, 1983)

FARGE, J.K., *Biographical Register of Paris Doctors of Theology 1500-1536* (Toronto, Pontifical Institute of Medieval Studies, 1980)

GAUTIER, L., « L'Activité politique et diplomatique de Joseph Du Chesne, sieur de la Violette (1546-1609) », *Bulletin de la Société de Genève*, 3 (1906-1913), 290-311

GEISENDORF, P.-F., *Théodore de Bèze* (Genève, Labor & Fides, 1949)

GILLES, P., *Histoire ecclésiastique des Églises réformées, recueillies en quelques valées [sic] de Piedmont et circonvoisines* (Genève, Jean de Tournes, 1644)

GOUJET, C.P., *Bibliothèque françoise*, 18 vols (Paris, P-J Mariette *et al.*, 1741-1756)

GUIBAL, G., *De Ioannis Boyssonnei vita seu de litterarum in Gallia Meridiona restitutione : thesim : proponebat Facultati Litterarum Parisiensis* (Toulouse, A. Chauvin, 1863)

GUICHENON, S., *Histoire de Bresse et de Bugey* (Lyon, J.A. Huguetan & M.A. Ravaud, 1650)

— *Histoire généalogique de la royale maison de Savoye*, 2 vols (Lyon, G. Barbier, 1660)

HAAG, E. & E., *La France protestante*, 9 vols (Paris, Bureaux de la publication, 1846-1859)

HARTLEY, D.J., « La Célébration poétique du traité du Cateau-Cambrésis (1559) : document bibliographique », *BHR*, 43 (1981), 303-318

— « La Mort du roi Henri II (1559) et sa commémoration poétique : document bibliographique », *BHR*, 47 (1985), 379-388

HEPPE, H., *Theodor Beza. Leben und ausgewählte Schriften der Väter und Begründer der reformirten Kirche* (Elberfeld, R.L. Friderichs, 1861)

HUTTON, J., *Themes of Peace in Renaissance Poetry*, éd. R. Guerlac (Ithaca, Londres : Cornell University Press, 1984)

HYATTE, R., « Meter and Rythm in Jean-Antoine de Baïf's 'Étrénes de poézie fransoeze' and the 'vers mesurés à l'antique' of other poets in the late sixteenth century », *BHR*, 43 (1981), 487-508

JACOUBET, H., *Jean de Boyssoné et son temps* (Toulouse, E. Privat ; Paris, H. Didier, 1930)

– *La Correspondance de Jean de Boyssoné* (Toulouse, E. Privat, 1931) ; *Annales du Midi*, 41 (1929), 168-179 ; 42 (1930), 257-294 ; 43 (1931), 40-85

– *Les Poésies latines de Jean de Boyssoné : ms. de Toulouse 835 résumées et annotées* (Toulouse, E. Privat ; Grenoble, Allier, 1931)

JALLA, G., *Storia della riforma in Piemonte fino alla morte di Emanuele Filiberto, 1517-1580* (Florence, Libreria Claudiana, 1914)

JOUKOVSKY, F., *La Gloire dans la poésie française et néolatine du XVIe siècle : des Rhétoriqueurs à Agrippa d'Aubigné*, THR 102 (Genève, Droz, 1969)

JUGÉ, C., *Jacques Peletier du Mans (1517-1582) : essai sur sa vie, son œuvre, son influence* (Paris, A. Lemerre, 1907 ; Genève, Slatkine Reprints, 1970)

JUNG, M.R., *Hercule dans la littérature française du XVIe siècle : de l'Hercule courtois à l'Hercule baroque*, THR 79 (Genève, Droz, 1966)

KNECHT, R., *The Rise and Fall of Renaissance France 1483-1610*, 2e édition (Oxford, Blackwell, 2001)

LANGBEIN, J.H., *Prosecuting Crime in the Renaissance : England, Germany, France* (Cambridge, Massachussetts, Harvard University Press, 1974)

LAUMONIER, P., *Ronsard : poète lyrique : étude historique et littéraire*, 2e édition (Paris, Hachette, 1923)

LAVISSE, E., *Histoire de France, depuis les origines jusqu'à la Révolution*, 9 vols (Paris, Hachette, 1903-1911)

LEBÈGUE, R., « De la Brigade à la Pléiade », *in Lumières de la Pléiade : neuvième stage international d'études humanistes, Tours 1965* (Paris, J. Vrin, 1966)

LESURE, F., *Musique et musiciens français du XVIe siècle* (Genève, Minkoff Reprint, 1976)

– « Musiciens et textes poétiques au XVIe siècle : corrections ou corruptions ? » *in Literature and the Arts in the Reign of François I : Essays presented to C.A. Mayer*, éd. P.M. Smith et I.D. McFarlane (Lexington, Kentucky, French Forum Publishers, 1985), pp. 82-88

LLOYD JONES, K., « Un nouvel Icare : Jean de la Jessée et son 'Discours de fortune' » *in Gallica : Essays presented to J. Heywood Thomas by Colleagues, Pupils and Friends* (Cardiff, University of Wales Press, 1969), pp. 71-87

MCCLELLAND, J., « Le Mariage de poésie et de musique : un projet de Pontus de Tyard » *in La Chanson à la Renaissance*, éd. J.-M. Vaccaro (Tours, Van de Welde, 1977), pp. 80-92

MCFARLANE, I.D., *Renaissance France, 1470-1589* (Londres, E. Benn ; New York, Barnes & Noble, 1974)

MCPEEK, J.A.S., *Catullus in Strange and Distant Britain*, Harvard Studies in Comparative Literature, 15 (Cambridge, Massachussetts, Harvard University Press, 1939)

MÉNAGER, D., *Ronsard, le roi, le poète et les hommes* (Genève, Droz, 1979)

MUGNIER, F., *La Vie et les poésies de Jean de Boyssonné* (Paris, 1897 ; *Mémoires de la Société savoisienne*, 36 (1898) ; Genève, Slatkine Reprints, 1971)

NICERON, J.-P., *Mémoires pour servir à l'histoire des hommes illustres dans la république des lettres, avec un catalogue raisonné de leurs ouvrages*, 43 vols (Paris, Briasson, 1729-1745)

PANNIER, L., « Le Manuscrit des 'Vies des poètes français' de Guillaume Colletet brûlé dans l'incendie de la Bibliothèque du Louvre : essai de restitution », *Revue critique d'histoire et de littérature*, 2 (1872) ; Paris, A. Franck, 1872

PASCAL, A., *L'Ammiraglia di Coligny : Giacomina di Montbel contessa d'Entremont (1541-1599)* (Turin, Deputazione subalpina di storia patria, 1962)

PEYRE, R., *Une princesse de la Renaissance : Marguerite de France, duchesse de Berry, duchesse de Savoie* (Paris, E. Paul, 1902)

PICOT, É., *Les Français italianisants au XVIe siècle*, 2 vols (Paris, H. Champion, 1906-1907)

PIERI, M., *Le Pétrarquisme au XVIe siècle : Pétrarque et Ronsard ou de l'influence de Pétrarque sur la Pléiade française* (New York, Burt Franklin, 1968)

PINVERT, L., *Jacques Grévin (1538-1570)* (Paris, Thorin & Fils, 1899)

REVERDIN, P., « Pierre Enoc, poète genevois », *Bulletin de la Société historique de Genève*, 8 (1944), pp. 45-50

ROBIQUET, P.-P., *De Ioannis Aurati poetae regii vita et latine scriptis poematibus* (Paris, Hachette, 1887)

ROMIER, L., *Les Origines politiques des Guerres de Religion*, 2 vols (Paris, Perrin, 1913-1914 ; Genève, Slatkine Reprints, 1974)

ROSSOTTI, A., *Syllabus scriptorum pedemontii* (Monteragali, M. Gislandi, 1667)

SAINT-GENIS, V. de, *Études historiques sur la Savoie : les femmes d'autrefois : première étude : Jacqueline de Montbel veuve de Coligny (1561-1599)* (Paris, Didier & C., 1869)

SCHMIDT, A.-M., *La Poésie scientifique en France au XVIᵉ siècle* (Paris, A. Michel, 1938)

SEALY, R.J., *The Palace Academy of Henri III* (Genève, Droz, 1981)

STEVENS, W., *Margaret of France : Duchess of Savoy 1523-74 : a Biography* (Londres, J. Lane, Bodley Head, 1912)

THIBAULT, G., *Chansons au luth et airs de cour français au XVIᵉ siècle* (Paris, Droz, 1934)

– « Antoine de Bertrand, musicien de Ronsard et ses amis toulousains », *in Mélanges offerts à Abel Lefranc* (Paris, Droz, 1936), pp. 282-300

– « Musique et poésie en France au XVIᵉ siècle avant les 'Amours' de Ronsard » *in Musique et poésie au XVIᵉ siècle : Paris 30 juin-4 juillet 1953*, éd. J. Jacquot (Paris, CNRS, 1954), pp. 79-88

WEBER, H., *La Création poétique au XVIᵉ siècle en France : de Maurice Scève à Agrippa d'Aubigné* (Paris, Nizet, 1955)

YATES, F.A., *The French Academies of the Sixteenth Century* (Norwich, Empire Press, 1947)

YOUNG, M.L.M., *Guillaume des Autelz : a Study of his Life and Works*, THR 48 (Genève, Droz, 1961)

IV. Autres ouvrages consultés

1. *Ouvrages bibliographiques*

BAUDRIER, H., *Bibliographie lyonnaise : recherches sur les imprimeurs, libraires, relieurs et fondeurs de lettres de Lyon au xvr siècle*, 4 vols (Lyon, A. Brun, 1895-99)

BERSANO BEGEY, M., et DONDI, G., éd., *Le cinquecentine piemontesi*, 3 vols (Turin, Tipografia torinese editrice, 1961-1966)

BRUNET, J-C., *Manuel du libraire et de l'amateur de livres*, 5ᵉ édition, 6 vols (Paris, Firmin Didot Frères, Fils & Cie, 1860-65)

CABEEN, D.C., *A Critical Bibliography of French Literature : vol. II, the Sixteenth Century* (Syracuse, New York, Syracuse University Press, 1956)

CHAIX, P., *Les Livres imprimés à Genève de 1550 à 1600*, éd. P. Chaix *et al.*, révisé par G. Moeckli (Genève, Droz, 1966)

CHATELAIN, E., et MAIRE, A., « Essai d'une bibliographie de l'ancienne université de Paris » *in Collection de la bibliothèque de l'université de la Sorbonne* (Paris, la Sorbonne, 1891)

CIORANESCU, A., *Bibliographie de la littérature française du seizième siècle* (Paris, Klincksieck, 1959)

DELANDINE, A.-F., *Bibliothèque de Lyon : catalogue des livres qu'elle renferme dans la classe des belles-lettres [...] précédé d'une histoire de l'imprimerie*, 2 vols (Paris, Renouard, sans date)

DESGRAVES, L., *Répertoire bibliographique des livres imprimés en France au seizième siècle*, Bibliotheca bibliographica aureliana, 25, 27, 31 (Baden-Baden, Heitz, 1968-)

FEBVRE, L., et MARTIN, H.J., *L'Apparition du livre* (Paris, A. Michel, 1958)

GIRAUD, J., *Manuel de bibliographie littéraire pour les xvr, xvɪr et xvɪɪr siècles français* (Paris, Vrin, 1958)

GRAESSE, J.G.T., *Trésor des livres rares et précieux, ou nouveau dictionnaire bibliographique*, 7 vols (Dresden, R. Kuntze, 1859-1869)

GUENÉE, S., *Bibliographie de l'histoire des universités françaises des origines à la Révolution*, Institut de recherches et d'histoire des textes, 2 vols (Paris, J. Picard, 1978-1981)

JOURDAIN, C., *Index chronologicus chartarum pertinentium ad historiam universitatis Parisiensis* (Paris, Hachette/Société des bibliophiles, 1862)

JURGENS, M., *Documents du Minutier Central des notaires de Paris: Ronsard et ses amis* (Paris, Archives nationales, 1985)

KRISTELLER, P.O., *Iter Italicum: a Finding List of Uncatalogued or Incompletely Catalogued Humanist Manuscipts of the Renaissance in Italian and other Libraries*, 5 vols (Londres, Warburg Institute; Leyde, E.J. Brill, 1963)

LACHÈVRE, F., *Bibliographie des recueils collectifs de poésies du XVI*e siècle* (Paris, H. Champion, 1922)

LANSON, G., *Manuel bibliographique de la littérature française moderne, XVI*e, *XVII*e, *XVIII*e et XIX*e siècles*, 2 vols (Paris, Hachette, 1921)

LE PETIT, J., *Bibliographie des principales éditions originales d'écrivains français du XV*e au XVIII*e siècle* (Paris, Maison Quaintin, 1888)

MAHAFFEY, D., *A Concise Bibliography of French Literature* (Londres, New York: Bowker, 1975)

MANNO, A., et PROMIS, V., *Biblioteca storica italiana pubblicata per cura della R. Deputazione di Storia Patria*, 3 vols (Turin, Fratelli Bocca, 1884)

MCKERROW, R.B., *An Introduction to Bibliography for Literary Students* (Oxford, Clarendon Press, 1928)

PARIS, P., *Les Manuscrits de la Bibliothèque du roi*, 7 vols (Paris, 1836-1848)

– *Les Manuscrits de la Bibliothèque du Louvre brûlés dans la nuit du 23 au 24 mai 1871 sous le règne de la Commune* (Paris, Cabinet historique/Dumoulin, 1872)

QUENTIN-BAUCHART, E., *La Bibliothèque de Fontainbleau et les livres des derniers Valois (1515-59), à la Bibliothèque nationale* (Paris, E. Paul, L. Huard & Guillemin, 1891)

RENOUARD, A.A., *Annales de l'imprimerie des Estiennes ou histoire de la famille des Estienne et de ses éditions*, 2 vols (New York, Franklin, 1960)

RENOUARD, P., *Imprimeurs et libraires parisiens du XVI*e siècle* (Paris, Bibliothèque nationale, 1964-)

– *Répertoire des imprimeurs parisiens libraires, fondeurs de caractères et correcteurs d'imprimerie depuis l'introduction de l'imprimerie à Paris (1470) jusqu'à la fin du seizième siècle* (Paris, M.J. Minard, 1965)

– Fiche Renouard (BNP)

RODOLFO, G., *Manoscritti e rarità bibliografiche appartenuti alla biblioteca dei duchi di Savoia* (Carignano, L. Giglio, 1912)

SAUNDERS, A., et WILSON, D., *Catalogue des poésies françaises de la Bibliothèque de l'Arsenal 1501-1600* (Paris, CNRS, 1985)

TCHEMERZINE, A., *Bibliographie d'éditions originales et rares d'auteurs français des XVᵉ, XVIᵉ, XVIIᵉ et XVIIIᵉ siècles* (Paris, Hermann, 1977)

VAGANAY, H., *Le Sonnet en Italie et en France au XVIᵉ siècle : essai de bibliographie comparée* (Lyon, Au siège des facultés catholiques ; Macon, Protat, 1902)

VERNAZZA, G., *Ricerche sulla stamperia reale di Torino* (ADST, ms. 1049)

– *Ricerche di libri stampati in Piemonte dal 1474 al 1699* (ADST, ms. 1051)

VEYRIN-FERRER, J., « Fabriquer un livre au XVIᵉ siècle » *in La Lettre et le texte : trente années de recherches sur l'histoire du livre* (Paris, Centre national des lettres, 1987), pp. 273-319

2. *Dictionnaires/études sur la langue*

BLOCH, O., et WARTBURG, W. von, *Dictionnaire étymologique de la langue française* (Paris, PUF, 1968)

BRUNOT, F., *Histoire de la langue française des origines à 1900*, 13 vols (Paris, Armand Colin, 1905-1972)

CONSTANTIN, A., et DESORMAUX, J., *Dictionnaire savoyard* (Genève, Slatkine Reprints, 1973)

COTGRAVE, R., *A Dictionarie of the French and English Tongues* (Londres, 1611 ; Columbia, University of South Carolina Press, 1950)

FEW : WARTBURG, W. von, *Französisches Etymologisches Wörterbuch*, 25 vols (vols 1-3 : Tübingen, P. Siebeck ; vols 2-5 : Tübingen, Helbinger & Lichtenhann ; vols 6-25 : Bâle, ZBinden Druck & Verlag, 1948-1986)

GOUGENHEIM, G., *Grammaire de la langue française du seizième siècle* (Paris, A. & J. Picard, 1974)

HOPE, T.E., *Lexical Borrowings in the Romance Languages : a Critical Study of Italianisms in French and Gallicisms in Italian from 1100 to 1900*, 2 vols (Oxford, Blackwell, 1971)

HUGUET, E., *Dictionnaire de la langue française du seizième siècle*, 7 vols (Paris, Champion-Didier, 1925-1967)

LITTRÉ, E., *Dictionnaire de la langue française*, 7 vols (Paris, vols 1-4 : J-J. Pauvert ; vols 5-7, Gallimard Hachette, 1956-1958)

MARTY-LAVEAUX, C., *La Langue de la Pléiade*, 2 vols (Genève, Slatkine Reprints, 1965-1966)

NICOT, J., *Thresor de la langue françoise tant ancienne que moderne* (Paris, A. & J. Picard, 1960)

WIND, B.H., *Les Mots italiens introduits en français au XVI⁰ siècle* (Deventer, A. E. E. Kluwer, 1928)

3. *Sources musicales*

DASCHNER, H., *Die Gedruckten Mehrtimmigen Chansons von 1500-1600 : Literarische Quellen und Bibliographie Inaugural-Dissertation zur Erlangung der Doktorwürde der Philosophischen Fakultät der Rheinischen Friedrich-Wilhelms-Universität zu Bonn* (Danzig, Bonn, H. Daschner, 1962)

Répertoire international des sources musicales 1. Recueils imprimés XVI⁰-XVII⁰ siècles. Sous la direction de François Lesure (Munich, Duisberg, 1960)

INDEX

TABLE DES ILLUSTRATIONS

16. Un acte du 1ᵉʳ juin 1586 portant la signature de Marc-Claude de Buttet (AEG, *Archives notariales : Hugues Paquet : XII*, fol. 73 r°)

TABLE DES MATIÈRES

PREMIÈRE PARTIE
LA VIE DE MARC-CLAUDE DE BUTTET

Chapitre I

1. Naissance et généalogie de Buttet – 2. L'éducation du poète –
3. Les premiers projets littéraires – 4. Les premiers mécènes – 5.
La présentation de Buttet à Marguerite de France – 6. Buttet à la
cour française – 7. Entre la France et la Savoie

Chapitre II

1. La vie d'un gentilhomme savoyard – 2. Buttet, poète de la cour
savoyarde, 1560-1575 – 3. La dernière grande œuvre : *L'Amalthée*
(1575) – 4. *L'Œuvre chrestienne* (1581) – 5. Voyages à Genève

Chapitre III

1. Les derniers mois de Buttet – 2. Une visite de Théodore de
Bèze : la foi de Buttet en question – 3. La mort de Buttet – 4. Le
testament de Buttet – 5. La remise en vente du *Premier Livre des
vers* (1588)

Dans la même collection (suite)

47. ROUDAUT, François. *Le livre au XVIe siècle. Éléments de bibliologie matérielle et d'histoire.* 2003.

48. SKENAZI, Cynthia. *Le poète architecte en France. Constructions d'un imaginaire monarchique.* 2003.

49. MARTIN-ULRICH, Claudie. *La* persona *de la princesse au XVIe siècle: personnage littéraire et personnage politique.* 2004.

50. MARCIAK, Dorothée. *La place du prince. Perspective et pouvoir dans le théâtre de cour des Médicis. Florence (1539-1600).* 2005.

51. CARABIN, Denise. Les idées stoïciennes dans la littérature morale des XVIe et XVIIe siècles (1575-1642). 2004

52. ANGELI, Giovanna. *Le masque de Lancelot. Lumières de la Renaissance au XVe siècle,* traduit de l'italien par Arlette Estève. 2004.

53. LESTRINGANT, Frank. *Lumière des martyrs. Essai sur le martyre au siècle des Réformes.* 2004.

54. *Hélisenne de Crenne. L'écriture et ses doubles.* Études réunies par Jean-Philippe Beaulieu et Diane Desrosiers-Bonin. 2004.

55. *Actualité de Jeanne Flore.* Dix-sept études réunies par Diane Desrosiers-Bonin et Éliane Viennot. Avec la collaboration de Régine Reynolds-Cornell. 2004.

56. OTTAVIANI, Didier. *La philosophie de la lumière chez Dante. Du* Convivio *à la* Divine comédie. 2004.

57. FORSYTH, Elliott. *La Justice de Dieu.* Les Tragiques *d'Agrippa d'Aubigné et la Réforme protestante en France au XVIe siècle.* 2005

58. NAKAM, Géralde. *Chemins de la Renaissance.* 2005

59. TRIPET, Arnaud. *Pétrarque ou la connaissance de soi.* 2004.

60. BAUDRY, Hervé. *Contribution à l'étude du paracelsisme en France au XVIe siècle (1560-1580). De la naissance du mouvement aux années de maturité :* Le Demosterion *de Roch Le Baillif (1578).* 2005.

62. LESTRINGANT, Frank. *Jean de Léry ou l'invention du sauvage. Essai sur l'*Histoire d'un voyage faict en la terre du Bresil. 2005.

63. CAZAURAN, Nicole. *Variétés pour Marguerite de Navarre. Autour de* L'Heptaméron. *1978-2004.* 2005.

66. CARABIN, Denise. *Henri Estienne, érudit, novateur, polémiste. Étude sur* Ad Senecae lectionem Poodopoeiae. 2006.

70. ALYN STACEY, Sarah. *Marc-Claude de Buttet 1529/31-1586. L'honneur de la Savoie.* Série « La Renaissance française », Éditions et monographies, collection fondée par C.-A. Mayor, dirigée par Pauline M. Smith, 13. 2006.

71. VINESTOCK, Elizabeth. *Poétique et pratique dans les* Poemes *de Jean-Antoine de Baïf.* Série « La Renaissance française », Éditions et monographies, collection fondée par C.-A. Mayor, dirigée par Pauline M. Smith, 12. 2006.